*Chère lectrice,*

Et voilà, c'est la rentrée… Une fois ████████████ ère été
aura passé bien vite. Est-ce ██████████████████████ ugace
et si incertain (beau ████████████████████████████ nson-
niers s'efforcent d'en ████████████████████████████ cas,
Septembre inspire bie ████████████████████████

Dans ces textes — ██████████████████████ passant par
Sinatra ou Bryan Ferry ████████████ jours question d'un déchi-
rement. Car si septembre est le temps où l'on récolte les fruits
de l'effort, celui des grappes lourdes vendangées sous le soleil,
temps des réjouissances et du vin, il est aussi le mois où le
cœur chavire et pleure, celui des adieux et des ruptures. Et les
amours estivales s'enfuient comme les hirondelles — « Beau
temps pour un chagrin », dit la chanteuse Barbara.

Pour les retrouver, il faudra désormais attendre la reverdie des
poèmes du Moyen Age. Et Barbara de conclure : « L'amour nous
reviendra peut-être, Peut-être un soir au détour d'un printemps,
Ah quel joli temps, le temps de se revoir. »

*La responsable de collection*

# Puisqu'on ne vit qu'une fois...

# BRENDA NOVAK

# Puisqu'on ne vit qu'une fois...

**ÉMOTIONS**

*éditions* **Harlequin**

*Cet ouvrage a été publié en langue anglaise
sous le titre :*
BIG GIRLS DON'T CRY

*Traduction française de*
ÉLISA MARTREUIL


HARLEQUIN®

est une marque déposée du Groupe Harlequin


*Photos de couverture*
*Femme :* © STOCKBYTE / GETTY IMAGES
*Coquelicots :* © DIGITAL VISION / GETTY IMAGES

*Toute représentation ou reproduction, par quelque procédé que ce soit, constituerait une contrefaçon sanctionnée par les articles 425 et suivants du Code pénal.*
© 2005, Brenda Novak. © 2006, Traduction française : Harlequin S.A.
83-85, boulevard Vincent-Auriol, 75013 PARIS — Tél. : 01 42 16 63 63
Service Lectrices — Tél. : 01 45 82 47 47
ISBN 2-280-07991-7 — ISSN 1768-773X

# 1.

## *Los Angeles, Californie*

Keith O'Connell mentait, Ian Russell en aurait mis sa main au feu.

Intrigué et soupçonneux, il posa lentement sa fourchette tout en examinant avec attention le visage de son beau-frère. Outre son regard fuyant, d'autres signes confirmaient les craintes de Ian : la façon dont il se tenait légèrement recroquevillé sur lui-même, la nervosité compulsive avec laquelle il manipulait son courrier, ses hésitations et, surtout, l'agacement perceptible que suscitait le sujet, pourtant parfaitement anodin, dont il s'entretenait avec sa femme, Elizabeth.

— D'après ce que j'ai entendu aux informations, l'accident était effroyable. J'ai été étonnée que tu n'y fasses pas allusion, Keith, dit Elizabeth en tendant une crêpe à Ian.

Ian était suspendu aux lèvres de Keith, espérant du fond du cœur se tromper sur son beau-frère.

— Tu disais ? demanda Keith.

Il leva enfin les yeux, comme si la consultation de ses lettres lui avait fait perdre le fil de la conversation. Pourtant, Ian était prêt à parier qu'il en avait enregistré chaque mot.

— Il y avait quarante-cinq véhicules impliqués dans ce carambolage, reprit Elizabeth, et tu n'en as pas soufflé mot.

— Quand je suis passé, presque tout était dégagé, déclara-t-il d'un ton évasif.

Ian lut la perplexité d'Elizabeth dans son regard.

— Pourtant, selon l'article du journal, insista-t-elle, l'autoroute a été bloquée sur des kilomètres pendant une bonne partie de la journée. J'ai vu une photo.

— Ecoute, chérie, j'ai dû arriver bien après, finit par bredouiller Keith après une pause un peu trop longue.

Ian fut tenté de faire l'autruche et de continuer à croire que sa sœur avait rencontré l'homme de ses rêves et coulerait avec lui des jours heureux jusqu'à la fin de sa vie.

Cependant, il lui en coûtait trop de demeurer aveugle à tous les signaux d'avertissement qui clignotaient devant lui. Il n'avait pas d'autre frère ou sœur qu'Elizabeth et, au cours des années sombres qui avaient suivi la mort de leur mère, survenue alors qu'il était âgé de quatorze ans et Elizabeth de onze, c'est lui qui avait veillé sur sa cadette quand ils étaient allés vivre chez leur père, avec Luanna, sa deuxième épouse, et le fils de celle-ci, Marty, plus jeune et beaucoup plus gâté qu'eux. C'est Ian qui avait tenté de minimiser l'humiliation de sa sœur, petit être maigrichon mal dans sa peau, lorsqu'elle avait dû essuyer les railleries quotidiennes de ses camarades. C'est lui encore qui l'avait aidée à franchir les étapes délicates de l'adolescence. Lui toujours qui lui avait présenté un cavalier pour le bal du collège lorsqu'elle avait quinze ans. Quelques mois plus tard, comme elle avait perdu sa silhouette de fillette dégingandée, le souci de Ian avait davantage consisté à surveiller la foule de ses prétendants…

Il s'était toujours efforcé de la protéger en raison de la vulnérabilité qui émanait d'elle, séquelle probable de leur enfance difficile.

— D'après ce que j'ai lu, le carambolage a eu lieu juste avant ton atterrissage, poursuivit Elizabeth.

Keith posa le paquet de lettres, enfila son manteau et ferma sa mallette sans adresser un seul regard à sa femme ni à son beau-frère.

— Voyons, Elizabeth, tu sais que j'ai d'autres chats à fouetter en ce moment que de remarquer la circulation !

Les justifications de Keith augmentèrent encore le malaise de Ian, qui avait toujours apprécié le sérieux et la droiture de son beau-frère. Quelle mouche le piquait ?

— Mais enfin, Keith, le brouillard était si épais qu'on ne voyait rien. Il y a eu dix-huit morts ! Comment…

— Je t'ai déjà dit que j'étais trop absorbé par mon travail ! D'ailleurs, il faut que j'y aille, sinon je vais rater mon avion.

Au moment où il lui déposa un baiser sur la tempe, elle voulut se lever pour l'embrasser, mais il ne lui en laissa pas le temps. Il était déjà près des enfants et leur disait au revoir.

— Tu es vraiment obligé de partir maintenant ? demanda Mica du haut de ses huit ans.

— Tu sais bien que je ne reste que deux semaines chaque fois, ma puce.

La tristesse embua les beaux yeux bruns de la fillette.

— Mais le concours d'orthographe est mercredi prochain. J'aurais bien voulu que tu sois là. Cette fois, ce n'est pas juste contre ma classe mais contre toute l'école que je me bats.

Avec un geste dont la tendresse ne pouvait être mise en doute, il caressa les cheveux de sa fille, du même blond foncé que les siens.

— Tu sais bien que j'ai des obligations professionnelles.

— Je déteste ton travail, repartit-elle.

— N'oubliez pas, mademoiselle, que c'est grâce au travail de papa que nous avons à manger, intervint Elizabeth.

Elizabeth rappelait ainsi à sa fille le respect qu'elle devait à son père, se dit Ian. Cela dit, elle ne se réjouissait pas davantage que ses enfants du départ de Keith, dont les longues absences lui pesaient terriblement.

— Maman enregistrera le concours avec la caméra et on regardera ça ensemble à mon retour, promit Keith à Mica avant de se diriger vers son fils.

— Et mon match de foot, papa ? demanda Christopher, un petit bonhomme de cinq ans, aux cheveux blonds et aux yeux de la même couleur noisette que ceux de sa mère.

— Je serai là pour le prochain, fiston. Et après, on retournera prendre une glace. D'accord ?

— D'accord ! lança Chris avec un sourire radieux.

Touché par l'amour que Keith témoignait à ses enfants, Ian se reprocha d'avoir tiré des conclusions déplaisantes sur son beau-frère, qui n'était certainement pas le genre d'homme à causer du tort à sa famille. Et puis, qu'aurait-il donc pu dissimuler ? L'homme qui lui serrait maintenant la main était bien celui qu'il s'était sincèrement félicité de voir sa sœur épouser.

— Je suppose que tu seras parti quand je reviendrai, lui dit Keith.

— Oui, acquiesça Ian avec un hochement de tête. Cela fait déjà une semaine que je suis ici. Il faut que je retourne chez moi pour mettre au propre mes notes.

— Je ne sais pas comment vous, les chercheurs, vous pouvez jouer les Tarzan. Moi, ça me rendrait fou de camper pour observer les éléphants.

— Pas si tu étais passionné comme moi. Et puis je suis célibataire. Je n'ai à me soucier que de moi.

C'était vrai et il ne s'en plaignait pas. Après toutes ces années passées à veiller sur Liz, Ian appréciait de se consacrer uniquement à ses travaux.

— Tâche de venir nous voir avant de repartir en Afrique.

— J'essaierai. J'attends de savoir si on va m'accorder des subventions. La suite de mon programme en dépend.

Keith ramassa alors ses clés sur la paillasse et se dirigea vers le vestibule. Le claquement de la porte d'entrée fut suivi par un lourd silence.

— Je n'aime pas quand il s'en va, se plaignit Mica.

— Moi non plus, renchérit Christopher.

Ian se tourna vers Liz, il la découvrit le regard perdu dans sa tasse.

— Qu'est-ce qu'il y a ? demanda-t-il.

— Rien, pourquoi ? répondit-elle avec un sourire que Ian trouva forcé.

— Tu penses toujours à cet accident de Sacramento ?

— Pas vraiment.

— Il va où, cette fois ?

— Keith ? A Phoenix. Il s'y rend souvent pour former le personnel sur les nouveaux logiciels qu'il a créés.

— Il doit adorer son métier.

— Au point qu'il refuse de poser sa candidature ailleurs, soupira-t-elle.

Soucieux de ne pas éveiller l'inquiétude de Mica, qui les écoutait, Ian formula sa question suivante en termes volontairement vagues, ne laissant qu'à l'intonation de sa voix le soin de dire qu'elle était plus chargée de sens qu'il n'y paraissait.

— Est-ce que tout va bien, Elizabeth ?

Il vit sa sœur hausser ses sourcils délicatement dessinés.

— Entre Keith et moi, tu veux dire ? Oui, naturellement.

— Tu es sûre ?

— Certaine. J'en ai parfois assez de ses déplacements, c'est tout. Il est difficile de mener une vie familiale normale alors qu'il est parti la moitié du temps.

— Veux-tu que je reste ici avec les enfants cette semaine pour te permettre de passer quelques jours à Phoenix seule avec ton mari ? proposa Ian, malgré son impatience de rentrer chez lui.

Les cours allaient bientôt commencer à l'université et il n'avait pas encore préparé le programme de microbiologie qu'il lui faudrait enseigner s'il n'obtenait pas la bourse.

Mais Elizabeth comptait plus que tout au monde à ses yeux. Depuis leur enfance, ils avaient grandi avec l'idée qu'ils seraient toujours là l'un pour l'autre, quoi qu'il arrive. Or, il avait l'intuition qu'elle s'apprêtait à traverser une période où elle aurait besoin de lui.

— Non, le remercia-t-elle après un silence. C'est gentil, seulement, je ne crois pas qu'il ait envie de m'avoir dans les pattes pendant qu'il travaille. Son entreprise exige énormément de lui, c'est vrai, mais comme ce qu'il fait lui plaît… Que veux-tu…

Ian se frotta le menton.

— Depuis le temps, il doit commencer à se lasser de son boulot, surtout avec tous ces déplacements.

— Comme toi tu te lasses de tes expéditions au Congo ? le taquina-t-elle avec un sourire qui découvrit ses dents éclatantes.

— Liz ? dit-il d'un ton hésitant en lui posant la main sur le bras. Comment expliques-tu qu'il n'ait pas vu le carambolage à Sacramento ?

— Je n'en sais rien, finit-elle par répondre, soucieuse, en repoussant l'assiette à laquelle elle avait à peine touché. Je me suis peut-être embrouillée dans les dates. Il fait tellement d'allées et venues !

Elle s'efforçait de paraître détachée ; pourtant, sa réponse sonna aussi faux que celles de Keith quelques instants auparavant.


Dundee, Idaho

Deux ans n'avaient pas suffi à apaiser leurs relations.

Tandis que Lucie examinait attentivement le menu, Charlene adressa une mimique à Gabe, son frère, afin qu'il s'efforce de se montrer plus démonstratif et aimable vis-à-vis de leur demi-sœur. Bien sûr, apprendre son existence avait été un drôle de choc — deux ans plus tôt seulement, lorsqu'elle était revenue dans sa ville natale de Dundee et que leur père leur avait alors révélé l'identité de cette jeune femme de vingt-quatre ans... — mais ce n'était pas une raison suffisante pour lui être hostile.

Hélas, Gabe était trop buté pour s'assouplir et, à ses regards inquiets, Charlene voyait combien Lucie était peinée par le masque dur et froid que lui opposait son demi-frère. Elle cherchait un peu de sympathie — en vain.

Ils s'étaient réunis tous les trois pour préparer la fête prévue à l'occasion des soixante ans de leur père commun, Garth Holbrook, sénateur de l'Idaho depuis une vingtaine d'années.

— Le mieux serait de louer une salle au Running Y, conclut Charlene.

— Ce serait parfait, approuva Lucie. Tu ne trouves pas, Gabe ? ajouta-t-elle en rejetant en arrière ses cheveux bouclés, d'un riche blond vénitien.

— Aucune objection, marmonna-t-il.

Leur demi-sœur aurait certainement préféré plus d'enthousiasme de sa part, songea Charlene, consciente de l'attention dont Lucie ne cessait d'entourer Gabe.

Après que la serveuse eut déposé devant eux un pot de café, Lucie proposa à Gabe un peu de crème. Le monosyllabe proféré du bout des lèvres par lequel il répondit fit enrager Charlene, qui l'aurait volontiers gratifié d'une bonne gifle. Mais elle n'était plus la grande sœur. Et puis, surtout, chaque fois qu'elle lui en voulait, elle se rappelait que vivre, comme lui, dans un fauteuil roulant expliquait bien des humeurs... Sans compter que l'accident de voiture tragique avait aussi mis un terme à sa carrière de footballeur professionnel.

Aucune perspective heureuse ne semblait plus s'offrir à lui.

Vu l'atmosphère, Charlene renonça à tout espoir de les voir se réconcilier aujourd'hui. Il ne lui restait plus qu'à souhaiter que Lucie ne quitterait pas leur petite réunion en pleurs.

— Combien de personnes devrions-nous inviter, à ton avis ? poursuivit Charlene comme si de rien n'était.

— Que diriez-vous d'une trentaine ou d'une quarantaine ? Je pense que papa préférera que la fête se déroule en petit comité.

A la différence de Charlene, Lucie ne remarqua pas l'imperceptible crispation de Gabe au mot « papa », lorsqu'elle avait parlé de Garth.

Toute cette histoire était vraiment navrante, songea Charlene. Elle savait que, malgré les apparences, Gabe faisait des efforts — pourquoi serait-il venu, sinon ? — mais qu'il lui était difficile de s'adapter à tous les bouleversements qui l'avaient secoué au cours des dernières années. Il était malgré tout inadmissible de rendre Lucie responsable de ce qui avait eu lieu entre leur père et la prostituée de Dundee.

— Oui, entre trente et quarante me semble bien, acquiesça-t-elle.

Sans prêter attention à Charlene, Lucie se tourna de nouveau vers Gabe.

— Qu'est-ce que tu en dis, toi ?

Charlene observa avec appréhension le duel de regards qui opposa son frère et Lucie. Elle s'empressa d'intervenir.

— Tu sais, mon frère, euh… notre frère n'est pas très fort pour résoudre ce genre de problèmes.

Gabe accueillit d'un haussement de sourcils le mot « frère ».

— J'aimerais connaître son avis, déclara posément Lucie tout en plantant les yeux dans ceux de Gabe.

Celui-ci serra les dents et un silence pesant s'installa. On n'entendait plus que des bruits de vaisselle et les murmures des conversations alentour. Même Charlene préféra se taire.

— Qu'est-ce que tu attends de moi ? lança brusquement Gabe d'un ton hargneux.

— J'aimerais savoir ce que tu me reproches. Qu'est-ce que j'ai fait pour que tu me détestes à ce point ?

A la grande surprise de Charlene, qui craignait que la situation ne dégénère, son frère fit machine arrière.

— Faites comme vous voulez, dit-il d'un ton bourru.

14

— Il ne s'agit pas de l'anniversaire, rétorqua Lucie. Réponds à ma question, exigea-t-elle en le défiant du regard.

Gabe se renfrogna davantage.

— Je n'ai pas envie de parler de ça.

Sur ce, il voulut manœuvrer son fauteuil roulant pour s'en aller, mais Lucie l'arrêta en le retenant avec fermeté par le bras.

— Non, c'est moi qui vais partir et te laisser là à ruminer, puisque tu n'arrives apparemment pas à digérer le fait que ton père ait couché avec ma mère il y a vingt-six ans. Mais avant, je veux que tu saches une chose : je viens enfin de comprendre à quel point j'ai été stupide de chercher à tout prix à gagner ton affection.

Elle lui adressa un sourire aigre-doux et s'empara de son sac à main avant de lancer :

— Et va au diable, Gabe ! Qu'importe si mon frère t'aime, si le père que j'ai appris à respecter vénère jusqu'au sol sur lequel tu marches, si Charlene affirme que tu débordes de qualités humaines ! Puisque cet homme-là s'évanouit dès qu'il me voit, pour moi, tu n'existes plus.

Sur ces mots, elle se dirigea vers la sortie.

Charlene entendit le carillon de la porte et retint son souffle pendant plusieurs secondes après le départ de Lucie.

— Tu es content ? dit-elle enfin.

Comme assommé, Gabe n'avait pas bougé. Il finit par revenir à lui et se tourna vers Charlene.

— Je ne lui ai rien fait. Ni aujourd'hui ni avant.

— C'est faux, Gabe. Elle rêve que tu l'acceptes et, toi, tu méprises chaque fois la main qu'elle te tend. Tu n'as que ce que tu mérites, ajouta-t-elle en se glissant sur la banquette en Skaï.

— Où vas-tu ? demanda-t-il, manifestement surpris qu'elle ne se range pas de son côté.

— Keith rentre aujourd'hui. J'ai des courses à faire avec les enfants avant qu'il arrive.

# 2.

## *Los Angeles, Californie*

Le comportement de Keith continuait à tracasser Ian, qui tantôt
se persuadait que son imagination lui avait joué des tours, tantôt
se demandait ce que son beau-frère dissimulait. Un carambolage
impliquant quarante-cinq véhicules passait difficilement inaperçu
et, si Elizabeth avait réellement nourri des doutes sur la date de
l'accident, elle n'aurait pas pressé son mari d'autant de questions.

Peut-être Keith avait-il quitté l'autoroute en apercevant l'embouteillage, sans se douter de l'étendue de la catastrophe routière
et, ensuite, Dieu sait comment, il était passé entre les mailles des
nombreuses sources d'informations la relatant.

Si les souvenirs que Ian conservait de Sacramento étaient exacts,
une seule route importante reliait la ville à l'aéroport, situé très
à l'écart de l'agglomération. Mais la configuration pouvait avoir
changé du tout au tout, depuis le temps.

Espérant vivement qu'il en était ainsi, il étudia une carte de
Sacramento sur l'ordinateur de Keith. Il existait effectivement
quelques bretelles de sortie sur l'autoroute concernée mais comment
un automobiliste connaissant mal la région et gêné par un épais
brouillard aurait-il pu découvrir l'itinéraire à suivre en rase
campagne pour contourner l'embouteillage ? Cela ne paraissait

guère possible, même si on ne pouvait totalement écarter l'hypothèse. Keith voyageait tellement…

— Ian ? Téléphone ! appela Elizabeth depuis la cuisine.

Absorbé par ses pensées, il n'avait pas entendu la sonnerie ! Il attrapa le combiné à côté de l'ordinateur et fut accueilli par une voix masculine dont l'accent britannique lui indiqua instantanément à qui il avait affaire : Reginald Woolston, le directeur du département de l'université de Chicago où il travaillait, qui avait autrefois mené des expéditions de recherche au Congo, avant d'échanger officiellement sa « tenue de campagne » pour une collection de vestes en tweed lorsqu'il avait accepté une chaire de professeur.

— Quoi de neuf, Reggie ?

— Une bonne nouvelle. Le responsable du programme d'attribution des bourses au centre d'étude de la forêt tropicale vient de me téléphoner.

Ian se redressa sur sa chaise.

— Le comité de sélection souhaite te rencontrer.

Soutenu par Reginald, Ian avait déposé sa candidature des mois auparavant, avant même son retour du Congo.

— Quand ?

— Ça, c'est la mauvaise nouvelle. Le rendez-vous est fixé pour demain.

— Mais je suis en Californie ! On ne peut pas le repousser à la semaine prochaine ?

— Hélas, non. Sinon, il faudra que tu attendes encore un mois la prochaine réunion du comité.

— Dans ce cas, je saute dans le premier avion, dit-il tout en considérant sur l'ordinateur le trait noir dessiné par l'autoroute sur la carte de Sacramento.

— Je n'en attendais pas moins de ta part.

— Ils avaient l'air intéressé ?

— Tu les connais, ils restent toujours très prudents, répondit Reginald. Comme prévu, tu as franchi le premier barrage. Mais j'ai entendu dire que Harold Munoz est également sur les rangs et je sais qu'il a réalisé de brillants travaux par le passé. La lutte entre vous risque d'être serrée.

Ian n'appréciait guère cet Harold Munoz qui, selon lui, s'intéressait davantage à sa carrière personnelle qu'à la survie des éléphants d'Afrique mais, avec un peu de chance, ce serait à lui, Ian, qu'on offrirait l'occasion de retourner dans ce pays dont il était tombé amoureux.

— Tu veux que j'aille te chercher à l'aéroport ?

— Ce n'est pas de refus, cela nous permettra de bavarder un peu.

Un moment plus tard, Ian avait réservé son vol. Il s'apprêtait à quitter le bureau de Keith, quand son regard fut de nouveau attiré par la carte sur l'écran de l'ordinateur. Keith avait dû prendre la bretelle dite Power Line Road et éviter ainsi le carambolage. Son travail l'avait tellement accaparé — Ian pouvait le comprendre… — que ce détour lui était certainement sorti de l'esprit.

« Bref, cesse de t'inquiéter pour Liz, conclut-il, tes doutes ne sont pas fondés. » Puis, il éteignit l'ordinateur.


Dundee, Idaho

Charlene ralentit en passant devant le panneau « à vendre » accroché sur la petite ferme située à quelques kilomètres de chez elle. Elle revenait de l'école avec ses trois filles. Il pleuvait depuis le début de l'après-midi et une odeur d'humidité imprégnait le mini van.

— Maman, pourquoi tu t'arrêtes ? demanda Isabella, sa fille de six ans.

— Parce que j'ai envie de rêver.

— Maman adore cette ferme, espèce d'idiote, expliqua Angela avec l'assurance que lui conféraient ses huit ans. Depuis qu'elle est mise en vente, elle s'arrête devant presque tous les jours.

Souriant à la lucidité condescendante de sa fille, Charlene se gara sur le bas-côté pour ne pas causer d'accident.

— Tu es sûre que papa n'accepterait pas de venir habiter ici ? demanda Jennifer, dix ans, l'aînée des trois filles.

— Oui, certaine, confirma Charlene en observant la girouette rouillée.

Plantée sur le faîte de la vieille grange, elle virevoltait sous les rafales de vent. Charlene étouffa un soupir. Elle avait à maintes et maintes reprises tenté d'amadouer Keith, mettant en avant les avantages qu'il y aurait pour leurs filles à grandir dans une ferme. Mais il avait obstinément refusé de s'engager dans un projet aussi énorme, arguant qu'il voyageait trop pour se lancer dans des travaux.

Malgré tout, elle n'avait pas abandonné l'idée, rêvant que la charge d'une ferme oblige enfin son mari à renoncer à sa vie de nomade. Ils pourraient ouvrir un chenil, élever des chevaux, mettre des champs en culture ou affermer les terres inutilisées. Peut-être ne feraient-ils pas fortune mais, à l'heure actuelle, Keith ne gagnait pas non plus des millions. L'entreprise pour laquelle il travaillait lui faisait miroiter des augmentations — sans cesse remises à plus tard. Au moins, ils vivraient ensemble à temps complet. Et puis, s'ils échouaient à joindre les deux bouts, elle pourrait toujours recommencer à enseigner. Sa vie actuelle — partagée entre l'éducation de ses filles, diverses missions caritatives aux côtés de sa mère et son activité bénévole à l'école élémentaire — ne la comblait pas. Elle avait faim de défis à relever et, surtout, de la présence quotidienne de Keith.

Malgré la fatigue causée par ses incessantes allées et venues, Keith ne se plaignait jamais ; il aimait son travail. Quant à elle, elle l'aimait lui. Les choses étaient aussi simples que ça, songea-t-elle. Dès le premier instant où, au bal du lycée, elle avait posé les yeux sur ce nouvel élève qui attisait la curiosité de tous, elle avait frissonné et su qu'elle venait de rencontrer l'homme de sa vie. La

19

force paisible qui émanait de lui l'avait attirée, plus encore que sa beauté, même si ses traits virils, ses cheveux drus châtain clair et ses grands yeux bruns ne l'avaient pas laissée indifférente… Sans compter que la fougue de son propre tempérament n'avait jamais intimidé Keith, contrairement à bien d'autres garçons.

— A quelle heure il rentre, papa ? demanda Angela.

Se souvenant soudain du coup de téléphone qu'elle avait reçu chez sa mère, Charlene fronça les sourcils.

— Pas tout de suite.

— Tu avais dit qu'il dînerait avec nous, protesta Jennifer.

— C'est ce qui était décidé, mais on n'avait pas prévu l'orage qui se prépare, dit Charlene en jetant un coup d'œil au ciel qui s'assombrissait de minute en minute.

Elle sourit d'un air désolé à ses filles : Jennifer et Angela étaient le portrait craché de leur père, tandis qu'Isabella, avec ses yeux bleus et ses cheveux presque noirs, tenait manifestement d'elle.

— Il a toujours une bonne excuse pour ne pas être là, ronchonna Jennifer.

Préférant ne pas relever, Charlene démarra.

— Le temps doit être encore pire à Boise, commenta-t-elle avec dépit.

— Est-ce qu'il tourne en rond dans le ciel comme la fois où la neige l'avait empêché d'atterrir ? s'inquiéta Angela.

— Non. Son avion n'a pas encore décollé et il restera au sol à Los Angeles jusqu'à ce que les conditions météorologiques s'améliorent.

— Il va quand même arriver ce soir, hein ? s'assura Isabella.

Elles virent alors un éclair zébrer le ciel, bientôt suivi par les grondements du tonnerre et le crépitement de la pluie sur la carrosserie.

— J'espère bien qu'il sera là ce soir ! déclara Charlene.

Elle souffrait des absences de Keith. La chaleur de son corps, la nuit, lui manquait cruellement, comme son soutien si précieux dans l'éducation des enfants ou encore le sourire qu'il lui réservait dans leurs moments d'intimité. Lorsqu'il n'était pas là, il lui semblait que sa vie était comme suspendue. Mais dès qu'il rentrait… elle ne regrettait plus d'avoir attendu.

D'ailleurs, elle se sentait réchauffée par le seul souvenir de leur dernière nuit d'amour. Leur désir l'un de l'autre avait été aussi dévorant qu'aux premiers jours de leur mariage qui, pourtant, datait de onze ans. Peut-être les périodes de séparation forcée entretenaient-elles leur passion ? Et les voyages de Keith, aussi pénibles soient-ils, avaient aussi de bons côtés. En tout cas, il lui fallait bien se raccrocher à cet espoir pour continuer à supporter cette vie imposée par le travail de Keith…

Quelques kilomètres après les zones résidentielles cossues de Dundee, elle arriva devant leur maison, située dans un quartier plus modeste. Dès que Charlene se fut engagée dans l'allée, Jennifer, très excitée, se mit à tambouriner sur le dossier de sa mère.

— Tu vas vendre la jeep de papa ?

— Oui. J'essaye en tout cas. J'ai mis le panneau ce matin.

— Est-ce que des acheteurs sont venus ?

— Non, pas que je sache. Mais je n'ai pas été à la maison de toute la journée et, par ce temps, je ne sais pas qui se déplacerait pour venir voir une voiture, ajouta-t-elle en examinant le ciel dans l'espoir déçu d'y trouver l'annonce d'une éclaircie.

— Elle va se vendre, assura Jennifer. Elle plaît à tout le monde.

— J'espère que tu as raison.

Charlene comptait sur cet apport d'argent. Pour les cadeaux de Noël, déjà, et puis… La voix perçante d'Isabella la tira de sa rêverie.

— Regardez ! Oncle Gabe a apporté la balançoire qu'il nous avait promise !

Depuis son accident, Gabe se passionnait pour l'ébénisterie et réalisait avec talent toutes sortes de choses, et même des balançoires, semblait-il… Il désirait visiblement faire la paix, songea Charlene. Mais elle ne voulait pas se montrer trop conciliante avec lui ni lui pardonner trop vite son odieux comportement du matin avec Lucie.

— N'oubliez pas d'enlever vos bottes, recommanda-t-elle à ses filles. Je viens de faire nettoyer les tapis.

Mère et filles coururent vers la porte de derrière et s'engouffrèrent dans le vestibule exigu, où Old Bailey, leur basset, les accueillit avec des jappements de joie. Puis, pénétrant dans la cuisine, Charlene remarqua la lumière clignotante du répondeur : Keith ?

Vite, elle écouta aussitôt, espérant entendre des nouvelles de son mari.

Effectivement, la voix chaude de Keith emplit la pièce.

— « Bonjour, chérie. Je suis coincé à Los Angeles pour quelques heures encore. J'arrive dès que je peux. Ne m'attends pas pour te coucher. Je t'aime. »

Coincé ?… Charlene resta quelques instants sans bouger. Une nuit de plus à passer seule avec les filles…

Los Angeles, Californie

Ian se faufilait entre les groupes de passagers plus lourdement chargés que lui. L'embarquement débuterait d'ici à une quinzaine de minutes et, dans sept heures, il atterrirait à Chicago où Reg l'accompagnerait chez lui. Ainsi, il était sûr de ne pas manquer le rendez-vous du lendemain matin.

C'est donc le cœur léger qu'il se présenta au contrôle de sécurité. Mais, lorsqu'il vit la longueur de la file d'attente et la lenteur avec laquelle elle progressait, l'inquiétude le saisit.

— Allez, allez, plus vite, implora-t-il entre ses dents.

Soudain, tout le monde fut bloqué. Que se passait-il, à présent ? Se haussant sur la pointe des pieds, il essaya de comprendre. C'est alors que…

Une silhouette familière attira son attention. Bien sûr, l'homme était de dos… Mais on aurait dit… Keith !

Allons, il se trompait certainement puisque une heure plus tôt, à peine, son beau-frère avait appelé Elizabeth pour lui annoncer qu'il était arrivé sans encombre à Phoenix… Il ne pouvait pas aussi être à Los Angeles.

Malgré tout, ce type…

Ian fit quelques pas de côté pour tirer l'affaire au clair. C'était complètement fou ! Cet homme ressemblait trait pour trait à Keith et… portait un manteau de la même couleur.

La sensation étrange qui avait envahi Ian le matin même afflua de nouveau en lui : quelque chose clochait. Selon Elizabeth, Keith était à Phoenix. Pourtant, ce passager était bien son mari, il en avait désormais la certitude absolue. Obéissant à une impulsion, il sortit son portable pour appeler sa sœur.

— Tu as raté ton avion ? demanda-t-elle.

— Non. J'attends de passer les portails de sécurité.

— Tu as oublié quelque chose, alors ?

— Je ne crois pas. J'espérais seulement…

Il s'interrompit pour s'éclaircir la voix.

— Keith est bien arrivé à Phoenix, n'est-ce pas ?

— Oui. Il a appelé vers 2 heures. Apparemment, il fait vingt-cinq degrés alors qu'on est en novembre. C'est incroyable, tu ne trouves pas ?

Oui, c'était incroyable, mais moins que la présence supposée de Keith à Phoenix, alors que Ian le voyait de ses propres yeux, à quelques mètres de lui.

— Il n'a rien oublié à ton avis ? reprit-il.

— Non… Qu'est-ce qui t'arrive, Ian ? Tu es bizarre. Où veux-tu en venir avec toutes ces questions ?

— Nulle part. Je… je passe le temps, c'est tout. Je n'ai pas eu vraiment l'occasion de parler avec Keith et je me demandais quel était son programme. Quand revient-il ?

— Dans une quinzaine de jours.

— Il part toujours deux semaines ?

— En gros, oui. Parfois, un peu moins si les enfants font quelque chose de particulier ou au contraire un peu plus si son travail l'exige.

Tandis que Liz lui parlait, Ian se représenta Keith en train de lui téléphoner : « Je suis à Phoenix… La température atteint les vingt-cinq degrés… Embrasse les filles… » Il en était pétrifié.

— Enfin, Ian, qu'est-ce qui t'arrive ?

Elizabeth ne soupçonnait pas un instant la duplicité de son mari, c'était affreusement évident. Pas plus qu'elle ne soupçonnait quelle mauvaise surprise l'attendait vraisemblablement. Dans ces conditions, devait-il jouer les oiseaux de malheur, lui, son propre frère ? Avant d'intervenir, il lui fallait établir exactement les faits.

— Tu n'es pas comme d'habitude, reprit-elle.

— Tout va bien, rassure-toi, assura-t-il d'un ton qu'il voulut enjoué. Il faut que je te quitte. Je ne veux pas rater mon avion.

Sur ces mots, il coupa la communication. Heureusement, la file d'attente reprenait sa progression et avançait plus vite, maintenant. Là-bas, Keith passait le portique de sécurité. Dans quelques instants, il aurait récupéré ses affaires. Ian devait absolument repérer vers quelle porte d'embarquement il se dirigerait ensuite.

Sans chercher à dissimuler son agitation, il interpella la personne qui se trouvait devant lui.

— Excusez-moi. Je suis très, très en retard. Pourriez-vous me laisser passer, s'il vous plaît ?

La mère et la fille à qui il s'était adressé lui cédèrent gentiment leur tour, imitées par plusieurs autres passagers. Il était presque parvenu au détecteur de métal quand il vit Keith s'éloigner dans la direction opposée à celle que lui-même devait prendre. S'il décidait de filer Keith, il manquerait son vol et, par conséquent, l'entretien prévu à Chicago pour sa bourse de recherche…

Il jura de dépit en revoyant le visage de sa petite sœur, si confiante

24

et si crédule, profondément attristée, comme ses deux enfants, par le départ de son mari. Et comme il distinguait la haute silhouette de son beau-frère qui atteignait le bout du long couloir, il choisit rageusement de le suivre.

# 3.

Elizabeth était seule sur le court de tennis. Elle consulta la montre sertie de petits diamants que Keith lui avait offerte quelques semaines auparavant à l'occasion de leur huitième anniversaire de mariage : 6 heures passées de quelques minutes.

En général, Elizabeth venait avec plaisir au club de tennis. Aujourd'hui, cependant, le cœur n'y était pas : le départ simultané de son mari et de son frère avait décuplé le sentiment de solitude qui l'étreignait parfois.

Sa raquette coincée entre les genoux, elle ajusta le ruban qui retenait son épaisse chevelure blonde, en se persuadant qu'un peu de sport l'aiderait à secouer son abattement. Keith lui avait offert une série de cours pour ses trente et un ans, deux mois plus tôt, et il aurait été fâché qu'elle n'en profite pas. Il tenait à ce qu'elle continue de gagner ses matchs et… conserve sa silhouette élancée. Sa silhouette… Récemment, il avait remarqué ses rondeurs, pendant qu'ils faisaient l'amour, et elle s'était vexée.

Naturellement, il avait raison. Elle grignotait pour tromper sa solitude. Mais il ne fallait pas exagérer non plus : elle n'était pas grosse !

Rageuse, elle servit de toutes ses forces la balle, qui passa le filet et frôla la ligne du carré : un coup de maître.

— Joli !

C'était David, le professeur de tennis attitré du club. Parlait-il de son service ou de ses jambes ? Elle n'aurait su le déterminer, vu la façon dont il la jaugeait…

— Vous êtes en retard, répliqua-t-elle.

— Je vaux la peine qu'on m'attende, non ?

Avec l'assurance de celui qui ne doute pas de son pouvoir de séduction, il se plaça derrière elle afin de lui montrer le bon geste. Elizabeth se raidit : ce n'était pas la première fois que David flirtait avec elle.

— Vous voyez, vous aviez positionné votre poignet comme ça, dit-il en lui caressant le bras. C'est la clé d'un service réussi.

Il se tenait si près d'elle que, malgré la fraîcheur automnale de ce mois de novembre, elle sentait la chaleur de son corps tonique, ferme, et toutes les remarques équivoques qu'il lui avait adressées depuis qu'elle venait au club lui revinrent à la mémoire. Elle n'avait qu'à claquer des doigts, et il l'inviterait à dîner.

Sauf qu'elle ne le ferait pas. Car aussi beau soit-il, aussi anxieuse soit-elle de continuer à plaire, il n'était pas question qu'elle se lance dans une liaison. Ni avec lui ni avec personne d'autre. Enfin, elle avait une famille à elle, et un simple coup de désir ne l'entraînerait pas à mettre en péril tout ce qu'elle avait construit.

— Vous savez que vous êtes très belle ? lui murmura-t-il d'une voix sourde.

— Et vous, vous avez sept ans de moins que moi, répliqua-t-elle, amusée par son audace.

— Ce n'est pas mon âge qui vous fait hésiter, objecta-t-il avec un haussement d'épaules.

On pouvait reprocher à Dave d'être imbu de lui-même, mais pas de manquer de clairvoyance.

— Ce n'est pas la seule raison, en effet.

— Votre mari a bien de la chance, poursuivit-il en laissant ses yeux s'égarer sur ses formes pulpeuses.

— Ce n'est pas une question de chance, mais d'amour et d'engagement mutuel, déclara-t-elle en servant… trop long.

Le jeune homme accrocha alors le regard d'Elizabeth, et le sourire qui lui illumina le visage le fit paraître encore plus jeune.

— Personnellement, je trouve que votre mari s'absente trop souvent. C'est risqué de laisser seule une femme comme vous !

— Il me fait confiance, expliqua-t-elle avec simplicité.

— Et vous, vous lui faites confiance aussi ? lança-t-il en la regardant droit dans les yeux.

— Bien sûr.

— Vous croyez qu'il n'a jamais eu d'aventure ? Après une soirée dans un bar ou une boîte de strip-tease, c'est facile de terminer au lit...

Franchement ? Oui, elle avait déjà envisagé cette éventualité. Comme Keith n'était joignable qu'en cas d'extrême urgence et qu'il prenait rarement la peine de l'appeler, il n'était pas étonnant qu'elle s'interroge sur la façon dont il occupait son temps libre, en particulier à l'occasion des jours fériés.

Tous les ans, au moment de l'une ou l'autre des grandes fêtes, une panne, qu'il avait mission de réparer, survenait sur le réseau interne de son entreprise. Ses collègues l'invitaient-ils alors à boire un verre ? A sortir entre hommes ?

Comment savoir ? Selon Keith, la plupart des employés étaient des crétins qu'il refusait de fréquenter en dehors du cadre professionnel. Il disait profiter de ses séjours loin de sa famille pour abattre le maximum de travail, « de façon à être plus disponible pour toi et les enfants quand je rentre ». Et c'était vrai : une fois à la maison, même s'il continuait à travailler de manière assez intensive, il se consacrait entièrement à elle, Mica et Christopher. Jamais elle ne l'avait surpris à regarder une autre femme. Alors, pourquoi aurait-elle endossé l'habit d'une mégère soupçonneuse ?

— Non, répondit-elle finalement, je ne crois pas que les aventures ni même les boîtes l'intéressent beaucoup. C'est un fou de travail, vous savez, et il adore ses enfants.

— Peut-être avez-vous autant de chance que lui, alors, conclut

David en se penchant pour ramasser une balle. Mais si j'étais joueur, je ne parierais pas là-dessus.

— Vous le connaissez à peine !

— Je sais l'essentiel : c'est un homme.

— Quel cynisme ! s'insurgea-t-elle en lui administrant une tape sur le bras. De toute façon, vous vous trompez sur son compte.

— Comment pouvez-vous en être si sûre ?

— Parce que je connais mon mari, dit-elle en s'emparant de la balle pour un nouveau service. Je le connais par cœur.


Ian était assis tout près de la porte d'embarquement située à côté de celle de Keith. La foule des voyageurs l'empêchait de bien voir mais il n'osa pas s'installer plus près de peur que Keith ne le repère. Pourtant, ce dernier ne semblait pas s'intéresser aux gens qui l'entouraient. D'ailleurs, tout paraissait parfaitement banal et normal dans son comportement — si on exceptait le fait qu'au lieu d'être à Phoenix, il attendait un vol pour Boise, dans l'Idaho, dont le départ, prévu dans la matinée, avait été retardé en raison des mauvaises conditions météorologiques.

Boise… Pourquoi Keith s'y rendait-il ? Bien sûr, on aurait pu avancer que Softscape, la compagnie qui l'employait, l'y avait envoyé en mission de dernière minute. Dans ce cas, comment expliquer le coup de téléphone annonçant qu'il était bien arrivé à Phoenix ? On ne jouait pas une comédie pareille sans motif.

Ian regarda sa montre. Son propre avion pour Chicago était parti depuis plus d'une demi-heure. Bien sûr, il risquait de regretter sa décision, son entretien… mais le désir d'éclaircir la situation l'emportait sur tout le reste.

Et pour satisfaire ce désir, il ne disposait pas d'autre solution que de suivre Keith dans l'Idaho. Afin de voyager sans risquer de croiser son beau-frère, il avait acheté un billet première classe qui lui permettait d'embarquer plus tôt. Ainsi, il s'installerait dans un siège de la dernière rangée de la cabine, un poste discret d'observation. Quant à son beau-frère, nul doute qu'il choisirait un siège plus agréable à l'avant de l'appareil. Ian n'aurait plus qu'à le suivre au moment du débarquement.

Dundee, Idaho

Trop impatiente de retrouver son mari, Charlene n'avait pas pu se résoudre à aller se coucher. En robe de chambre et lingerie noire vaporeuse achetée la semaine précédente à Boise, elle patientait dans le salon, avec un verre de vin blanc. Assis à côté d'elle, Old Bailey lui tenait compagnie. Le chien avait perdu un peu de son entrain, ces derniers temps. Il vieillissait.

Elle jeta un coup d'œil vers la fenêtre. Dehors, les rafales de vent rabattaient les branches des arbres contre la maison et la gouttière gargouillait encore, mais le gros de l'orage était passé. Keith avait appelé à 9 h 30, juste avant d'embarquer. Il n'allait plus tarder, à présent !

Juste à cet instant, la sonnerie du téléphone la fit sursauter. Il était bien tard, pour recevoir un appel… D'autant que Keith ne cherchait jamais à la joindre quand il était en déplacement. Sans le retard pris par son avion, il serait apparu ce soir sur le pas de la porte, ses bagages à la main, sans l'avoir avertie.

Elle quitta son fauteuil et se dirigea vers la cuisine, Old Bailey sur les talons. Ce n'était pas Keith mais Gabe, qu'elle eut au téléphone lorsqu'elle décrocha. Eprouvait-il des remords, après la façon dont il avait traité Lucie ce matin ? Sans doute. La preuve, il avait déposé une balançoire cet après-midi…

— J'espère que je ne te réveille pas, commença-t-il.

— Non. J'attends Keith. Il va arriver d'un moment à l'autre.

— Encore ce boulot pourri…

— Ce boulot pourri permet de payer les factures.

— Il te rend surtout malheureuse.

30

— Keith a peur de ne pas trouver de travail dans la région, dit-elle en se passant les doigts dans les cheveux. Et puis, il dit qu'il a l'habitude, depuis le temps qu'il voyage, et que je devrais m'y être faite aussi.

— Et alors ?

— A vrai dire, j'en ai un peu assez. Mais je ne me sens pas le droit d'exiger de lui qu'il renonce à un métier dans lequel il excelle, et qu'il aime. Sans compter que ses craintes sur les possibilités d'embauche sont peut-être fondées.

— Il serait temps qu'il se mette à penser à toi et aux filles. Ça devrait être sa priorité.

— Il est très attentionné.

— Oui. A condition qu'il soit là.

Gabe s'enferma dans un long silence, au terme duquel il soupira lourdement.

— Je suis désolé pour ce matin, dit-il en formulant l'excuse qu'il avait dû passer la journée à mettre au point.

Ces paroles, parce qu'elles avaient certainement requis un effort surhumain de sa part, allèrent droit au cœur de Charlene… dont la sévérité programmée en matière de pardon fondit comme neige au soleil. Tant pis ! Ils étaient tous deux passionnés, têtus, accrochés à leurs certitudes. Rien d'étonnant à ce que des disputes éclatent fréquemment entre eux. Mais leurs querelles ne duraient jamais longtemps et il était acquis pour chacun qu'ils pouvaient compter l'un sur l'autre.

— Je sais que tu n'as toujours pas admis la conduite de papa, dit-elle. Mais c'était il y a si longtemps, Gabe. Et puis Lucie est vraiment…

— Gentille. Je sais. Tu me l'as déjà dit.

— Ecoute, Gabe, parfois il vaut mieux accepter ce qu'il est impossible de changer.

— Tu crois m'apprendre quelque chose ?

En s'exprimant ainsi, Gabe pensait évidemment à l'accident qui l'avait si durement frappé.

— Hannah m'incite à téléphoner à Lucie, avoua-t-il.

Hannah… Son épouse dont l'amour indéfectible l'avait sauvé. C'était grâce à elle et à ses deux garçons que Gabe était revenu au monde après deux années de retraite absolue dans un chalet de montagne coupé de tout. Il avait ensuite acheté une maison en ville, dans le même temps qu'il était embauché pour encadrer l'équipe de football du lycée.

Charlene se reprocha d'être trop impatiente avec lui. Même lents, les progrès de son frère étaient indéniables, et elle se devait de l'encourager.

— Lucie serait certainement ravie.

Ils en étaient là de leur conversation quand, soudain, elle entendit un bruit de moteur : Keith ! Keith était enfin de retour ! Alors, sans plus attendre, elle mit fin à la conversation et se concentra sur les minutes qui allaient suivre. Dans un instant, elle allait pouvoir lui parler de la ferme de Higley et lui répéter combien il serait bénéfique pour la famille de s'y installer.

Depuis quelque temps une intuition désagréable lui soufflait que Keith devait renoncer à ses déplacements. Et pas uniquement parce que ses longues absences la rendaient folle, mais aussi parce qu'elle était habitée de l'horrible pressentiment que ces voyages incessants faisaient peser une menace sur elle et sur leurs filles.

La crainte du ridicule l'avait longtemps empêchée de se l'avouer clairement et, bien sûr, de l'avouer à Keith. Seulement, elle ne pouvait plus taire cette angoisse qui la consumait. Elle trouvait que Keith devenait de plus en plus distant, au point qu'il était parfois ailleurs lorsqu'elle lui parlait. Alors, cette fois, elle était déterminée : elle allait profiter de leur tête-à-tête pour lui exposer clairement la conclusion à laquelle elle était arrivée : il fallait qu'il choisisse. C'était son travail… ou son mariage.

Mais à peine eut-il franchi la porte, qu'elle était dans ses bras…

toute résolution envolée. Comment aborder un tel sujet alors qu'il lui murmurait déjà d'une voix rauque qu'il l'aimait, qu'elle lui avait atrocement manqué, et que ses mains se glissaient fiévreusement sous son peignoir à la recherche des lieux de son corps les plus affamés de caresses ?

Il y aurait bientôt onze ans qu'ils vivaient ainsi. Finalement, une nuit de plus ou de moins ne comptait guère…

De la banquette arrière du taxi qu'il avait pris à sa descente d'avion, Ian scrutait anxieusement la maison dans laquelle Keith avait pénétré quelques minutes plus tôt, de l'autre côté de la petite route de campagne. L'horloge du tableau de bord indiquait 11 h 58, une heure un peu tardive pour rendre visite à un ami, songea-t-il.

Dans le jardin coquettement entretenu qui entourait la maison, Ian distingua une balançoire accrochée dans un arbre et un tricycle dont le guidon était orné de divers colifichets roses. Un côté du terrain était occupé par un garage indépendant mais les voitures étaient garées plus loin, sous un abri en toile — une jeep « à vendre » et un mini van.

— Vous descendez ? demanda le chauffeur de taxi.

— Non.

— Vous voulez que je vous conduise ailleurs ?

— Non plus.

Ian ne savait que penser. Il avait couru le risque de perdre la subvention indispensable à ses recherches, traversé deux Etats, et il ne savait toujours pas ce que son beau-frère faisait là. Une chose était sûre : il n'était pas aussi clean que sa famille le croyait.

Jugement qui fut bientôt conforté par l'apparition de deux silhouettes — un homme et une femme — qui se détachaient en ombres chinoises dans le cadre de la fenêtre.

Bon sang… Keith… C'était bien Keith qui embrassait cette femme à pleine bouche !

— Le compteur tourne toujours, lui rappela le chauffeur de taxi.

Mais Ian entendait à peine. Comme pris de vertige, il observait la scène : Keith faisait glisser le peignoir des épaules de sa compagne, se penchait vers elle pour l'enlacer…

Soudain, une nausée lui fit détourner les yeux. Dire que, à des kilomètres de là, Elizabeth, Mica et Christopher se languissaient de lui… La duplicité de Keith, sa trahison, son comportement scandaleux risquaient de les anéantir.

Que faire, à présent qu'il savait ?

— Ce n'est pas votre femme, au moins ? demanda le chauffeur en tirant sur la cigarette qu'il venait d'allumer.

L'homme se heurta de nouveau à un mur de silence. Ian était entièrement absorbé par ses pensées, dans sa quête désespérée d'une solution. Lorsqu'il leva de nouveau les yeux, les amants s'étaient éclipsés et, à n'en pas douter, se trouvaient à présent dans la chambre à coucher. Alors, la stupeur de Ian fit place à une violente colère. Il n'était pas question de rester là, les bras ballants. Il devait intervenir. Pour Elizabeth.

— Attendez-moi, dit-il finalement en ouvrant la portière du taxi.

Saisi par l'air vif, il serra son manteau autour de lui avant de traverser la route à grandes enjambées rageuses. Il allait coller son poing dans la figure de Keith, le laisser sur le carreau !

Il franchit la chaîne qui entourait le jardin, passa à côté du tricycle, enjamba une paire de bottes qui traînaient près des marches, ouvrit la porte moustiquaire de la véranda, s'apprêta à cogner sur la porte de bois de la maison… mais quelque chose d'inattendu l'arrêta net : un dessin d'enfant était accroché sur le battant. « Bienvenue, papa chéri, disait la légende. Tu nous as manqué. Jennifer, Angela et… » Les lettres du dernier nom étaient trop maladroitement formées pour être lisibles.

Bienvenue, papa chéri… Qu'est-ce que ça voulait dire ? se

demanda-t-il, pris de frissons. Cette femme était-elle mariée, elle aussi ? Son mari s'était-il absenté pour la soirée ? Vraiment, l'envie le démangeait de se déchaîner sur la porte et d'exiger des explications. Mais, tout autour de lui, des « détails » l'en dissuadaient : le tricycle, les petites bottes, le dessin, le message. Il y avait des enfants à l'intérieur… Combien de vies Keith allait-il donc détruire, s'il était démasqué ?

Ian inspira profondément pour reprendre ses esprits. Pendant ce temps, le chauffeur écrasait son mégot sur le sol. Il fallait prendre le temps de réfléchir. Tout à coup, la lampe qui éclairait la véranda s'éteignit, plongeant la maison et son jardin dans l'obscurité. Ian se figea, attendant de voir si quelqu'un les avait entendus, lui ou le taxi vert et blanc garé de l'autre côté de la rue. Allons, Keith et sa compagne devaient être tellement occupés que seul un tremblement de terre aurait attiré leur attention.

Malgré la pluie qui tombait de plus en plus dru, Ian restait planté là, incapable de bouger. Des années durant, il s'était efforcé de protéger sa petite sœur, il avait été son ange gardien, son seul recours. Mais tout venait de basculer. Pour la première fois de sa vie, il était impuissant à empêcher le drame qui allait s'abattre sur elle.

# 4.

Ian se fit conduire à Boise dans un motel proche de l'aéroport. Malgré son envie de traîner en ville, il lui avait semblé plus sage d'éviter tout risque de croiser Keith tant qu'il ne se serait pas forgé une idée plus nette de la situation.

Allongé sur le grand lit de sa chambre d'hôtel, il tentait de faire un tri parmi les centaines de questions qui se bousculaient dans sa tête. Keith était-il connu dans la région ? Quelles étaient la fréquence et la durée de ses visites ? Qui était cette femme qu'il avait prise dans ses bras ? Et quels étaient ses projets ? Continuer de mentir indéfiniment à sa femme ? C'était inimaginable !

Tant que cela ? Soudain, il sentait un atroce chagrin le tenailler. Il fallait qu'il dorme, l'aube et l'heure de sauter dans son avion n'en arriveraient que plus vite. Car même si son entretien professionnel n'était plus d'actualité, il avait hâte de se retrouver chez lui. Au prochain séjour de Keith à Los Angeles, il reviendrait enquêter plus longuement à Dundee.

Hélas, le grondement de la circulation sous ses fenêtres l'empêchait de trouver le sommeil. Après plus d'une année passée au cœur de la jungle, il peinait à s'habituer de nouveau à ce vacarme urbain.

Plus grave encore, une foule de souvenirs, refoulés pendant des années, resurgissaient à présent. Celui d'Elizabeth se réveillant d'un épouvantable cauchemar, en transe et couverte de sueur, hantée par les remarques humiliantes dont la harcelait Luanna, leur belle-mère.

« Espèce d'imbécile… Décidément, tu n'as rien dans le crâne, ma pauvre fille… Tu n'arriveras jamais à réussir quoi que ce soit… »

Pour il ne savait quelle raison, Luanna s'était montrée plus tolérante avec lui, et ce favoritisme avait suscité en lui un sentiment de culpabilité pesant. Contrairement à sa sœur, il n'avait jamais été puni d'avoir laissé traîner ses affaires ou oublié de débarrasser la table. Peut-être l'injustice de Luanna était-elle liée au fait qu'elle le savait plus indifférent à son affection que ne l'était Liz. Se suffire à soi-même le rendait tellement plus fort !

Quoi qu'il en soit, Luanna avait incontestablement assis son pouvoir sur la fragilité de sa belle-fille. Plus Luanna punissait Elizabeth, plus la fillette accumulait les étourderies, et plus Luanna trouvait de raisons de la punir. Un cercle vicieux que Ian n'avait pas eu les moyens de briser. Chaque fois qu'il avait tenté de défendre sa sœur, Luanna avait redoublé de violence. Il s'enfuyait alors de la maison… pour y revenir un jour ou deux plus tard, incapable d'abandonner sa sœur.

Depuis lors, il nourrissait une profonde rancœur contre son père qui ne s'était jamais interposé pour juguler les errements de sa deuxième femme.

Heureusement, Elizabeth avait progressivement puisé en elle les ressources nécessaires pour tenir tête à leur marâtre et, à dix-sept ans, elle s'était sauvée de la maison pour ne jamais y remettre les pieds. L'année de son baccalauréat, elle avait été hébergée par une amie, rejoignant Ian le week-end dans sa chambre de résidence universitaire. Une fois son diplôme en poche, elle avait choisi de devenir hôtesse de l'air, un métier où elle s'était épanouie. C'est ainsi qu'elle avait rencontré Keith : ils s'étaient mariés, avaient eu deux enfants et, depuis lors, Liz menait une vie stable…

Qui allait bientôt s'effondrer.

Ian se retourna et plongea dans la contemplation du plafond, incapable de faire le vide dans son esprit. « Dors », s'ordonnait-il régulièrement, sans succès.

Las de lutter, pourtant, il se redressa, s'empara du téléphone et, au risque de réveiller Liz à cette heure tardive, il céda au besoin de lui parler. Il avait tellement envie d'être conforté dans l'idée qu'elle était suffisamment forte, maintenant, pour surmonter le choc qui l'attendait.

— Allô ?

L'émotion le saisit en même temps qu'il entendait la voix ensommeillée de sa sœur.

— C'est moi, annonça-t-il après un silence.

Quel crève-cœur de lui mentir… Elizabeth croyait son mari à Phoenix et son frère à Chicago, alors qu'ils se trouvaient tous deux… dans l'Idaho. Mais le moment n'était pas encore venu de lui révéler la vérité. Ian voulait d'abord démêler tous les fils et trouver un moyen d'amortir le coup qu'il allait lui assener.

— Tu as des nouvelles de Keith ? demanda-t-il.

— Tu sais bien qu'il n'appelle que si je lui laisse un message urgent sur sa boîte vocale. Pourquoi tu m'en parles ?

« La boîte vocale… Une habitude bien commode », songea Ian en observant les lumières des voitures scintiller à travers les rideaux.

— Je voudrais son numéro, Liz…

— Tu veux parler à Keith ? A cette heure ?

Mieux valait inventer une histoire plutôt que d'éveiller davantage les soupçons de sa sœur.

— Un de mes amis envisage d'aller visiter Phoenix et je me suis dit que Keith pourrait lui donner quelques tuyaux.

— Sûrement. Il y passe suffisamment de temps pour connaître la région. Tu as de quoi écrire ?

— Oui. Je note.

— Ecoute, ça aurait pu attendre demain non ? Je dors debout. Je vais te laisser, dit-elle en bâillant après lui avoir donné le renseignement.

— Liz ?

— Hm ?

— Ça t'arrive de penser à Luanna ?

La question sembla tirer Elizabeth de sa torpeur.

— J'évite. Pourquoi ? Est-ce que papa a essayé de te joindre ? demanda-t-elle après un silence.

— Non, pas récemment. Et toi, tu as des nouvelles de ce salaud ?

— Ne dis pas ça, Ian. C'est vrai qu'il n'a pas été le meilleur des pères, mais… on n'est plus des enfants.

— Tu lui as pardonné ?

— Je ne vois pas l'intérêt de poursuivre les hostilités. Je suis adulte, maintenant, et puis j'ai ma propre famille. Tout est bien qui finit bien, non ?

« Le problème, c'est que rien n'est fini », songea-t-il alors, angoissé par l'avenir. Bientôt, la vérité allait se charger de pulvériser l'optimisme de Liz.

— Dis-moi, Liz, reprit-il d'un ton hésitant. Qu'est-ce que tu ferais si… quelque chose se mettait à déraper dans ta vie ?

— Comment ça ?

— Je ne sais pas… Par exemple, si vous vous sépariez, Keith et toi ?

— Qu'est-ce que tu vas chercher là ?

— Tu n'imagines jamais un scénario catastrophe où ta vie serait tout à coup bouleversée ?

— Non, certainement pas. J'ai eu mon content de cauchemars, figure-toi. Et puis, je trouve que tu abordes des choses bizarres. Qu'est-ce que tu as ?

— Rien, dit Ian en se couvrant les yeux de sa main libre. Je veux juste que tout aille bien pour toi. D'ailleurs, je ferais mieux de te laisser.

« Avant de te déstabiliser complètement », aurait-il pu ajouter.

— Et tout va bien pour toi, Ian ? s'inquiéta-t-elle.

— Oui, très bien. Salut, petite sœur.

Il raccrocha. A présent, il lui tardait presque de voir son salaud de beau-frère se justifier — ou plutôt se débattre dans ses contradictions. Aussi composa-t-il aussitôt le numéro du portable de Keith. Evidemment, il tomba sur la boîte vocale et dut laisser un message. Ce fumier ne décrochait pas, quand il était avec sa maîtresse.

— Salut, Keith, dit-il. Un de mes amis doit se rendre à Phoenix pour son travail et il m'a invité à faire une partie de golf avec lui. Je lui ai laissé entendre que tu pourrais nous emmener visiter la ville. On doit arriver lundi. Rappelle-moi. Merci.

Voilà. Combien de temps son beau-frère mettrait-il, avant de téléphoner ? Et quelle excuse allait-il trouver ?


— Alors, qu'est-ce que tu en dis ?

Charlene se redressa sur le lit, en souriant à Keith qui venait de l'embrasser tendrement dans le cou. Elle adorait le voir au matin, les cheveux en bataille, les joues bleues de barbe — il avait l'air si jeune, ainsi, et lui rappelait l'époque où elle était tombée amoureuse de lui, au bal du lycée, avant qu'il ne devienne le cadre débordé qu'il était aujourd'hui.

— Charlene, je t'en supplie… Je viens à peine de rentrer. Ne commence pas avec ces histoires.

— Je ne commence pas : j'en ai assez, c'est tout. Tous ces déplacements… Je ne les supporte plus.

— Ce n'est pas toi qui les endures. Alors je ne vois pas pourquoi ils te dérangent.

— Tu plaisantes, j'espère ? Ma vie se passe à t'attendre et à élever tes enfants. Et puis, j'ai peur pour toi : les accidents d'avion, les attentats…

— Je risque davantage de me tuer en voiture qu'en avion. Quant à mes absences… Quand je suis ici, je passe plus de temps avec toi que la plupart des maris.

Charlene serra les dents de colère. Encore cette même discussion ! Il l'avait eue si souvent qu'elle avait l'impression de tourner en rond, prisonnière d'un cycle infernal : elle se languissait de lui, il revenait, ils faisaient l'amour, ils se disputaient, il partait. Et ainsi de suite…

Il fallait que cela cesse.

— Tu as vraiment du culot, Keith ! Pendant les deux semaines où tu habites ici, tu es aussi absorbé par ton boulot que si tu travaillais à l'extérieur. Et quand tu t'absentes, c'est comme si tu avais disparu de la Terre : tu ne téléphones jamais, tu ne prends pas de nouvelles, tu ignores tout des grands moments de la vie des enfants !

Il avait fermé les yeux mais Charlene devina aux plis amers de son front combien il était tendu.

— Comme quoi ?

— La représentation théâtrale de Jennifer où elle jouait un des rôles principaux, par exemple.

— Tu l'as enregistrée, non ?

— Bien sûr, mais ce n'est pas pareil.

Il ouvrit les yeux. Son regard était dur.

— Ecoute, je suis là pour deux grandes semaines. Pourquoi ne pas profiter de notre matinée agréablement plutôt que de nous pourrir la vie ? dit-il en se redressant.

Les couvertures glissèrent, révélant la carrure et le ventre musclé que Charlene aimait tellement. Après onze ans de nuits communes, elle connaissait son corps par cœur, elle savait aussi interpréter chacune de ses expressions… Malgré l'agacement que trahissait son visage, elle refusa d'abdiquer.

— Alors dis-moi quand on peut en parler, puisque, lorsque tu es à la maison tu ne veux pas gâcher les moments qu'on passe ensemble, et lorsque tu es parti soit tu es trop occupé pour téléphoner soit tu repousses la conversation jusqu'à ton retour. Qu'est-ce que je suis censée faire ? Prendre rendez-vous avec toi pour te faire part de mes réclamations ?

— Quelles réclamations ? Tu as la maison, les enfants, ta famille. Tu vis dans la ville où tu es née. Que veux-tu de plus, nom d'un chien !

Charlene resta silencieuse. Il la désarçonnait. Se montrait-elle outrageusement ingrate, en incitant son mari à démissionner de chez Softscape ? Tout de même, depuis onze ans qu'elle supportait cette situation, elle avait le droit de se faire entendre. La coupe était pleine.

— Je veux acheter la ferme de Higley, Keith. Myrtle a rabattu ses prétentions de vingt mille dollars. A ce prix-là, c'est vraiment une affaire. Je suis convaincue qu'on parviendra à la faire tourner, si on y travaille ensemble.

— C'est une vraie ruine, voyons, répliqua-t-il avec la condescendance amusée qu'il aurait réservée à Isabella si elle avait demandé qu'on lui achète le renne du Père Noël. Sans compter que tu ne connais rien à la gestion d'une entreprise de ce style.

— Je sais m'occuper des chevaux, répondit-elle fermement, bien décidée à ne pas se laisser déstabiliser.

— Cela n'a rien à voir avec les exigences d'une exploitation agricole comme celle de Higley.

— Si. Dans mon idée, les chevaux tiennent une place prioritaire. Quant au reste, je pourrai apprendre. Je suis consciente que cela représenterait un sacrifice de ta part, mais jusqu'à présent c'est moi qui me suis dévouée. Pourquoi ce serait toujours à moi de m'incliner ?

Etait-elle égoïste ? se demanda-t-elle aussitôt. Non, catégoriquement non. Elle ne voulait plus se contenter d'accueillir gentiment son mari toutes les deux semaines en rêvant du jour où elle ne serait plus obligée de se soumettre à son rythme de travail !

— Réfléchis un peu, Charlene ! objecta Ian en se dirigeant vers la salle de bains sans prendre la peine de se couvrir. Actuellement, mon salaire m'assure le remboursement de l'hypothèque sur la maison. Mais si je deviens fermier, on ne pourra même plus régler la facture d'électricité. Et surtout, je n'y connais absolument rien !

— Mais tu ne serais pas seul. Je mettrais la main à la pâte. Oh ! Keith ! Je suis certaine qu'on pourrait réussir.

— Arrête ça ! Qu'est-ce qui t'arrive, Charlene ? Depuis quand es-tu… crampon, comme ça ?

Elle en resta bouche bée. Il la trouvait collante ? Simplement parce qu'elle aspirait à avoir son mari auprès d'elle chaque soir ?

— Tu n'as pas envie de vivre pour de bon avec moi ? reprit-elle alors qu'il sortait de la salle de bains.

— Ce n'est pas la question… Seulement, tu me rends fou à force de me… harceler, lâcha-t-il avec un mouvement impatient de la main.

— Si je te rends fou, comme tu dis, il vaut peut-être mieux qu'on se sépare et qu'on parte chacun de notre côté.

Une séparation. Jamais elle ne s'était montrée aussi radicale. Elle-même en fut abasourdie. Quant à Keith, il se décomposa et se précipita vers elle pour la prendre dans ses bras.

— Voyons, Charlene, tu sais bien qu'on est ensemble pour la vie.

Bien sûr, ils s'y étaient tous deux engagés… Elle posa son front sur l'épaule de son mari.

— Keith, murmura-t-elle alors, j'ai envie que tu sois avec moi toutes les nuits au lieu de parcourir le pays la moitié du temps.

Il s'écarta, rassuré, et se mit à s'habiller tout en promettant d'« y réfléchir ». « Y réfléchir… » Keith venait de se rabattre sur le plan B pour l'amadouer, celui auquel il recourait lorsque la formule « Pourquoi nous disputer quand nous pourrions passer du bon temps ensemble ? » avait échoué à les réconcilier. Mais cette fois, elle refusait de faiblir.

— C'est trop facile, Keith, dit-elle doucement. Je sais que tu ne le feras pas. S'il ne tenait qu'à toi, tu n'aborderais même jamais le sujet.

— Qu'est-ce que tu en sais ? Tu ne m'en laisses pas la possibilité. A peine ai-je franchi la porte, que tu es déjà en train de me tarabuster.

— C'est faux.

— Bon sang, Charlene ! Stop !

— J'ai le droit d'exprimer mes désirs, affirma-t-elle, déterminée à se faire entendre.

— Moi aussi.

— Ça fait onze ans que tu fais ce qu'il te plaît !

— N'importe quoi ! répliqua-t-il d'un ton cinglant.

— Arrête d'esquiver la discussion et parle-moi franchement.

— On ne parle pas, on hurle. De toute façon, tu ne seras pas contente tant que je ne t'aurai pas dit ce que tu veux entendre. En tout cas, je ne peux pas quitter mon travail.

— Et pourquoi ?

— Parce qu'on a besoin de l'argent, répondit-il à voix basse en se détournant pour aller fouiller dans les tiroirs de la commode. Et puis, j'aime mon métier.

— Plus que moi ? murmura-t-elle alors d'une voix qui se brisa.

A ces mots, il riva son regard au sien. Elle y reconnut l'éclat chaud et indestructible qui la faisait vivre depuis qu'elle l'avait épousé.

— Bien sûr que non. Comment peux-tu en douter ?

— Je suis malheureuse, Keith.

Il s'approcha du lit, lui prit les mains.

— Laisse-moi encore un an. D'accord, ma chérie ? Juste une année. S'il te plaît.

Charlene le dévisagea. La chaleur de Keith l'enveloppait mais ne l'atteignait plus au cœur comme par le passé. Un an... Alors qu'elle n'était même pas sûre de pouvoir supporter six mois à ce rythme...

Keith fixait l'écran de l'ordinateur d'un œil hagard. La Softscape venait de lui demander de retourner sur-le-champ à Los Angeles, afin de résoudre un problème survenu dans le programme de contrôle des stocks qu'il avait créé pour de gros distributeurs. L'idée ne l'enchantait guère, mais il savait pertinemment qu'il prendrait des risques à ne pas

44

se plier aux desiderata de ses employeurs. Son nouveau chef, Charlie, faisait pression pour qu'il emménage à Los Angeles et travaille sur place cinq jours par semaine, comme tout le monde.

Charlie se comportait comme si Keith lui appartenait, ce qui n'était pas totalement faux, il fallait le reconnaître. Quelle autre entreprise, en effet, aurait-elle versé un salaire suffisamment élevé pour entretenir deux familles, qui plus est à un cadre qui vivait loin de ses bureaux ?

« Vous devrez être là lundi, sans faute », stipulait le courriel. Il n'allait donc pas pouvoir passer plus de deux jours à Dundee. Bon sang, qu'allait-il raconter à Charlene ?

Il l'entendit qui s'affairait dans la cuisine. Après le départ des trois filles pour l'école, elle lui avait apporté un copieux petit déjeuner auquel il n'avait pas touché et qui refroidissait à côté de lui. Comment lui présenter son départ anticipé, alors qu'elle avait parlé de séparation tout à l'heure ?

En se remémorant la scène, l'anxiété l'envahit de nouveau. Sa vie de famille battait de l'aile, il risquait de perdre sa femme et ses filles. Il devait à tout prix empêcher ce désastre !

— Alors, tout se passe bien ?

Il pivota sur son fauteuil et découvrit Charlene, debout sur le seuil de la pièce, vêtue seulement des sous-vêtements vaporeux qu'il lui avait enlevés — avec la fougue de la passion — la nuit précédente. Il était difficile de demeurer insensible au corps ravissant de Charlene, à ses longs cheveux noirs et soyeux, à ses yeux d'un bleu profond. Elizabeth et elle n'avaient décidément rien de commun, songea-t-il, mais elles étaient aussi jolies l'une que l'autre. Et complémentaires. Charlene incarnait la spontanéité même. Elle était directe, authentique, pétulante, aussi prompte à laisser parler ses émotions qu'elle était passionnée pendant l'amour. Liz, au contraire, le charmait par sa discrétion raffinée, son élégance. Elle était une amante attentionnée, un peu pudique. Et elle évitait les excès autant que Charlene les recherchait.

Jusqu'à quand tiendrait-il, dans cette situation ? Quand confesserait-il à Liz qu'il avait déjà une famille à Dundee ? Il ne pourrait continuer indéfiniment à vivre ainsi une double vie, il le savait bien, mais il n'osait même pas imaginer comment Liz et Charlene réagiraient. Ni de quelles souffrances il se retrouverait coupable.

Il prit une profonde inspiration pour juguler la panique qu'il sentait monter en lui, comme souvent ces derniers temps. C'était décidé : il se donnait un an pour régler la situation. Ou plutôt, deux ans, quand Christopher et Mica auraient grandi…

— Tu ne veux pas prendre une douche avec moi ? demanda Charlene d'une voix sensuelle.

Keith laissa son regard errer sur ses seins ronds, sa peau satinée, sa taille fine, ses hanches… et sentit son corps s'éveiller.

Quand elle s'approcha de lui, il se leva vivement — surtout qu'elle ne voie pas l'écran de l'ordinateur et le message de Charlie. Il lui en parlerait tout à l'heure, après qu'ils auraient fait l'amour, ou même demain. Il serait toujours temps de gâcher les précieux moments qu'ils avaient à passer ensemble. Au contraire, il allait la combler mieux que jamais pour se faire pardonner la déception qu'il allait lui infliger, et aussi pour qu'elle ne lui parle plus de séparation.

Il l'embrassa exactement comme elle aimait être embrassée.

— Tu n'étais pas sérieuse quand tu parlais de me quitter, n'est-ce pas ? lui murmura-t-il dans le creux du cou. On forme une belle famille, et une famille doit rester soudée.

Elle rejeta la tête en arrière tandis qu'il frôlait ses seins, ses hanches, le triangle de ses cuisses.

— Pour le meilleur et pour le pire, récita-t-elle en l'enlaçant.

Mais quand il s'écarta pour la regarder, le sourire triste qu'il lut sur son visage aviva ses craintes.

# 5.

*Chicago, Illinois*

L'appel de Keith, en réponse au message laissé sur son répondeur, parvint à Ian alors qu'il était au volant de sa voiture, sur le chemin de l'université.

— Dis donc, pourquoi viens-tu à Phoenix ? demanda son beau-frère. Je croyais que tu avais du travail à la fac.

Ian fut sidéré : comment Keith pouvait-il paraître aussi naturel et chaleureux avec lui quand, la nuit précédente, il trompait sa sœur ?

— Une semaine de congé en plus ne changera pas grand-chose, tu sais, et comme je n'ai pas joué au golf depuis une éternité, j'ai décidé de profiter de l'occasion. Sans compter qu'il doit faire meilleur à Phoenix qu'à Chicago, à cette époque de l'année.

— Effectivement, le temps est superbe. Sans un nuage.

Décidément, Keith se révélait un menteur très talentueux. Pleuvait-il toujours dans l'Idaho ?

— Alors, Keith, tu vas nous faire visiter la ville ?

Allait-il se montrer embarrassé, inventer une excuse ?

— Ça aurait été avec plaisir, mon vieux, mais je ne serai pas à Phoenix la semaine prochaine. Je dois partir demain.

— Déjà ? s'exclama Ian en feignant l'étonnement.

— Mon entreprise me rappelle à Los Angeles pour régler un problème sur un logiciel que j'ai mis au point. Je suis très contrarié.

La déception de Keith semblait sincère.

— Ça t'arrive souvent ce genre de contretemps ?

— De temps à autre. La firme est basée là-bas, tu sais.

Ian revit en pensée l'ombre de la femme derrière les vitres de la maison dont il n'avait osé franchir le seuil — à cause du message des enfants accroché à la porte. Il s'éclaircit la voix avant de poursuivre.

— Et les gens… que tu devais former, ils ne vont pas protester ?

— Sûrement, si, dit Keith avec un rire qui parut forcé à Ian, mais je n'ai pas le choix.

Le mari de sa maîtresse était-il revenu à l'improviste ?

— Liz est au courant de ton retour ?

— Je m'apprêtais justement à l'appeler.

C'était vrai, naturellement, car Keith se doutait bien que Ian téléphonerait à sa sœur d'ici peu.

— Elle va être ravie.

— Oui et, du coup, je pourrai assister au concours d'orthographe de Mica. Tu sais, elle a des chances de le remporter, ajouta-t-il fièrement.

Etait-ce uniquement son amour des enfants qui retenait Keith de quitter Liz ? se demanda alors Ian. A ce moment, un signal sur son portable avertit Ian que Reginald cherchait à le joindre.

— Il faut que je te laisse, Keith. A plus tard.

Puis il bascula sur la ligne de Reginald.

— Quoi de neuf, Reg ? demanda-t-il.

Mais il était plus facile de zapper d'une ligne à l'autre que d'effacer de son esprit les images de Keith et de sa maîtresse pour se concentrer sur une tout autre conversation.

— Ton entretien a lieu cet après-midi, finalement. C'était la seule possibilité. Le président du comité part pour Detroit lundi. Il est très intéressé par tes travaux et souhaiterait accélérer les démarches.

Donc, il était favori pour l'obtention de la bourse ! Il y avait de quoi se réjouir... Cependant, et malgré sa hâte de retourner en Afrique poursuivre ses recherches, il ne pouvait pas tout plaquer ici : puisque Keith rentrait à Los Angeles, il fallait en profiter pour mener son enquête à Dundee.

— Maman ! Il y a un monsieur à la porte !

Un peu surprise, Charlene s'interrompit dans ses tâches domestiques. Elle s'essuya les mains, se hâta vers l'entrée et découvrit dans la véranda un homme qu'elle ne connaissait pas. Grand, brun, d'étonnants yeux aux reflets d'or.

Il s'annonça immédiatement, avec un sourire aimable.

— Je me présente : Ian Russell.

Il y eut un léger blanc, comme s'il s'était attendu que Charlene réagisse à ce nom.

— Charlene O'Connell.

Il se figea. O'Connell ? Elle avait bien dit O'Connell ?

— Oui, pourquoi ? s'étonna-t-elle, déconcertée.

— Eh bien... Je... je n'étais pas sûr d'avoir bien compris, c'est tout.

— Que puis-je faire pour vous ? s'enquit-elle, intriguée par ce visiteur.

— Euh... Je viens pour la jeep.

— Jennifer ! appela Angela. Il y a quelqu'un pour la jeep !

L'aînée des filles de Charlene apparut, avec le chien sur les talons. Isabella, qui ne voulait pas être en reste, accourut elle aussi, déguisée en princesse.

Le visiteur jeta un coup d'œil à chacune des trois gamines avant de se tourner de nouveau vers leur mère.

— Ce sont vos filles ?

— Oui. Jennifer, Angela et Isabella.

— Ce sont des O'Connell elles aussi ?

— Mais… oui, répondit-elle, de plus en plus déroutée. Pourquoi ?

— J'ai connu un certain Keith O'Connell, autrefois.

— C'est mon mari, s'exclama gaiement Charlene, soulagée de comprendre enfin le sens de toutes ces questions. Comment l'avez-vous rencontré ?

— Je… J'ai travaillé pour Softscape à une époque.

— Ça alors ! A Boise ou à Los Angeles ?

— A Boise.

— Il y a longtemps, alors.

Malgré ses efforts, Charlene ne se rappela pas l'avoir vu aux soirées organisées par l'entreprise lorsqu'elle était encore basée à Boise.

— Oui. Je suis passé à autre chose, depuis.

— C'est dommage que Keith ne soit pas là. Il aurait certainement été content de vous voir.

— Nous ne nous connaissions pas très bien, vous savez. Vous avez de beaux enfants.

— Merci, dit-elle. Laissez-moi votre carte de visite, je la donnerai à Keith.

Ian fouilla dans ses poches…

— Je n'en ai pas sur moi, mais dites-lui que je suis passé.

— Je n'y manquerai pas. Voulez-vous essayer la voiture ?

— Oui, merci.

Suivi par Old Bailey et les trois fillettes, il emboîta le pas à Charlene qui percevait confusément que quelque chose n'allait pas : malgré son amabilité chaleureuse, l'homme, dont Keith ne lui avait jamais parlé, semblait déconcerté. Par quoi ?

— Elle semble en parfait état, déclara Ian après un rapide tour du véhicule. Combien vous en demandez ?

50

Charlene considéra ses vêtements chic, son allure si différente des cow-boys ou des jeunes du coin à qui elle avait compté vendre la jeep.

— Quatorze…, commença Jennifer en citant le prix qu'elle avait entendu établir par sa mère.

— Quinze mille, coupa Charlene.

— On dirait que j'ai intérêt à me décider rapidement, plaisanta Ian.

— C'est la voiture de mon papa, annonça Angela.

— Quand est-ce qu'il va rentrer, ton papa ?

— Dans longtemps…

— Ça suffit, Angela, intervint Charlene qui ne tenait pas à ce que cet inconnu, même s'il semblait inoffensif, sache qu'elle était seule avec les enfants. Qu'est-ce qui vous amène à Dundee, monsieur Russell ?

— Eh bien… J'ai une petite enquête à mener ici.

— A quel sujet ?

Il ajusta la position du siège et vérifia le bon fonctionnement des essuie-glaces.

— J'écris un roman.

Le visage de Jennifer s'illumina aussitôt.

— Il parle de quoi ?

— Des relations entre les habitants des petites villes.

— Alors, vous êtes là où il faut, déclara Charlene d'un ton caustique qui suscita le sourire de Ian.

— Je n'en doute pas.

— Combien de temps envisagez-vous de rester ?

— A Dundee ? Je ne sais pas. Quelques jours. Peut-être une semaine. Le temps qu'il faudra pour que je collecte les renseignements dont j'ai besoin.

— Vous avez pris une chambre au motel ?

— Pas encore. Je viens d'arriver. Je faisais un tour pour prendre le pouls de la région et j'ai vu votre jeep.

— Vous pouvez l'essayer sur la grand-route, si vous me laissez votre permis de conduire.

— Non, pas aujourd'hui, je vous remercie. Je vais réfléchir et je vous appellerai, si vous n'y voyez pas d'inconvénient.

— Comment procédez-vous pour votre enquête ? s'enquit Charlene au moment où il sortait de la voiture et lui tendait les clés.

— Je parle avec les gens, je prends des notes…

— Pour peu qu'on apprenne que vous écrivez un livre, la moitié des habitants de cette ville va se précipiter pour vous raconter tout ce que vous voulez savoir. Les commérages constituent le passe-temps favori des gens d'ici.

Il l'examina avec une attention qui la troubla de nouveau.

— Vous dites cela comme si vous en aviez été personnellement victime…

— Il y a eu pas mal de battage autour de ma famille, oui.

— Ça vous dirait de m'en parler ? demanda-t-il avec un intérêt sincère.

— Non, je préfère garder ça pour moi. Mais si vous avez besoin de renseignements d'ordre général sur la région, je peux peut-être me rendre utile. J'ai vécu ici toute ma vie.

— Merci, madame O'Connell.

— Appelez-moi Charlene, comme tout le monde, dit-elle en admirant l'éclat mordoré de son regard.

— Puisque vous êtes disposée à m'aider, Charlene, est-ce que vous accepteriez de me rejoindre à la brasserie tout à l'heure ? Pour une interview, ajouta-t-il avec l'attitude de celui dont les intentions sont parfaitement honnêtes.

Charlene fut surprise, hésita un moment. Puis, après avoir conclu que ce rendez-vous ne l'engageait à rien, elle s'entendit répondre :

— A quelle heure ?

— 19 heures ? Ça vous va ? Je vous offre à dîner pour vous remercier de me consacrer du temps.

Ian suivit Charlene du regard tandis qu'elle regagnait la maison avec ses enfants et son vieux chien. Elle avait annoncé « O'Connell » le plus naturellement du monde, songea-t-il, comme si ce nom était accolé à son prénom depuis longtemps. Fallait-il imaginer que Keith se soit marié deux fois ? Dans deux Etats différents ? Qu'il ait épousé cette femme alors qu'il était déjà uni à Elizabeth ? Cette histoire devenait vertigineuse… Plus vraisemblablement, Keith devait seulement vivre avec Charlene, et laisser croire à leur mariage pour éviter les critiques d'une petite communauté conservatrice.

Mais cette théorie aurait été plausible, s'il n'y avait eu les trois gamines. D'accord, la plus jeune ne ressemblait pas à Keith, mais les deux autres… Elles tenaient incontestablement de lui. Ce qui signifiait que Keith s'était lié avec Charlene avant de rencontrer Liz. Ian aurait préféré parvenir à d'autres conclusions.

Il sortit du jardin et s'apprêtait à monter dans sa voiture de location quand la porte de la maison de Charlene s'ouvrit, laissant le passage à Isabella, la plus jeune des trois fillettes.

— Ma maman a dit que je pouvais te donner un petit gâteau, déclara-t-elle en avançant vers lui, empêtrée dans des bottes trop grandes pour elle.

Il fit demi-tour et alla à sa rencontre.

— Je peux venir au restaurant avec toi et maman, ce soir ? s'enquit l'enfant.

— Ce n'est pas à moi de décider, ma puce.

— Ma maman ne veut pas. Mais j'ai très faim, tu sais, dit-elle en mimant des crampes d'estomac.

— Je suis sûr que ta maman a préparé ton dîner.

— Elle fait une tourte au poulet.

— Et tu n'aimes pas ça ?

— Elle met des petits pois dedans, dit-elle avec une moue de dégoût désopilante.

— Tu ne peux pas les enlever ?

— Je n'ai pas le droit, répondit-elle en secouant vigoureusement la tête.

— Les légumes verts sont bons pour la santé. Tu vas être costaud si tu en manges.

— Je sais. Maman n'arrête pas de me le répéter.

Ian marqua une pause. Cette petite gamine ramenait naturellement ses pensées vers Mica et Christopher ; vers le bouleversement annoncé qu'allait créer dans leur vie la soudaine apparition de ces trois demi-sœurs. Dieu sait pourtant si elles étaient craquantes. Le petit bout de chou, là, devant lui, avait un charme irrésistible et un sens inné de la théâtralité.

— Qu'est-ce qu'il y a d'amusant ? demanda-t-elle avec méfiance en le voyant sourire.

— C'est toi qui me fais rire, avoua-t-il en croquant dans son gâteau.

— Pourquoi ? Ce n'est pas drôle ce que je t'ai raconté.

— Je sais, pardonne-moi. Comment il s'appelle ton chien ? demanda-t-il alors en regardant du côté de la véranda où le basset attendait patiemment.

— Old Bailey.

— C'est toi qui lui as trouvé son nom ?

— Non, c'est mon papa. Il l'a offert à maman pour son anniversaire.

— Quand ?

— Ouh là ! Quand ils se sont rencontrés. Il y a cent ans !

— Tant que ça ? s'étonna-t-il en s'efforçant de garder son sérieux.

— Non, attends. Plutôt… deux cents, rectifia-t-elle avec conviction.

— Dans ce cas, ça fait vraiment très longtemps.

Il baissa alors la voix, bien qu'il y eût peu de chances que quelqu'un surprenne leur conversation.

— Où est-il, ton papa ?

— A son travail.

— Et il est où son travail ?

Cette question parut lui poser problème.

— Loin, finit-elle par dire.

Bien sûr, Ian ne pouvait se reposer sur les dires de la fillette, mais elle était la seule des enfants de Charlene dont le jeune âge lui permît de ne pas trouver ses questions suspectes.

— Il est ton seul papa ?

— Quoi ?

— Est-ce que tu as déjà vu… d'autres messieurs avec ta maman ?

— Oui. Il y a oncle Gabe qui passe nous voir. Il ne peut pas marcher. Si je me moque de lui, il me prend par les pieds et me tient la tête en bas, dit-elle d'un air joyeux.

— Ce n'est pas très gentil de te moquer de lui.

— Ça lui est égal. Il aime bien, en fait.

— Ah bon. Mais ce n'est pas de ton oncle dont je voulais parler.

La petite sembla désorientée. Il jeta un coup d'œil à la maison et vit Jennifer qui les observait par la fenêtre.

— Tu n'as pas des camarades à l'école qui ont un père et un beau-père ? poursuivit-il.

— Si. Ma copine Glenda, elle a les deux. Mais moi non. Tu n'es donc au courant de rien ? soupira-t-elle en secouant la tête d'un air navré.

— Je dois reconnaître que je ne comprends pas bien.

— C'est quoi que tu ne comprends pas ?

Hélas, il commençait à croire l'incroyable, en fait. L'hypothèse ahurissante se dessinait que son beau-frère n'ait pas fondé une mais bien deux familles, à deux endroits différents, et sans qu'aucune des deux ne soit au courant de l'existence de l'autre.

Bon sang, comment Keith en était-il arrivé là ? Et comment

s'y était-il pris pour réussir à mener cette double vie pendant si longtemps sans être découvert ?

Un bruit en provenance de la maison attira son attention. Jennifer venait d'ouvrir la porte.

— Isabella, c'est ton tour de mettre la table !

— J'arrive ! répondit Isabella en levant les yeux au ciel.

Ian la regarda s'éloigner, plus indécis que jamais sur la marche à suivre. Il voulait épargner la jolie femme qu'il venait de rencontrer. Epargner les trois adorables fillettes. Et, bien sûr, épargner sa sœur et ses deux enfants. Dans deux heures, il dînerait au restaurant avec Charlene, l'autre femme de son beau-frère, la mère de ses autres enfants. Il faudrait bien qu'il lui annonce la nouvelle, à un moment ou à un autre. A Elizabeth aussi…

Mon Dieu. Il n'entrevoyait même pas la manière d'aborder le sujet…

# 6.

La visite de Dundee et de sa région ne lui ayant guère pris de temps, Ian arriva en avance au restaurant.

— Désirez-vous boire quelque chose ?

Judy, annonçait le badge de la serveuse, déposa un verre d'eau devant lui. La quarantaine passée, elle avait une voix rauque de fumeuse, des cheveux décolorés aux racines noires et les yeux généreusement maquillés.

— Dans un instant. J'attends quelqu'un.

— Qui ? demanda-t-elle avec un réel intérêt.

Ian en resta ébahi.

— Je vous demande pardon ?

— Qui attendez-vous ?

— Charlene O'Connell.

Associer ce nom de famille à Charlene lui laissa un goût amer dans la bouche, tant lui répugnait l'idée qu'elle puisse être, en même temps qu'Elizabeth, l'épouse de Keith. Peut-être existait-il une explication ? Sans être un expert en matière de bigamie, il savait qu'il s'agissait d'une pratique illégale. Une part de lui-même aspirait à envoyer Keith derrière les barreaux tandis que l'autre lui soufflait que cela ne serait souhaitable pour aucune des deux familles.

— Comment ça se fait que vous connaissez Charlene ? reprit Judy, sans se rendre compte que sa curiosité désemparait Ian.

— J'ai travaillé avec Keith autrefois.

Ian se rappela le cas de Tom Green, convaincu de bigamie, que l'Etat de l'Utah avait certes condamné à la réclusion mais sous d'autres chefs d'inculpation. Un bigame comme Keith qui, malgré ses deux vies parallèles, se montrait un bon père pour tous ses enfants encourrait-il une peine de prison ?

— Hou hou ! fit la serveuse en claquant des doigts devant les yeux de Ian.

— Excusez-moi. Que disiez-vous ?

— Est-ce que vous avez rencontré Keith dans son entreprise d'informatique ?

— Oui.

— Vous êtes parti au bon moment, vous, au moins. Si vous voulez mon avis, Keith ferait bien d'arrêter de voyager pour s'occuper davantage de sa famille.

« Laquelle ? » ironisa Ian pour lui-même.

— Vous connaissez bien Keith ?

— Assez bien. Vous savez, ici, l'anonymat ça n'existe pas.

— Depuis combien de temps habite-t-il à Dundee ?

— Voyons voir… Je dirais que sa famille est arrivée ici… il y a une bonne vingtaine d'années.

Cela laissait peu de doutes sur laquelle des deux femmes était entrée la première dans sa vie, songea Ian.

— Ses parents sont toujours à Dundee ?

— Oui. Ils habitent à quelques kilomètres de chez Charlene.

Ils n'avaient donc pas été tués dans un accident de la route comme Keith le prétendait. « Tu te rends compte, Ian, moi et les petits… nous sommes tout ce qu'il a au monde. » Combien de fois Elizabeth avait-elle prononcé ces mots ?

— Il a des frères et des sœurs ?

Ian ne fut pas surpris par la réponse.

— Oui. Deux frères. Un est à la fac et l'autre est parti à Boise quand il s'est marié, il y a plusieurs années déjà.

Sur ce point aussi, Keith avait donc menti : il n'était pas fils unique.

— Ah, très bien, reprit Ian. Et Keith, lui, quand a-t-il épousé Charlene ? ajouta-t-il en retenant son souffle.

— Vous ne savez pas ? Ben… Je croyais que vous étiez un ami de Charlene, observa-t-elle, soudain méfiante.

— En fait, c'est Keith que je connais.

Si peu, finalement, et si mal, aurait-il pu ajouter…

— Charlene, je l'ai rencontrée pour la première fois ce matin en passant pour la jeep qu'elle a mise en vente.

— Pourquoi êtes-vous venu ici, au départ ?

— J'écris un roman sur les relations que tissent entre eux les habitants d'une petite ville et Charlene a accepté de répondre à mes questions.

L'expression de Judy montra qu'elle était impressionnée.

— Charlene est sans aucun doute la meilleure personne à qui s'adresser. Elle va sûrement vous raconter comment ils sont tombés amoureux dès le lycée avant de passer presque aussitôt devant M. le Maire.

Il avait donc deviné juste : comme Liz n'avait rencontré Keith dans un avion que neuf ans plus tôt, elle était bien la deuxième, la « seconde épouse ».

— Le père de Charlene est sénateur, précisa la serveuse. Le sénateur Holbrook, vous savez.

Non, Ian l'ignorait et s'en moquait complètement. Il était trop occupé à reconstituer le puzzle. Keith avait d'abord épousé Charlene, puis avait été engagé par Softscape. Quand la compagnie avait déménagé, il avait commencé ses navettes et c'est lors d'un de ses nombreux voyages en avion que son chemin avait croisé celui d'Elizabeth. Ils s'étaient plu, ils étaient sortis ensemble, Elizabeth était tombée enceinte de Mica et ils s'étaient mariés. Voilà. L'histoire de Keith aurait été des plus banale… s'il avait divorcé de sa première femme avant d'épouser la seconde.

— Le sénateur avait entretenu de brillants espoirs pour sa fille et cela ne lui a pas plu du tout qu'elle se marie si jeune, poursuivait Judy. Mais ils étaient tellement amoureux l'un de l'autre qu'il a fini, lui aussi, par se réjouir de cette union.

Il n'allait plus se réjouir longtemps. Ni le sénateur, ni lui, ni personne… Mais Ian n'eut pas le temps de s'appesantir sur ces sombres prédictions, car la porte du restaurant s'ouvrit, laissant entrer Charlene, vêtue d'un jean taille basse, un pull couleur saumon qui moulait son corps menu, un manteau de cuir marron et d'élégantes bottes.

— Tiens, voilà la belle ! lança Judy.

Ian ne put qu'en convenir. On ne risquait certes pas de reprocher à Keith son manque de goût. Liz était absolument ravissante mais Charlene ne l'était pas moins, dans un tout autre genre. Il se serait d'ailleurs volontiers attardé sur ses jolies formes, ses yeux bleus et son épaisse chevelure noire. Et il se sentait charmé par son air énergique et optimiste.

— Vous avez commencé sans moi ? s'étonna-t-elle en se glissant sur la banquette en face de Ian.

— Pardon ? demanda-t-il en appréciant de plus près sa beauté et sa fraîcheur…

Le col largement arrondi de son pull lui découvrait légèrement l'épaule, donnant à sa tenue une touche très féminine des plus affolante.

— Vous interrogiez Judy, non ?

— Pas vraiment. Je lui ai juste posé quelques questions.

— Pourquoi tu ne m'as pas dit que tu connaissais un écrivain célèbre ? lança Judy à Charlene sur le ton du reproche.

— Célèbre ? s'écria Charlene en haussant un sourcil interrogateur. Il ne me l'avait pas précisé, ce matin.

— J'essaye de rester modeste, répliqua Ian avec un sourire qu'elle lui retourna.

— Je racontais à ton nouvel ami qu'entre toi et Keith ça a été le coup de foudre, comme au cinéma, reprit Judy.

— Et alors ? Il a des commentaires ?

— Rien.

— Qu'attendiez-vous que je dise ?

— La plupart des gens pensent que ces belles histoires n'existent que dans les romans, répondit Charlene en levant le menton dans une attitude de défi.

— Et ils se trompent ?

— J'en suis la preuve vivante, répondit-elle avec un léger haussement d'épaules.

Hélas, les illusions de Charlene allaient bientôt voler en éclats, songea Ian, qui s'abstint d'ajouter le « je suis heureux pour vous » de rigueur.

— Peut-être, murmura-t-il plutôt, juste pour rompre le silence.

— Vous semblez du genre sceptique, monsieur Russell.

— Appelez-moi Ian.

— Vous ne croyez pas aux coups de foudre, Ian ?

— Eh bien… Personnellement, rien de tel ne m'est jamais arrivé.

— Vous êtes blasé, c'est ça ? Divorcé ?

— Je n'ai jamais été marié.

— Qu'est-ce que je vous sers ? intervint la serveuse.

— Vous d'abord, Ian, dit Charlene.

— Je vais prendre un steak pané avec de la purée de pommes de terre maison.

— Leur bavette est nettement meilleure, vous savez.

— C'est ce que vous allez prendre ?

— Non. Moi, je préfère le poulet rôti frotté à l'ail et farci à la sauge.

— Mais vous pensez que j'ai intérêt à choisir la bavette ?

— Dans la mesure où vous voulez de la viande rouge, oui.

— D'accord. Une bavette, Judy. Bien cuite, s'il vous plaît.

Ian considéra avec un sourire amusé la mine désapprobatrice de Charlene.

— Qu'est-ce que j'ai fait de travers ?

— Il vaut mieux la demander saignante, elle sera plus tendre. Je m'y connais, vous savez. C'est une région d'élevage, ici.

— Bien, je vais suivre votre conseil, concéda Ian.

Malgré ses préoccupations et la triste raison qui l'amenait à rencontrer Charlene, il ne pouvait s'empêcher de trouver cette jeune femme aussi belle que pétillante, d'apprécier sa spontanéité, son côté imprévisible.

Il se surprenait même, quoi qu'il lui en coûtât, à mieux comprendre la situation impossible dans laquelle son beau-frère s'était laissé enfermer. Car ce devait être un choix déchirant, de songer à renoncer à l'une des deux femmes qu'il avait épousées. Alors, Keith dépensait une énergie folle à les garder toutes les deux, inventant sans cesse de nouveaux scénarios, effectuant d'incessantes navettes, épuisantes, entre l'Idaho et la Californie, partageant son salaire entre ses deux foyers — une suite sans fin de subterfuges pour camoufler sa double vie.

Comment diable avait-il pu garder le masque pendant si long-temps ? La question revenait sans cesse à l'esprit de Ian qui se demandait aussi laquelle des deux femmes Keith avait éventuellement envisagé de quitter... Charlene — lorsqu'il avait rencontré Liz, mais sans jamais oser sauter le pas ? La situation lui avait-elle échappé ? Liz — pour sauver son mariage légitime, avant qu'il ne bascule dans la bigamie ?

Le pire était sans doute d'imaginer Keith dans la peau du type cynique, du malade pour qui la situation avait tout du jeu et qui jouissait de la crédulité d'une de ses épouses quand il était dans les bras de l'autre.

— Vous désirez autre chose ? répondit Judy.

— Non, merci, déclara Charlene sans même le consulter.

— Vous êtes toujours aussi directe ? lui demanda-t-il.

— En général, oui. Pourquoi ? Ça vous intimide ?

— Pas du tout.

— Vous êtes un oiseau rare, alors ! La plupart des hommes préfèrent les femmes effacées qui leur laissent la direction des opérations ou, tout au moins, les entretiennent dans cette illusion.

— Dois-je en conclure que c'est vous qui menez la barque, chez vous ?

— Oh non ! Keith et moi sommes des associés à parts égales. Simplement, je n'hésite pas à dire ce que je pense.

— Et ça ne le dérange pas ?

— Si, si. D'un autre côté, c'est une des choses qu'il aime chez moi, déclara-t-elle avec un grand sourire.

Il se remémora la petite Isabella avec qui il avait parlé devant la maison de Charlene. Elle avait incontestablement hérité de l'énergie de sa mère, de cette force qui se dégageait d'elle. Elle était vraisemblablement mieux armée que Liz pour surmonter le drame sur le point de bouleverser sa vie. Qu'adviendrait-il de cette vitalité si attirante ?

— Qu'est-ce que vous voulez savoir sur les petites villes ?

— Parlez-moi de vous, d'abord.

— De moi ?

— Un auteur a besoin de bien connaître sa source afin de nuancer ses propos.

— Bien, acquiesça-t-elle après un instant de réflexion. J'aurai trente ans dans deux mois. Je suis née à Dundee. Mes parents habitent encore ici, ainsi que mon seul frère, plus âgé que moi, ajouta-t-elle en adressant un bref salut à un jeune cow-boy qui venait d'entrer.

— C'est un de vos amis ?

— Non. Un ancien élève.

— Vous êtes prof ?

— Je l'étais, avant la naissance d'Isabella. C'était déjà difficile de travailler à plein temps avec deux enfants, alors avec trois, c'est devenu pratiquement impossible. J'ai donné la priorité à mes filles et j'ai démissionné.

— Heureusement, le salaire de votre mari semble suffire.

«... A subvenir aux besoins de deux familles », songea-t-il... Keith devait faire des acrobaties d'écritures comptables pour qu'aucune de ses épouses ne s'aperçoive de la répartition de ses revenus sur deux foyers.

— C'est un peu juste, mais on y arrive, confia-t-elle.

Mais pas équitablement, songea Ian. D'un côté, le bracelet en diamants offert à Liz pour leur anniversaire de mariage, la grande maison en Californie, l'adhésion à leur club de tennis m'as-tu-vu ; de l'autre, une vie modeste... Pourquoi cette différence criante de traitement ? Préférait-il Liz à Charlene ? Ou le monde de parvenus dans lequel évoluait Liz réclamait-il l'étalage de signes extérieurs de richesse ? On pouvait aussi imaginer qu'il couvrait Liz de cadeaux pour étouffer sa culpabilité. Ou encore plein d'autres hypothèses qui auraient expliqué sa générosité.

— Je m'intéresse à la façon dont les couples gèrent leur budget dans les petites communautés, reprit-il pour orienter la conversation dans une direction qui lui permettrait peut-être de découvrir comment Keith se débrouillait.

Charlene eut l'air déçue.

— Vous n'avez pas l'air d'apprécier ?

— Je ne veux pas paraître rabat-joie, mais j'espère que votre livre ne traitera pas de ça.

— Vous trouvez que ce n'est pas captivant ? demanda-t-il en admirant une nouvelle fois sa franchise.

— Non, pas vraiment.

— Ça l'est pour moi.

— Alors, vous avez dû être comptable dans une vie antérieure.

64

— Non. Chercheur à l'université. En sociologie et en économie.

— Ah ! Tout s'explique.

— Vous trouvez que les comptables et les chercheurs sont ennuyeux, c'est ça ?

— Pas exactement ennuyeux. Plutôt… domestiques, quotidiens, préoccupés par les aspects matériels de la vie.

— Il faut bien que quelqu'un s'en soucie, fit valoir Ian, un peu vexé.

— Oui, vous devez avoir raison. De toute façon, vous n'êtes pas un cas désespéré. Vous avez plusieurs cordes à votre arc, j'ai l'impression. Chercheur, informaticien, écrivain…

— C'est vrai, admit-il, très mal à l'aise.

— Que voulez-vous savoir exactement sur le budget des couples dans les petites villes ?

— Est-il exact que, dans les zones rurales, les familles ont une approche plus conventionnelle que dans les villes de la gestion de leurs revenus ? Par exemple, vous et votre mari, avez-vous un compte joint ou des comptes séparés ?

— Nous avons un compte joint pour les frais du ménage et mon mari a le sien en plus.

— Pourquoi avoir choisi cette organisation ? demanda Ian, convaincu que l'idée venait de Keith, mais curieux de savoir pourquoi elle l'avait acceptée.

— S'il nous reste un peu d'argent à la fin du mois, Keith joue à la Bourse. Il aime bien ça et travaille suffisamment dur pour que je ne le prive pas de ce plaisir. De toute façon, il ne s'agit pas de grosses sommes. On fait les comptes sans arrêt, en particulier ces derniers temps, parce qu'il y a une ferme que j'aimerais bien acheter et… euh…

Elle avança la lèvre inférieure en une moue enfantine qui fit de nouveau surgir l'image d'Isabella.

— Bref. Il a beaucoup été question d'argent entre nous, récemment, conclut-elle.

— J'ai l'impression que le fait d'avoir un compte séparé n'est pas une pratique très courante par ici, dit-il, dans l'espoir de glaner quelques informations supplémentaires.

— Vous avez vraisemblablement raison. Mes parents ont toujours tout partagé. Mais comme je vous l'ai dit, Keith consacre la presque totalité de son salaire à faire tourner le ménage. Il faut bien payer les factures.

— Donc, vous ne voyez jamais le montant de son salaire ?

— Il est payé par virement automatique. Mais je sais combien il touche.

— Comment ?

— Il me le dit.

« Ben voyons… », commenta Ian pour lui-même.

— Et le formulaire de déclaration d'impôts, vous en remplissez un seul conjointement ?

— Vous tenez vraiment à ce que je vous parle de la déclaration d'impôts ? demanda-t-elle avec une grimace.

— Cela fait partie de… des différents styles de mariage que j'étudie.

— Nous en déposons chacun une.

Quelle question. C'était évident. Cela permettait à Keith de dissimuler sa double vie à Charlene.

— Mais uniquement parce qu'on réalise ainsi de grosses économies, d'après un conseiller fiscal. Je ne m'intéresse pas trop à toutes ces histoires de fisc. Je suis contente que Keith veuille bien s'en charger.

Comme c'était charitable de sa part, songea Ian avec une amère ironie. Il voyait mieux, progressivement, les moyens employés par son beau-frère. Quand Charlene et lui s'étaient mariés, ils ne roulaient pas sur l'or et, depuis, la jeune femme n'avait jamais nourri l'ambition de mener grand train. Elle se contentait de ce que Keith lui donnait… En d'autres termes, elle lui accordait toute confiance et Keith le savait. Elizabeth non plus n'avait jamais douté de lui, pas plus que Ian, jusqu'à la semaine dernière.

Charlene s'interrompit le temps que Judy pose sur la table le soda qu'elle venait de commander, puis reprit avec une mine espiègle :

— Vous avez fini ? A moins que vous n'ayez l'intention de rédiger un chapitre sur la façon dont les ménages de la région font leur lessive ?

Ian rit de bon cœur et décida de cesser, au moins temporairement, de parler de Keith.

— Quand Isabella m'a apporté un petit gâteau, tout à l'heure, elle a fait allusion à votre frère. Il n'a plus l'usage de ses jambes, m'a-t-elle dit.

— C'est exact.

— C'est triste.

— Vous trouverez ça encore plus triste quand vous saurez qui est mon frère.

— Comment ça ?

— Vous vous intéressez au football ?

— J'ai l'impression qu'après les mauvais points dont j'ai écopé pour mes questions financières et ma formation de chercheur, j'ai intérêt à répondre oui, mais… le rodéo, c'est encore mieux, ajouta-t-il avec un grand sourire en jetant un regard appuyé vers le cow-boy, l'ancien élève de Charlene.

— Je suis prête à parier toutes mes économies que vous n'avez jamais assisté à un rodéo.

— Ce sont mes vêtements qui vous font croire ça ? Voyons ! C'est mon costume de citadin ! Je me change dans une cabine téléphonique quand je veux me transformer en aficionado de rodéo.

Elle partit d'un grand éclat de rire, qui plut follement à Ian.

— Finalement, votre livre ne sera pas aussi rébarbatif que ça, déclara-t-elle.

— Revenons-en à votre frère. Quel rapport avec le football américain ?

— Il s'appelle Gabriel Holbrook. Si vous suivez un tant soit peu ce sport, son nom vous dira quelque chose.

Ian se pencha vers Charlene.

— Gabe Holbrook ? Le célèbre demi de mêlée qui s'est retrouvé paralysé à la suite d'un accident de voiture ?

— En personne.

— Comment il s'en sort ?

— Bien, dans l'ensemble. Il a mis du temps, mais il semble s'être adapté à son nouveau style de vie.

— Il habite dans le coin ?

— Vous n'allez pas le harceler pour obtenir un autographe, j'espère ? s'assura-t-elle, soudain pleine de méfiance.

— Mais non, voyons.

— Il a un petit chalet dans la montagne et une maison en ville. Il encadre l'équipe de football américain du lycée.

— J'ai lu quelque part que Gabe Holbrook allait épouser l'automobiliste qui l'avait percuté.

— En fait, ils sont mariés maintenant. Tout le monde croyait qu'ils couraient à l'échec. Même moi, je pensais qu'à un moment ou un autre, l'amertume l'emporterait sur les autres sentiments. Mais leur mariage semble très solide.

— Je comprends pourquoi vous disiez tout à l'heure qu'il y avait eu du battage autour de votre famille.

— En fait, ce n'est pas à ça que je faisais référence, dit-elle sans paraître vouloir s'expliquer davantage.

Ian brûlait de la presser de questions, mais se ravisa. Mieux valait se concentrer sur Keith et Elizabeth, la vraie raison de ce rendez-vous.

— Puisque nous parlons mariage… D'après Judy, vous vous êtes mariés jeunes, Keith et vous.

— Je savais ce que je voulais, répondit-elle avec un haussement d'épaules.

— Cela vous arrive de le regretter ?

— Bien sûr que non ! Vous avez vu mes enfants. Comment pourrais-je regretter quoi que ce soit ?

Ian se versa un grand verre d'eau, pour se donner le temps de réfléchir à la façon dont il allait poursuivre.

— Toujours d'après Judy, Keith voyage beaucoup. Vous n'y voyez pas d'inconvénients ?

Une ombre fugace passa sur son visage, mais Charlene reprit instantanément contenance.

— Il est certain que ses déplacements soulèvent des problèmes et on essaye de les résoudre. Quand on aime quelqu'un autant que j'aime Keith, on fait ce qu'il faut pour s'adapter à ses contraintes professionnelles.

— Et pour les vacances ? Il est là ?

Il ne se rappelait pas avoir entendu Elizabeth mentionner l'absence de Keith à Noël ou à Thanksgiving. Mais lui-même était parti en mission pendant près de trois ans et, de toute façon, sa sœur n'était pas du genre à se plaindre, comblée comme elle l'était par sa famille.

— Softscape lui propose double salaire s'il accepte de travailler à Thanksgiving, Noël et Pâques. Et comme nous avons besoin d'argent… Mais il passe quand même systématiquement une des fêtes avec nous.

Double salaire ? Tu parles. En fait, Ian était prêt à parier que Keith se trouvait auprès d'Elizabeth ces jours-là. Réprimant un soupir, il se prit la tête dans les mains.

— Vous ne vous sentez pas bien ? s'inquiéta Charlene.

Il leva les yeux et croisa son regard. C'était le moment. Il fallait qu'il lui dise la vérité. Il ne pouvait tout de même pas continuer à profiter de sa gentillesse et de sa confiance plus longtemps. Charlene n'avait pas séduit un homme marié, elle était aussi sincère

69

qu'Elizabeth et, comme elle, une mère affectueuse, une épouse amoureuse…

— Charlene, je suis désolé, mais j'ai quelque chose à vous dire…

— Chaud devant…

Ian s'arrêta net en voyant la serveuse s'approcher avec leur repas.

— Qu'alliez-vous dire ? demanda Charlene quand Judy se fut éloignée vers d'autres clients.

Ian maintint son regard braqué sur son assiette. Aussi désireux fût-il de révéler la vérité, il jugea finalement judicieux d'attendre encore. Il ne se sentait pas prêt, il devait réfléchir davantage à la manière de limiter les dégâts du cataclysme qu'il s'apprêtait à déclencher. Sans compter que, par loyauté envers Elizabeth, c'est à elle qu'il devait parler en premier.

— Rien. Rien d'important.

— Peut-être aviez-vous l'intention de m'interroger sur la façon dont les gens d'ici se lavent les dents ? plaisanta-t-elle.

Un instant, il fut tenté de se mettre au diapason de sa bonne humeur et de profiter simplement du moment. Elle était séduisante, vive, sans manières… Mais il ne pouvait se laisser aller en sachant ce qu'il savait.

— Vous pourriez me dire ce que vous pensez du divorce ?

— Ce n'est tout bonnement pas une solution, à mon avis.

— C'est pourtant inévitable, parfois.

— Effectivement. Mais quand on a des enfants, on ne peut pas baisser les bras trop vite.

Il remua distraitement ses pommes de terre.

— Ce qui veut dire que vous pardonneriez à Keith un écart de conduite ?

— Oui, dans la mesure du possible.

Il jura en son for intérieur. Elizabeth répondrait vraisemblablement de la même manière.

70

— Vous ne mangez pas. Votre steak n'est pas assez cuit ?

— Si, si. La cuisson est parfaite. C'est juste que… je sens venir une migraine.

— Vous avez un médicament sur vous ? demanda-t-elle avec sollicitude.

— Non, mais…

— Dans ce cas, venez donc chez moi. Keith y est sujet et je connais une méthode pour s'en débarrasser. Seulement, il faut agir dès les premiers symptômes.

— Merci. Ça va passer.

Il souffrait d'un simple mal de tête, pas d'une migraine et, en outre, il avait appris tout ce qu'il voulait savoir.

— Je crois plutôt que je vais aller à mon motel, essayer de dormir un peu.

La honte le guettait davantage que la migraine, en fait. Mentir, extorquer des renseignements, profiter de la confiance d'une jeune femme adorable, tout cela ne lui ressemblait pas. Mais comment aurait-il pu se douter que Charlene serait aussi fondante ? Quand il avait frappé à sa porte, le matin même, il n'avait pensé qu'aux intérêts de sa sœur.

— Vous ne parviendrez pas à trouver le sommeil une fois que la douleur sera vraiment là, le prévint-elle.

— Je survivrai.

Elle aurait vraisemblablement insisté encore, sans l'irruption de Judy.

— Charlene, ta baby-sitter vient de téléphoner. Elle demande que tu la rappelles. Ne t'inquiète pas, les enfants vont bien. Elle veut juste te dire un mot.

Ian lui proposa son téléphone portable, mais elle refusa et se leva.

— Le réseau ne fonctionne pas ici.

Quand elle revint, quelques minutes plus tard, elle enfila aussitôt son manteau.

— Un problème ?

— Ma baby-sitter doit rentrer chez elle. Sa mère ne se sent pas bien et a besoin d'elle pour s'occuper de ses propres frères et sœurs. Tenez, dit-elle après avoir inscrit au dos d'une serviette en papier son numéro de téléphone et son adresse électronique. Si vous avez d'autres questions à me poser, n'hésitez pas.

— Merci.

— Je vous ferai un prix sur la jeep si elle vous intéresse, ajouta-t-elle avec un sourire en s'éloignant.

Ian la regarda monter dans son mini van. Enfin, il se retrouvait seul… Malgré son admiration grandissante pour cette femme, il était infiniment soulagé de son départ. Sa mauvaise conscience de l'avoir piégée, ajoutée au malaise suscité par l'imminence du drame qui allait la frapper, lui avait finalement gâché le plaisir de sa compagnie.

Heureusement, il ne serait pas présent quand elle apprendrait la nouvelle. Il allait déjà essuyer de plein fouet la détresse d'Elizabeth et n'était pas sûr de pouvoir en supporter davantage.

Il s'apprêtait à quitter le restaurant quand Judy l'arrêta.

— La maison de Charlene n'est pas sur votre chemin, par hasard ?

— Non. Pourquoi ?

— J'ai trouvé son portefeuille par terre, déclara la serveuse.

Il hésita longuement, pris entre le désir de fuir et la honte de ne pas rendre service. Après tout, cela ne lui prendrait qu'une minute : il frapperait à sa porte, elle lui ouvrirait, il lui tendrait son bien et repartirait aussitôt…

— D'accord, dit-il sourdement. Je vais passer le lui déposer.

# 7.

Quel que soit le désir de Ian de glisser le portefeuille derrière la porte moustiquaire et partir sans demander son reste, il ne put s'y résoudre, de crainte que Charlene ne s'affole en s'apercevant de la disparition de ses papiers ou que le chien ne le prenne pour un jouet et ne le déchiquette. Aussi se força-t-il à frapper.

Quelques instants plus tard, une Charlene souriante apparut dans l'embrasure de la porte.

— Alors ? Vous avez décidé de me laisser vous soigner ?

— Non. Je viens juste vous rapporter ceci.

— Oh ! C'est vraiment gentil.

— Ce n'est rien. Bonne soirée.

— Puisque vous êtes là, pourquoi vous n'entreriez pas prendre une tasse de thé à la menthe ? lui proposa-t-elle avant même qu'il n'atteigne les marches de la véranda. Je pourrais en profiter pour vous montrer quelques exercices susceptibles de soulager votre migraine.

Ian avait eu trop souvent recours, en vain, aux remèdes de bonne femme pour y croire encore.

— Ne vous inquiétez pas. Ça va aller.

— Ne soyez donc pas têtu comme ça, l'adjura-t-elle, visiblement contrariée. C'est idiot de souffrir quand on peut l'éviter. J'en ai pour une minute, pas plus.

Quand elle le vit hésiter, elle ouvrit la porte en grand.

— Allez ! Entrez vous asseoir.

Devant son insistance, il accepta, jugeant que cela ne l'engageait à rien de la laisser lui offrir une tasse de thé et lui expliquer sa méthode pour guérir les maux de tête. D'autant plus qu'il n'était que 20 h 30 et qu'il aurait largement le temps ensuite de gagner Boise pour y louer une chambre dans un motel.

— Installez-vous. Je vais préparer le thé.

Du canapé où il s'était assis, il remarqua une série de clichés en noir et blanc de la famille de Charlene, réalisés, comme l'indiquait la signature sur chacun d'eux, par une certaine Hannah Holbrook. En apercevant sur le piano la photographie de mariage, il ne résista pas à la tentation de se lever pour examiner de plus près ce beau couple rayonnant de bonheur. En dépit de sa fortune conjugale, Keith avait-il toujours eu des maîtresses, ou bien Elizabeth avait-elle été l'exception qui l'avait fait chuter ?

Charlene reparut, chargée d'une tasse fumante d'où s'échappait un puissant parfum de menthe.

— Quand je pense que vous rejetiez mon aide, dit-elle en lui tendant son infusion.

— Mais vous m'avez aidé, répliqua-t-il en s'abstenant de la regarder.

— Avec votre enquête, vous voulez dire ?

— Oui. Et je ne voulais pas vous déranger davantage.

— Enfin, vous êtes un ami de mon mari, donc le mien aussi.

Un ami de son mari… Si elle avait su…

— J'aime bien vos meubles, commenta-t-il autant parce qu'il le pensait que pour changer de conversation.

— C'est Gabe qui les fabrique, expliqua-t-elle fièrement.

— Votre frère ? L'ancien footballeur ?

— Oui. Il a commencé à travailler le bois juste après son accident. Maintenant, il confectionne toutes sortes d'objets et il en vend certains qu'il expose dans l'atelier photographique de sa femme, Hannah.

74

Voilà donc qui était cette Hannah dont il avait lu le nom sur les clichés.

— Hannah aussi produit de belles choses, dit-il.

— C'est vrai. Vous devriez profiter de votre séjour ici pour visiter son studio.

— Oui, pourquoi pas.

Ce que Charlene ignorait c'est que, grâce aux renseignements qu'elle lui avait si rapidement fournis au restaurant, il allait quitter Dundee le soir même.

A cet instant, le téléphone sonna et Charlene s'excusa. Tandis que Ian buvait son thé tout en continuant son inspection de la pièce, la voix de Charlene lui parvint.

— Je peux te rappeler plus tard ? Je suis avec quelqu'un, là. C'est un ami de Keith... un ancien collègue.

Ian s'assit sur le bord du canapé, de nouveau mal à l'aise.

— Oui. Pour Softscape, il y a plusieurs années... D'accord... Attends ! Tu as appelé Lucie ?... Pas encore ? Et pourquoi ?... Oh ! Gabe !... L'anniversaire est la semaine prochaine. Non, mais...

La suite de la conversation échappa à Ian : Charlene avait dû changer de pièce. Pendant qu'il attendait son retour, ses pensées dérivèrent vers Keith, dont il occupait peut-être la place en ce moment même... Est-ce qu'il arrivait à son beau-frère de se reprocher ce qu'il faisait ? Ou de craindre d'être découvert ?

Et Liz ? Il se cala dans le canapé, paupières closes. Quand allait-il lui révéler la terrible vérité ? Il brûlait de lui téléphoner afin de se débarrasser de cette redoutable mission, mais mieux valait lui parler de vive voix, afin d'être là pour la soutenir et l'aider à annoncer la nouvelle aux enfants. En se serrant les coudes, ils parviendraient à se sortir de cette épreuve, comme ils avaient réussi à survivre pendant les années où ils avaient dû supporter Luanna.

— Le thé était délicieux. Merci. Je me sens déjà nettement plus en forme, dit-il en se levant quand Charlene le rejoignit.

— Ce n'est pas terminé, objecta-t-elle. Ça ne prendra qu'une minute. Vous avez déjà entendu parler de l'IMO, l'intégration par le mouvement oculaire ? demanda-t-elle en déposant la tasse de thé sur une pile de magazines.

— Non.

— Il s'agit d'un traitement généralement utilisé pour les personnes souffrant de troubles post-traumatiques. Mais une étude a montré qu'il pouvait être efficace contre les migraines.

Elle avait réussi à piquer sa curiosité.

— En quoi consiste-t-il ?

— A faire bouger les yeux, grosso modo. En agissant sur le champ de vision, on peut réduire considérablement les douleurs céphaliques. Bouchez-vous un œil et…

Le téléphone l'interrompit de nouveau.

— Excusez-moi, dit-elle avec un haussement d'épaules navré. Je reviens.

Ian pesta contre ce nouveau contretemps tout en se reprochant de ne pas avoir fui quand il en avait eu l'occasion. Il se sentait incroyablement tendu, et il avait besoin d'un moment de calme pour rechercher sur Internet la peine que Keith encourait et réfléchir à la façon dont il allait aborder le sujet avec Liz. Peut-être ferait-il mieux d'attendre que son beau-frère soit présent pour le confondre et l'obliger à admettre les faits ?

Alors qu'il était encore plongé dans ses réflexions fébriles, Charlene arriva, téléphone toujours à l'oreille.

— Non, je te laisse la surprise. Attends une seconde…

Ian se pétrifia.

— Devinez qui est au bout du fil ? demanda-t-elle gaiement.

— Je ne sais pas, répondit-il, l'estomac serré.

Il ne le savait pas, non, mais il le pressentait avec angoisse.


Keith sentit son sang se glacer. Il venait de reconnaître la voix de son beau-frère.

76

— Qu-qu'est-ce que… tu f-fais à Dundee ? bégaya-t-il, ne sachant quoi dire d'autre.

Ian était censé être parti faire du golf à Phoenix cette semaine, non ? Bon sang, comment avait-il atterri chez Charlene ?

— C'est fini, Keith, lui annonça Ian de but en blanc.

Keith s'immobilisa, la mine sombre, le regard fixé sur les parents venus assister au spectacle de gymnastique de la classe de Mica, et dont il avait fait partie quelques instants plus tôt, avant de s'éloigner pour répondre au message « urgent » de Charlene.

— Qu'est-ce que tu racontes ? chuchota-t-il. Qu'est-ce qui est fini ? Je ne comprends pas de quoi tu parles.

Il cherchait par tous les moyens à s'aveugler. Non, la présence de Ian dans sa maison de Dundee ne signifiait tien. Non, il n'allait rien dévoiler du secret de sa double vie. Son beau-frère ne pouvait pas être debout dans son salon à côté de Charlene. Mais la voix ténébreuse de Ian continuait à lui parvenir.

— Bien sûr que si. En ce moment même, je suis devant le piano en train de regarder ta photo de mariage.

— Ian ! Je t'en supplie ! Qu'as-tu dit à Charlene ?

— Rien. Je voulais vous parler, à toi et à Elizabeth d'abord. Mais je… je n'avais pas prévu que… Maintenant, je ne peux plus…

— Tu vas leur faire mal à toutes les deux, coupa Keith. Reste en dehors de tout ça. Ne t'en mêle pas.

— C'est impossible.

— Réfléchis aux ravages que tu vas provoquer ! implora Keith d'une voix affolée.

— C'est toi le responsable, Keith, pas moi, assena Ian.

A la tristesse qu'il décela dans la voix de Ian, Keith aurait de loin préféré une explosion de colère, un déferlement d'insultes même, car il aurait pu alors tenter de l'amadouer ou de se justifier.

— J'ai des enfants, essaya-t-il d'argumenter.

— Je sais. Ce qui rend la situation encore plus intolérable.

Ecoute… Je n'ai pas très envie de discuter maintenant. Je t'appellerai en arrivant à Los Angeles demain. Débrouille-toi pour te libérer.

Keith avait l'impression qu'une chape de plomb lui écrasait la poitrine. Charlene… Il l'entendait, derrière Ian, insister avec de plus en plus de fermeté pour obtenir des éclaircissements. Jamais elle ne lui pardonnerait. Personne ne comprendrait qu'un piège s'était refermé sur lui.

— Ian, il faut que tu me laisses m'expliquer.

— Je ne demande que ça, Keith. Sincèrement. J'espère de tout cœur qu'il existe une explication, parce que Elizabeth ne mérite pas ça. Charlene non plus, d'ailleurs. Toutes les deux se sont montrées bonnes…

La sueur au front, Keith fit le gros dos en attendant le mot « épouses »… Heureusement, Charlene parla à ce moment-là et Ian, se rappelant alors sa présence, changea sa formulation au dernier moment.

— … envers toi.

— Je… je ne voulais pas que ça se termine de cette façon. Je t'assure, tu dois me croire. Pense à ta sœur, à Mica, à Christopher. Je suis certain que tu les aimes autant que moi.

— N'essaye pas de m'apitoyer.

Un malheureux qui tombe en chute libre en essayant vainement de se raccrocher aux parois lisses du précipice devait éprouver la même sensation que lui en ce moment, eut le temps de se dire Keith.

— Je ne pouvais pas les quitter, Ian. Je ne savais pas comment.

— Tu aurais dû trouver un moyen.

— N'interviens pas là-dedans, Ian. Je t'en prie.

— C'est trop tard.

— Non ! J'inventerai quelque chose pour justifier ta présence.

— Ecoute, Keith…

— Donnez-moi ce téléphone ! ordonna Charlene, au bord de l'hystérie.

— Il vaudrait mieux laisser les choses comme elles sont, plaida Keith désespérément. Crois-moi, je n'arrête pas de réfléchir à la façon de sortir de cette situation mais je ne trouve aucune solution. Pour le moment, en tout cas. Peut-être que lorsque les enfants seront plus grands…

— Tu plaisantes ou quoi ? coupa Ian. Tu aurais dû dire la vérité dès le départ. Tu…

Charlene lui arracha le téléphone des mains.

— Keith, que se passe-t-il ? Qui est Ian ? Pourquoi est-il venu ici ?

La panique que Keith nota dans la voix de sa femme faisait écho à la sienne.

— Charlene, ma chérie… Je t'aime. J'arrive. Tu entends ? Ne fais rien avant que je sois là. Je rentre. Je vais démissionner de mon travail. Là, maintenant, tout de suite. On va acheter la ferme et je resterai tout le temps avec toi à Dundee. Je te le promets. Tu m'écoutes ?

Elle se tut, essayant de comprendre ce qui arrivait.

— Keith, qu'as-tu fait ? finit-elle par demander d'une voix atterrée. Quelque chose qui va détruire notre famille, c'est ça ?

— Non, pas si nous nous y opposons, ma chérie.

— Il y a quelqu'un d'autre dans ta vie ? demanda-t-elle dans un cri strident qui fit mal à Keith.

— Non, Charlene. Pour moi, tu es ma seule femme. Je te promets. J'arrive, Charlene. Je vais tout t'expliquer.

Oui, mais comment ? Cela faisait neuf ans qu'il lui mentait, qu'il couchait avec une autre quinze jours par mois, une femme qui avait autant besoin de lui que Charlene. Il avait double charge d'âmes, double lot de responsabilités à assumer.

Un hurlement de douleur lui parvint alors. Un coup de poignard qui le transperça, le déchira. La comédie était terminée ; il était démasqué. Il savait que cette situation devait cesser un jour ou l'autre. Il était épuisé et cela durait depuis plusieurs années. Mais ce n'est pas ainsi qu'il en avait envisagé le dénouement…

Peut-être qu'une fois qu'il serait à Dundee, il pourrait convaincre Charlene qu'il avait été le jouet d'un enchaînement malencontreux de circonstances. Si elle comprenait à quel dilemme il avait dû faire face, peut-être lui pardonnerait-elle. Charlene était une femme d'exception, beaucoup plus forte que la plupart de ses congénères et elle resterait certainement avec lui, ne serait-ce que pour préserver ses filles. Ce qui lui laisserait le temps de ressusciter leur relation. Malgré l'amour sincère qu'il portait à Elizabeth, Mica et Christopher, il avait toujours su que leur histoire avec eux ne serait pas éternelle.

Il essuya avec sa manche la sueur de son front, comme pour chasser sa famille de Los Angeles de ses pensées. Ils allaient être éperdus de chagrin. Tout comme lui. Mais pouvait-il désormais faire autrement que de les abandonner ? Il continuerait à leur envoyer de l'argent. De toute façon, le tribunal l'y obligerait. Finalement, il allait être soulagé de ne plus rien avoir à cacher.

— Charlene ? Mets Ian dehors. Il va nous détruire, détruire notre famille. Tu m'entends, Charlene ?

— Je ne sais plus qui croire, murmura-t-elle.

— Aie confiance en moi. Je rentre demain.

Il raccrocha et, après s'être arrangé avec un parent d'élève pour faire raccompagner Mica à la maison, il gagna sa voiture en hâte et fila vers l'aéroport. Il était assailli de remords à la pensée de quitter Elizabeth si brutalement, sans un mot, au point qu'il envisagea de l'appeler sur son portable, avant de repousser aussitôt l'idée. Que lui dirait-il ?

Autant laisser le soin à Ian de s'occuper de Liz quand il arriverait demain. Elle surmonterait. Lui devait filer à Dundee, sous peine de perdre Charlene. Peut-être d'ailleurs était-il déjà trop tard…

Ian observait Charlene qui, les joues ruisselantes de larmes, le fusillait du regard. Le combiné, qu'elle avait lâché après que Keith eut raccroché, gisait sur le sol en émettant des bips sonores.

— Vous m'avez menti, murmura-t-elle avec une colère contenue. Vous n'êtes pas celui que vous prétendiez être.

— Vous avez raison et tort à la fois, dit-il après avoir pris une profonde inspiration.

Voilà qu'il se trouvait exactement dans la situation qu'il avait espéré éviter. C'était Elizabeth sur qui il devait veiller, pas sur cette inconnue, mais il ne pouvait rester insensible à la douleur tapie derrière les regards hargneux de cette femme qui était aussi innocente qu'Elizabeth, aussi meurtrie qu'Elizabeth allait l'être.

— Je m'appelle bien Ian Russell, mais je ne suis pas écrivain.

— Vous vous êtes servi de moi.

— J'ai fait ce que je devais faire, et maintenant que… que vous avez appris une partie de l'histoire, il serait bon que vous entendiez la suite.

— Quelle suite ? demanda-t-elle, les yeux écarquillés d'effroi. Non ! Je ne veux plus vous écouter. Vous mentez. Vous affabulez encore. Comme avant. Je vous ordonne de partir, conclut-elle en serrant les poings.

Ian se passa la main dans les cheveux, d'un air désolé.

— Vous savez à qui je peux demander de venir passer la soirée avec vous ?

— Non. Fichez le camp ! Tout de suite !

Mais Ian, bien qu'il rechignât à l'indisposer davantage, se refusa à la laisser seule dans l'état où elle se trouvait.

— Il faut appeler quelqu'un. Votre frère, par exemple. C'est quoi le numéro de Gabe ?

— Fichez le camp, je vous dis !

Elle le saisit par le bras avec une force surprenante et essaya de le traîner jusqu'à la porte.

— Je vous ai demandé de partir !

— Je vais m'en aller dans une minute, lui promit-il en se dégageant avec mille précautions de son emprise.

Elle s'agrippa de nouveau à lui, mais avec moins de rage. Elle était visiblement écartelée. Affolée, aussi. Et… elle souffrait. Elle tremblait si fort qu'il craignit qu'elle ne soit prise de convulsions.

— Racontez-moi tout, dit-elle en essayant de refouler ses larmes.

Ian lui prit les mains. Elles étaient glacées… et si délicates.

— Charlene…, commença-t-il d'une voix hésitante.

— Racontez-moi, répéta-t-elle tout en se raidissant contre les coups qui ne manqueraient pas de venir.

Ian se pencha vers elle, prit sa tête fermement entre ses mains.

— Charlene, c'est plus grave qu'une simple aventure. Keith est marié avec ma sœur.

A ces mots, elle tenta de se libérer, mais il la maintint contre lui pour l'obliger à se calmer. Mieux valait tout lui révéler le plus vite possible.

— Il l'a rencontrée dans un avion, elle est tombée enceinte et il l'a épousée.

Elle chancela, comme s'il venait de tirer sur elle à bout portant. Puis elle s'effondra sur le canapé, sans prononcer un mot.

— Je suis sincèrement désolé, murmura-t-il en se reprochant de n'avoir pas su amortir un peu le choc. Charlene ?

— Vous pouvez partir, répondit-elle d'une voix vide d'émotion.

Ian fut tenté de s'asseoir à côté, mais il savait pertinemment qu'il était la dernière personne capable de lui offrir du réconfort. Elle le rejetterait forcément. Il fallait donc qu'il fasse venir quelqu'un en qui elle avait toute confiance, quelqu'un qui s'occuperait d'elle et de ses filles jusqu'à l'arrivée de Keith.

— Comment je peux joindre votre frère ?

Silence.

— Charlene ?

Toujours pas de réponse.

Il sortit prestement du salon en quête d'un répertoire téléphonique et s'arrêta dans le vestibule pour s'orienter. Dans la cuisine, il trouva une liste de numéros accrochée sur le réfrigérateur et composa celui de Gabe.

— Monsieur Holbrook ?

— Oui.

— C'est Ian Russell.

— Qui ?

— Peu importe. Votre sœur a besoin de vous. Pouvez-vous venir chez elle tout de suite ? Ou envoyer quelqu'un de la famille ?

A l'autre bout de la ligne, la voix s'alarma.

— Pourquoi ? Il est arrivé quelque chose ?

— Keith a eu… des problèmes.

— Il n'est pas blessé, au moins ?

— Aucune blessure physique pour personne. Mais le spectacle est assez lamentable. Charlene vous expliquera.

Il raccrocha. A présent, il ne pouvait rien faire de plus pour ces gens. Restait sa sœur, qu'il devait rejoindre le plus vite possible.

# 8.

Charlene se retourna dans son lit. Le silence qui l'entourait lui paraissait étrange, surnaturel même. Et soudain, bien qu'encore à moitié endormie, elle se rappela qu'un coup de théâtre s'était produit dans sa vie. Un souvenir atroce affleura, qu'elle tenta de toutes ses forces de refouler sans y parvenir : la voix de Ian Russell qui lui glissait des abominations à l'oreille… Puis le chagrin la submergea et, pour la première fois de sa vie, elle douta de ses capacités à faire face.

Des voix étouffées lui parvinrent de la cuisine — des voix réelles, cette fois, celles de ses filles. Pourquoi chuchotaient-elles ? Et l'école ? Mon Dieu, elle devait à tout prix soulever ce poids qui l'écrasait, se lever et s'occuper de ses enfants.

A peine eut-elle essayé de se redresser qu'elle s'affala de nouveau, vaincue par l'épuisement. « Ce n'est pas possible », murmura-t-elle entre ses dents, refusant la défaite. A force de volonté, elle réussit à s'asseoir au bord du lit. Là, bien qu'éblouie par la lumière qui filtrait à travers le store, elle nota que quelqu'un avait changé le réveil de place. Qui ?

Comme en réponse à sa question, une voix masculine se mêla à celles de ses filles : Gabe. C'est vrai… Son frère était arrivé juste après le départ de Ian Russell.

C'est alors que les détails de la veille — le ton de Keith au téléphone, la culpabilité flagrante que trahissait sa réaction — lui revinrent, par lames successives, chacune avec son lot d'images révoltantes. Aussi insoutenable que soit la vérité, elle devait l'affronter tout entière. Elle savait déjà que la terrible révélation de Ian n'était pas un mensonge : Keith la trompait. Il la trompait depuis des années. Pire, il avait une autre épouse, d'autres enfants, une autre famille qu'il rejoignait chaque fois qu'il les quittait, elle et les petites.

N'étant pas femme à se laisser abattre, elle s'obligea à lutter contre la nausée qui menaçait. Elle avait toujours réussi à surmonter les drames qui avaient émaillé son existence, en envisageant le côté positif de chacun. Certes, son frère avait perdu l'usage de ses jambes — mais n'était-ce pas préférable à la mort ? Leur père avait failli détruire leur famille en leur dévoilant un secret qu'il avait gardé durant vingt-quatre ans — cela ne valait-il pas mieux cependant que de les avoir abandonnés comme il aurait pu le faire ?

Seulement, où était le bon côté de ce qui lui arrivait aujourd'hui, quand la vie heureuse qu'elle avait cru mener se révélait être une imposture ? Elle comprenait à présent pourquoi son mari lui avait paru plus distant, pourquoi il avait obstinément refusé de changer de travail et n'appelait jamais lors de ses déplacements…

Elle se remémora aussi les questions que lui avait posées Ian au restaurant sur la gestion de leur budget. Puis, accablée, elle enfouit la tête dans ses mains. Comme il avait été facile à son mari de l'abuser ! Elle s'était montrée tellement crédule, tellement confiante ! Mais bon sang, Keith avait-il donc perdu toute conscience ? Comment avait-il pu lui mentir avec tant d'aplomb ? Les trahir à ce point, elle et ses enfants ? Depuis quand durait cette double vie ?

Au fond, elle savait très peu de choses, pour l'instant. La nouvelle l'avait assommée et, sur le coup, elle n'avait pas cherché à en élucider tous les détails. C'était à présent, que les questions tournoyaient dans sa tête, en n'apportant que désarroi, incertitude et… une fureur bouillonnante qui menaçait d'exploser.

En entendant un déclic et sa porte s'ouvrir, elle tourna la tête, pour découvrir le visage de Gabe dans l'embrasure.

— Je suis réveillée, dit-elle en s'étonnant elle-même de pouvoir se comporter avec un tel naturel.

Gabe fit rouler son fauteuil dans la chambre. Vêtu d'un pull et d'un jean délavé, avec ses cheveux noirs et drus, ses yeux bleu vif et sa musculature d'athlète, il était toujours aussi beau et vigoureux. Elle l'avait idolâtré quand elle était petite et continuait, encore maintenant, à déborder de fierté pour lui.

— Comment te sens-tu ? demanda-t-il.

« Gaie comme un pinson », ironisa-t-elle intérieurement.

— Bien, merci. Il faut que je prépare le petit déjeuner aux filles.

— Ne t'inquiète pas pour elles. Elles ont mangé et Hannah vient de les emmener à l'école.

Dieu merci, son frère et sa belle-sœur étaient venus à son secours… Elle ne se rappelait pas avoir ainsi dépendu d'une aide extérieure, elle qui était si efficace et organisée d'habitude. Les gens seraient surpris de la voir aujourd'hui, incapable de mettre un pied devant l'autre.

— Qu'est-ce que tu m'as donné, hier ? demanda-t-elle. Je parie que tu as versé un somnifère dans mon thé.

Le silence de Gabe lui tint lieu de confirmation.

— Je voulais être sûr que tu dormirais, expliqua-t-il. Je pensais qu'un peu de repos t'aiderait à… faire face.

— Faire face, répéta-t-elle avec un rire triste. Tu te rends compte de ce qui m'arrive : je croyais avoir une vie et tout ne repose que sur des mensonges.

— C'est Keith qui ne correspond pas à l'image qu'il donnait de lui. Rien d'autre n'a changé.

Si ! Tout avait changé, au contraire ! Son mariage constituait les fondations sur lesquelles elle avait bâti son monde et celui de ses enfants. Qu'allait-elle devenir à présent ?

— Alors qu'est-ce que tu en penses ? demanda-t-elle.

— De quoi ?

— De notre farce matrimoniale.

— Je n'ai pas envie de te le dire.

— Pourquoi ?

— Tu prendrais la défense de Keith.

— Ça m'étonnerait.

— Il a appelé il y a un instant de l'aéroport de Boise, dit Gabe en changeant nerveusement de position dans son fauteuil. Il m'a supplié de réserver mon jugement jusqu'à son arrivée.

— Tu en es capable ?

— J'écouterai ce qu'il a à dire, mais… mais ça ne changera rien, soupira-t-il. Soit cette autre femme existe, soit elle n'existe pas.

Exactement. Or Charlene avait déjà acquis l'intime conviction qu'elle n'était pas une invention.

— Tu crois que je pourrai lui pardonner un jour, Gabe ?

— Lui pardonner, peut-être. Mais lui faire de nouveau confiance, ça c'est une autre paire de manches. Surtout que cette… cette autre famille ne va pas se volatiliser sur un simple claquement de doigts.

Plongés dans leurs pensées, ils demeurèrent un long moment silencieux, puis Gabe demanda prudemment :

— Veux-tu que je lui dise de faire ses valises ?

Ses valises ? songea Charlene. La veille encore, elle avait cru qu'elle coulerait le reste de ses jours avec Keith… Elle préféra ne pas tenir compte de la question.

— Tu sais comment joindre Ian Russell ? demanda-t-elle à son tour.

— Oui, il a laissé son numéro sur le bar et je l'ai noté dans mon agenda. Pourquoi ?

— J'en ai besoin.

A mesure que son frère le lui dictait, elle composa le numéro, puis laissa sonner plusieurs fois. Au moment où elle allait raccrocher, Ian répondit.

— Allô ?

Elle se crispa involontairement au son de cette voix par qui le désastre était arrivé, celle du frère de la seconde épouse de son mari. Puis elle lança de but en blanc :

— Quand tout cela a-t-il commencé ?

Ian Russell ne chercha pas à tergiverser.

— Il y a neuf ans, répondit-il tout de suite.

Bien qu'elle se soit préparée à recevoir un choc, la réponse lui coupa le souffle. Neuf années de mensonge ! La gorge nouée, elle poursuivit l'interrogatoire.

— Et combien d'enfants est-ce que… est-ce que Keith et… et cette femme ont ? Un ?

— Non. Deux. Elle s'appelle Elizabeth, au fait.

— Deux, fit-elle en écho comme si elle s'aventurait sur une corniche qu'elle craignait de voir s'effondrer sous son poids.

— Un garçon et une fille, précisa-t-il.

— Et…comment… s'appellent-ils ?

— Ecoutez, Charlene…

— Comment s'appellent-ils ?

— Christopher et Mica, confessa-t-il dans un soupir.

— Est-ce que votre sœur connaît mon existence ?

— Non. Autrement, je sais qu'elle n'aurait jamais toléré ce genre de situation.

Dommage… Charlene aurait préféré pouvoir accuser sa rivale de tous les torts plutôt que de charger Keith, l'homme qu'elle aimait, comme le seul et unique responsable de ce gâchis. Mais les faits étaient les faits. Elle se massa les tempes pour s'éclaircir les idées.

— Vous vous rappelez qu'il est en route vers chez vous, n'est-ce pas ? s'assura Ian.

Oui. « Je vais démissionner de mon travail. Là. Maintenant.

Tout de suite, avait dit Keith. On va acheter la ferme. » Elle n'avait cessé de l'en supplier au cours des deux derniers mois et, pour toute réponse, il l'avait traitée d'égoïste — avant de partir rejoindre son autre famille. Pendant neuf ans, en une multitude d'occasions, il lui avait menti ! Avait-il même été une seule fois sincère ? S'il l'avait vraiment aimée, il n'aurait pas pu lui infliger une souffrance pareille…

— Dites à votre sœur qu'elle peut le garder.

Et elle raccrocha.


A l'arrivée de Ian à Los Angeles, une grisaille bruineuse enveloppait la ville. Pourtant, Elizabeth portait des lunettes de soleil. Quand Ian grimpa sur le siège du passager du 4x4 de sa sœur, elle lui adressa un vague salut et, sans le regarder, démarra aussitôt. Au grand soulagement de Ian, Mica et Christopher n'avaient pas accompagné leur mère : il pourrait ainsi discuter plus librement avec Liz.

— Le temps a changé le jour où tu es parti, l'informa sa sœur comme si le manque de soleil avait une quelconque importance.

Elle était habillée d'un pantalon de laine, d'un pull à col cheminée beige, et chaussée de bottes en cuir. Si Ian n'avait pas été averti du séisme qui venait de la secouer, il n'aurait rien soupçonné tant elle semblait, comme à l'accoutumée, maîtresse d'elle-même. Seules ses lunettes noires et la tension dans sa voix laissaient deviner qu'aujourd'hui n'était pas un jour ordinaire. Quelle classe ! songea-t-il avec admiration, tandis que redoublait sa rage indignée devant le comportement de Keith.

Cependant, en remarquant les mains de sa sœur, Ian se rendit compte que son sang-froid n'était qu'apparent. Elle s'était remise à se ronger les ongles, sa manie d'autrefois, et ils étaient à vif. En outre, elle ne portait ni son alliance ni le bracelet-montre que Keith lui avait offert.

— Ça va ?

Elle eut beau hocher la tête, il ne put faire taire son inquiétude. Elle avait dû passer la nuit à tourner en rond dans sa chambre, folle d'angoisse, de colère et de chagrin. Comment tenait-elle le coup ? Quand il l'avait appelée après avoir quitté Charlene, la veille, il l'avait trouvée absolument paniquée après la disparition de Keith ; si bien qu'il s'était senti obligé de tout lui dire.

Un silence de mort avait accueilli l'atroce révélation de la vérité. Craignant qu'elle ne se soit évanouie, il avait crié son nom plusieurs fois dans le téléphone et, finalement, une voix blanche lui était parvenue. Blanche mais dénuée d'émotion. C'était cela, qui justement inquiétait Ian. La réaction d'Elizabeth avait quelque chose d'anormal qui le perturbait bien davantage que celle de Charlene, laquelle avait avoué et exprimé sa douleur sans honte ni retenue.

— Liz, dit-il en lui serrant doucement l'épaule dans l'espoir de lui insuffler un peu de sa force, je suis vraiment désolé.

— Je sais, répondit-elle dans un souffle.

Elle était assise droite dans son siège, le regard fixé sur la file de voitures qui, pare-chocs contre pare-chocs, serpentait devant eux.

— Tu n'as rien d'autre à dire ?

— Mon mari m'a quittée hier soir. Que veux-tu que je dise ? demanda-t-elle posément.

Croyait-elle qu'elle allait pouvoir surmonter cet épisode de la même manière qu'elle avait abordé d'autres situations pénibles au cours de son existence — en continuant à vivre comme si de rien n'était, une fois le premier choc passé ?

— Tu ne feras qu'aggraver la douleur en la gardant pour toi, Liz.

— Et qu'est-ce que cela changera, exactement, de la laisser sortir ?

A cette question, Ian prit l'exacte mesure du chagrin qui devait étreindre sa sœur.

90

— Cela t'aiderait certainement.

— Et comment, s'il te plaît ?

— Je ne sais pas. La plupart des femmes seraient atterrées, à ta place, me semble-t-il.

Une légère ride barra son beau front habituellement parfaitement lisse.

— Je n'ai jamais été comme les autres femmes, tu le sais bien. C'est peut-être la raison pour laquelle Luanna me détestait, ajouta-t-elle en pilant pour ne pas emboutir la voiture qui venait de ralentir devant eux.

— Luanna te détestait parce que c'était une garce jalouse et sans cœur. Elle s'efforçait de t'écarter pour que papa ne s'intéresse qu'à elle. Tu n'es en rien responsable des événements qui ont suivi la mort de maman. Tu n'y pouvais strictement rien.

Elle s'obligea à tourner la tête vers son frère.

— Pas plus que je ne peux changer ce qui m'arrive aujourd'hui, Ian. Que je le veuille ou non, il faut que je fasse avec.

Sur ce point, elle avait raison…

— Ce que je veux te faire remarquer, c'est que ce n'est pas à cause de toi que les choses en sont arrivées là, souligna Ian. Keith était déjà marié quand il t'a rencontrée. Si la situation avait été inverse, rien de tout ça ne se serait peut-être produit.

Sauf que si Keith s'était laissé aller à tromper une femme aussi passionnée, aussi vivante que Charlene, il était vraisemblablement prêt à abuser n'importe qui.

Elizabeth resta silencieuse.

— Tu lui as parlé ? demanda-t-il.

— Il a fini par répondre à mes nombreux messages, ce matin, à son arrivée à Boise.

— Et alors ?

— Il m'a annoncé qu'il allait démissionner de son travail et ne plus revenir en Californie.

— Charlene m'a dit qu'elle ne voulait plus de lui et que tu pouvais le garder.

— Peut-être qu'il ne le savait pas encore. De toute façon…

Elle changea de nouveau de file.

— De toute façon quoi ? insista-t-il.

— Il m'a dit qu'elle finirait par se calmer et ferait ce qu'il faut pour sauver sa famille.

— C'est effectivement une possibilité, admit-il en pensant à la jeune femme courageuse avec qui il avait dîné la veille. Tu l'as dit à Mica et Christopher ?

— Pas encore. Il faut pourtant que je le fasse assez rapidement, pour qu'ils comprennent ce qui se passe. Mais…

Sa voix s'étrangla et Ian espéra qu'elle allait enfin verser des larmes libératrices. Hélas, après un silence assez long, elle leva le menton et termina sa phrase de la même voix mécanique.

— Mais je repousse le moment de leur annoncer. Je ne veux pas qu'ils aient l'impression d'être soudain privés de toute protection.

Comme elle l'avait été à la mort de leur mère, songea Ian.

— Il va vraisemblablement te laisser la maison.

— Je me moque de la maison, répliqua-t-elle.

— Tu changeras certainement d'avis, une fois que les premiers effets du choc se seront dissipés.

— Non, dit-elle en secouant énergiquement la tête. Les enfants sont tout ce qui compte pour moi.

— Tu ne crois pas qu'il va batailler pour en obtenir la garde ?

— Non. Il n'a pas l'intention de batailler pour quoi que ce soit, répondit-elle en luttant contre la boule qu'elle avait dans la gorge. Il… il s'en va. Il coupe les ponts. Il a dit qu'il enverrait de l'argent tous les mois, mais que c'était tout ce qu'il promettait.

— L'argent, c'est important, pour assure leur éduction et leur bien-être, dit-il en essayant de se montrer positif. Après ce qu'il a fait, je ne vois pas ce que tu pourrais accepter d'autre venant de sa part.

— Tu plaisantes, j'espère ? s'indigna-t-elle en le considérant comme s'il venait de proférer la pire des idioties.

— Non. Je veux seulement que toi et les enfants ayez un toit au-dessus de vos têtes et de quoi manger. Je me réjouis qu'il soit prêt à assumer cette responsabilité.

— Enfin, Ian ! Les responsabilités d'un père ne s'arrêtent pas là ! La nourriture et le logement, je peux les prendre en charge. Il suffit que j'augmente mes heures de présence au cabinet dentaire ou que je trouve un emploi mieux rémunéré. Par contre, la relation que Mica et Christopher ont avec leur père, je ne peux pas la remplacer !

Pour la première fois depuis le début de la conversation, Elizabeth avait élevé la voix et Ian espéra qu'elle allait enfin craquer. Malheureusement, elle se reprit rapidement.

— Ils ont besoin de lui, déclara-t-elle posément.

— Ils s'adapteront. Avec le temps, ajouta-t-il pour adoucir la banalité de sa remarque.

— Tu ne comprends rien, j'ai l'impression, répliqua-t-elle quand elle eut constaté qu'il était sérieux. Christopher est en admiration devant son père.

— Ce n'est pas toi qui as voulu ce qui arrive, Liz.

— Ce n'est pas la question, bon sang ! Il va tomber de haut. Je me dois de le protéger. Par tous les moyens. Il n'arrête pas de demander quand Keith va revenir, ajouta-t-elle, le front de nouveau soucieux.

— Tu sais comme cela me fait de la peine, Liz. Sincèrement. Mais que veux-tu y faire ?

— Keith n'a pas le droit de nous abandonner.

Sur ces mots, elle agrippa le volant avec une telle force que le sang s'arrêta de circuler dans ses doigts.

— Ça ne se passera pas comme ça. Il m'a dit qu'il m'aimait.

Nous avions des projets. Et puis, la bigamie est illégale. S'il ne veut pas… S'il croit qu'il… Bref. Il y a toujours ce moyen de pression. Il ne pourra pas nous laisser complètement tomber.

Ian se passa la main sur le visage, accablé. Il allait devoir donner le coup de grâce à sa sœur.

— Si, Liz. Tant qu'il verse une pension alimentaire, il y a de fortes chances pour qu'il puisse.

— Quoi ?

Elle fit une brusque embardée et faillit accrocher une autre voiture.

— Laisse-moi le volant, si tu veux.

— Non, ça va, répondit-elle en se rongeant les ongles jusqu'au sang.

— Ecoute, Liz. Même si tu décides un jour de l'envoyer derrière les barreaux pour ce qu'il a fait, il y a peu de chances que tu y parviennes.

— Comment tu le sais ?

— Ce matin, j'ai appelé un ami qui travaille au ministère de la Justice, commença-t-il tandis qu'Elizabeth s'accrochait au volant. D'après lui, rien n'empêche de signaler Keith à la police, mais le procureur n'engagera probablement pas de poursuites.

— Alors qu'il enfreint la loi ?

Après quelques hésitations embarrassées, Ian se lança.

— Pour commencer, il y a un problème de juridiction. Il faudrait d'abord déterminer lequel des deux Etats, de l'Idaho ou de la Californie, se chargerait du dossier.

— Ce ne doit pas être un problème insurmontable.

— Théoriquement… Ensuite, il faudrait que le procureur désigné estime que l'affaire vaille la peine d'y consacrer du temps et des efforts. Et…

— Comment n'en vaudrait-elle pas la peine ? s'insurgea Elizabeth. Il y a des gosses, embarqués dans cette galère. Et deux femmes, aussi.

94

— La bigamie est un crime, certes, mais qui n'implique pas de violence. Keith ne s'est livré à aucune brutalité et il a toujours subvenu aux besoins de ses enfants. Ces deux points joueront en sa faveur. Et puis, s'il allait en prison, comment vous ferait-il tous vivre ?

— Il n'existe donc aucun recours légal ? Je n'y crois pas.

— Pas vraiment. En supposant même que le procureur accepte d'engager une action, Keith s'en sortira très vraisemblablement avec quelques années de liberté conditionnelle ou quelques travaux d'intérêt général.

Elle croisa et décroisa ses doigts meurtris.

— C'est… C'est carrément incroyable.

— Je sais. Mais ne t'inquiète pas. On va constituer le dossier ensemble et faire valoir le droit à une pension substantielle…

— Arrête avec tes histoires de fric, tu veux. Ça ne m'intéresse pas.

— Tu es encore sous le choc. Tu vas remonter la pente et redevenir réaliste. Je vais rester à Los Angeles pour t'aider.

— Comment est-elle ?

— Pardon ? demanda Ian, pris de court.

— Tu m'as parfaitement entendue. Elle est comment son autre femme ?

Il hésita. La vérité serait dure à entendre…

— Ian ? insista Liz. Réponds.

— Elle est… pas très grande.

— Et ?

— Elle a des cheveux noirs.

— L'inverse de moi en quelque sorte !

Ian s'abstint de tout commentaire.

— Elle est sexy ?

— Liz…

— Réponds-moi, répéta-t-elle, glaciale.

— Arrête de te torturer, dit-il avec fermeté.

— Alors, c'est oui, elle est sexy.

— Ça n'a pas d'importance. Toi aussi, tu es belle.

— Mais elle, sa famille s'en sort indemne.

— Tu ne veux quand même pas que Keith revienne ? Pas après ce qu'il t'a fait ?

— Il ne s'agit pas de moi, Ian. Keith va désormais habiter dans l'Idaho, ce qui signifie que mes enfants ne verront jamais leur père.

— A long terme, c'est peut-être préférable.

— Préférable pour qui ? hurla-t-elle.

— Pour toi.

— Mais pas pour mes enfants !

— On peut l'obliger à leur verser une pension, pas à les voir !

Elle se mordit la lèvre tout en balayant nerveusement la route du regard. Puis elle murmura entre ses dents serrées :

— Je veux continuer à croire qu'il les aime. Il faut qu'il maintienne le contact avec eux.

— Depuis l'Idaho ? soupira Ian.

— On va déménager.

# 9.

Bizarrement, Charlene assistait en spectatrice à la scène qui se déroulait dans son salon, comme si elle ne la concernait pas. Pourtant, elle avait partagé le lit de Keith pendant onze années, avait préparé ses repas, lavé son linge, organisé ses anniversaires, porté ses enfants. Comment osait-il se tenir devant elle, les yeux pleins de larmes, en s'excusant d'avoir « merdé » ? En l'implorant de lui accorder une deuxième chance ?

Peut-être aurait-elle passé l'éponge s'il s'était agi d'une amourette d'un soir au cours d'un de ses nombreux déplacements. Mais il en avait épousé une autre… Chaque fois qu'elle était tentée de sauver leur mariage, son cœur se refermait aussitôt à l'évocation de cette femme qui, comme elle, l'avait attendu avec ses enfants, embrassé quand il partait ou arrivait.

Gabe, assis dans son fauteuil sur le seuil de la cuisine, muré dans un lourd silence, bouillait de rage rentrée contre Keith qu'il avait pourtant toujours profondément estimé. Jusqu'à la veille au soir.

La veille au soir… C'était alors que la vie de Charlene avait basculé. Si brusquement que les événements des quinze dernières heures lui paraissaient totalement irréels.

Jennifer, Angela et Isabella allaient bientôt rentrer de l'école. Pour apprendre quoi ? Que leurs parents se séparaient ? Qu'elle avait intimé à leur père l'ordre de faire ses valises ? Ou bien que tout était rentré dans l'ordre ?

— Charlene ?

Keith la suppliait du regard.

— Tu m'écoutes ? Je te dis qu'on achètera la ferme, qu'on fera tout ce que tu veux.

Oui, cette partie-là, elle l'avait entendue et même comprise sans difficulté. En revanche, ce qu'elle ne parvenait pas à saisir, c'est comment il s'y était pris pour garder sa double vie secrète pendant si longtemps et, plus important encore, de quoi il avait manqué, pour songer à établir une relation durable avec une autre femme. Pas une seule fois, il ne s'était plaint d'elle de leur couple. Tout ce qu'il lui avait toujours dit, c'est qu'il l'aimait, qu'il était fier de la famille qu'ils formaient.

Avait-il fait les mêmes déclarations, les mêmes promesses à l'autre ?

— Je ne sais pas quoi te dire, avoua-t-elle.

Sans prendre la peine d'essuyer les larmes qui ruisselaient sur ses joues, il se mit à genoux devant elle en prenant dans les siennes sa main inerte.

— Tu restes assise là, à me dévisager. Où est passée la femme passionnée que j'aime ?

— Elle est morte, répondit-elle posément.

Elle avait tellement pleuré que sa colère avait cédé la place à une morne résignation. Elle se sentait brisée.

— Je crois que tu devrais partir, suggéra Gabe, qui intervenait pour la première fois depuis que Keith avait entamé sa litanie d'excuses et de promesses.

— Attends, Gabe, je t'en prie, dit Keith. Tu te crois incapable de pareille conduite, je sais, mais… Ça m'a dépassé. Au début, c'était juste une aventure. Rien de plus. Et puis je n'ai plus su comment mettre fin à la pagaille que j'avais moi-même créée. Liz…

— Liz, répéta Charlene pensivement. Liz…

Ce n'était pas une question. Elle cherchait plutôt à s'approprier ce nom, nouveau pour elle, que son mari prononçait avec un tel naturel. Qui était cette femme ? Qu'éprouvait-elle ? Et ses enfants, comment réagissaient-ils ?

— Elle s'appelle Elizabeth, dit Keith, les sourcils froncés comme s'il cherchait à deviner ce qui se passait dans la tête de Charlene. Elle est tombée enceinte. C'était un accident. Mais une fois qu'il y a eu un bébé en jeu, j'ai été piégé. Je ne pouvais plus parler de toi à Liz, tu comprends ?

La pensée de son mari faisant un enfant à une autre femme — une petite hôtesse de l'air rencontrée au cours d'un de ses nombreux voyages — sortit Charlene de la stupeur dans laquelle elle s'était réfugiée depuis l'arrivée de Keith. Combien de temps aurait duré cette double vie ? Indéfiniment peut-être ? Pourquoi ne l'avait-il pas aimée suffisamment pour reconnaître son erreur et trouver un moyen de la réparer ? Au lieu de cela, il avait attendu qu'un événement fasse le travail à sa place. Ian l'avait démasqué. Et maintenant qu'elle était devant le fait accompli, il voulait qu'elle lui pardonne ?

— Ça suffit. Je ne veux plus t'entendre, dit-elle d'une voix à peine audible, prise de haut-le-cœur.

Gabe approcha immédiatement d'eux son fauteuil.

— Il faut que tu partes, Keith.

— Non ! s'écria-t-il, le regard implorant. Je... je ne peux pas. J'ai démissionné de mon boulot en arrivant à Boise ce matin. Je suis sérieux quand je dis que je ne vais plus bouger. Je n'aurai plus jamais aucun contact avec Liz. On fera tout ce que Charlene décide. Je serai tellement parfait qu'elle ne pourra plus refuser de me pardonner. Tu verras.

Charlene remarqua les muscles de Gabe se tendre sous son T-shirt tandis qu'il se rapprochait encore de Keith. A sa colère devait se mêler une intense déception, songea-t-elle, lui qui, dès le début, avait accepté Keith comme un membre à part entière de la famille.

— Loue un appartement, Keith, ou demande à tes parents de

t'héberger pendant quelque temps, lui conseilla Gabe. Il est trop tôt pour une réconciliation, ajouta-t-il d'un air soucieux face à l'abattement inhabituel de sa sœur.

— Oui. Il est trop tôt, acquiesça Keith avec humilité. Mais peut-être que d'ici à un jour ou deux, on pourra parler de nouveau ?

— Peut-être, répondit Gabe.

Charlene, elle, ne s'imaginait pas renouer le dialogue avec son mari. Ni dans quelques jours. Ni dans un mois… ni dans un an.

Quand Keith se redressa, la tête basse, l'air misérable, c'est à peine si elle reconnut l'homme fier et fringant qu'elle avait épousé. Pour entrer dans ses bonnes grâces, il était prêt à accepter toutes ses exigences, mais le mal était fait : sans avoir eu l'intention de blesser qui que ce soit, il s'était montré trop égoïste, vaniteux, faible ou idiot pour résister à la tentation, puis trop vulnérable pour mettre fin à une intenable situation. Et maintenant, tout le monde allait payer.

— Que va-t-on dire aux filles ? demanda-t-il.

Charlene fut traversée par un frémissement de compassion pour son mari, si pitoyable, si meurtri.

— La vérité, déclara-t-elle après avoir passé en revue en toute hâte les divers scénarios qu'elle avait imaginés.

— Tu es sûre ? demanda-t-il, les yeux agrandis d'effroi. Pour Liz aussi ?

— Non, si on peut l'éviter. Je ne veux pas qu'elles sachent à quel point tu as été déloyal.

Bien qu'il blêmît sous le coup de cette critique, il sembla soulagé.

— On leur expliquera que, sans le vouloir, tu as cassé mon vase préféré, reprit-elle en levant les yeux vers lui.

L'image était juste. Son mariage avait volé en éclats et il était impossible d'en recoller les morceaux.

— Je continue à penser que c'est une aberration.

Ian n'en revenait toujours pas. Il était en train de charger les affaires de Liz dans une camionnette de location avec laquelle il allait conduire sa sœur et ses enfants jusque dans l'Idaho, à près de deux mille kilomètres de là, dans une maison qu'il avait trouvée par l'intermédiaire d'un agent immobilier et qu'il n'avait pas visitée. Depuis deux semaines que Keith l'avait abandonnée, pas une seule fois Elizabeth n'était revenue sur sa décision. Au contraire, au fil des jours, elle semblait de plus en plus déterminée et avait démissionné de son travail.

— Qu'est-ce qui est une aberration ? rétorqua-t-elle tandis qu'elle vidait un des placards de la cuisine. De vouloir rapprocher mes enfants de leur père ?

— Tu ne connais pas Dundee, soupira-t-il en poussant vers la porte un carton qu'il venait de fermer.

Elle s'étira en grimaçant. Déménager une maison de cette taille n'était pas une mince affaire. Cela faisait trois jours qu'ils se baissaient, s'accroupissaient, se relevaient…

— Dundee est située dans une région montagneuse, récita-t-elle. Les hivers y sont froids et enneigés. Et c'est une petite ville.

— C'est ce dernier point que tu n'as pas l'air de bien comprendre.

— Il n'y aura pas de cinémas ni de centre commercial. Et alors ?

Elle se remit au travail tandis que Ian s'affalait dans un des rares fauteuils restants.

— Liz. Regarde-moi.

— Quoi ? Enfin, Ian, je ne vends pas ma maison ! Je la loue. Cela n'a rien de définitif.

— Moi, j'ai signé un bail de six mois pour celle de Dundee.

— Ce n'est pas l'éternité !

— A mon avis, même quelques semaines te paraîtront interminables. Le père de Charlene est sénateur de l'Idaho depuis des

101

années. Elle vit à Dundee depuis qu'elle est née. Tout le monde l'apprécie.

— Même toi, lui reprocha-t-elle.

Plutôt que de mentir, Ian poursuivit son argumentation.

— Ce que je veux dire, c'est que tu ne vas pas être reçue à bras ouverts.

— Je ne vais pas là-bas pour gagner un concours de popularité.

— Tu te rends compte que tu vas être carrément rejetée ? C'est cher payé, uniquement pour habiter à proximité de Keith.

— J'ai parlé à l'institutrice de Chris, hier. Depuis que j'ai annoncé aux enfants le départ définitif de leur père, Chris ne s'intéresse plus à rien. Il passe ses journées assis sur sa chaise, les yeux dans le vague, perdu dans son monde. Elle est inquiète et ne sait pas comment rétablir le contact. Moi non plus, d'ailleurs.

— Il lui faut du temps pour s'adapter, Liz, murmura Ian avec douceur. Il n'est pas le premier enfant dont les parents divorcent.

— Tu veux dire annulent leur mariage, je suppose. Le divorce ne concerne que les époux légalement unis.

— Dans ton cas, vu le temps que vous avez vécu ensemble, cela revient à peu près au même, sauf que cela te coûtera moins d'argent.

— Quelle veinarde je suis ! Ce qui est sûr, en tout cas, c'est que Christopher a pris le coup de plein fouet, comme je m'y attendais.

Le déménagement à Dundee allait-il améliorer la situation ? se demanda Ian.

— Keith n'a pas répondu à tes appels téléphoniques, Liz. Hier, il a résilié l'abonnement de son portable, si bien que tu ne disposes plus d'aucun moyen de lui laisser un message.

— Voilà exactement pourquoi je dois me rendre là-bas ! Tu ne saisis pas que j'ai besoin d'une conclusion claire et nette à notre histoire, qu'il est essentiel pour moi qu'il me dise en face qu'il

ne m'aime plus ? Ce silence auquel je me heurte actuellement…
c'est comme si j'étais enfermée dans le noir. J'avance à tâtons à la
recherche d'un interrupteur. J'ai l'impression que c'est à Dundee
que la lumière se fera. Peut-être qu'aller là-bas ne me ramènera
pas mon mari, mais je ne peux pas renoncer à cet espoir avant
de l'avoir vu, de lui avoir parlé et d'avoir démêlé les fils de ce qui
nous est arrivé.

— Pourquoi ne pas lui donner rendez-vous et y aller en
avion ?

— Pour une entrevue d'une demi-heure ? Non, il faut que je
sache de façon certaine qu'il ne changera pas d'avis d'ici à une ou
deux semaines.

— S'il est retourné avec Charlene, tu vas avoir un rude combat
à mener. Elle lui a probablement interdit tout contact avec toi, sinon
il aurait gardé son téléphone portable.

— Tu cherches à me dire qu'il ne veut plus me parler, c'est ça ?
demanda-t-elle d'une petite voix.

— Ou qu'il ne le peut pas.

Elle réfléchit un instant avant de lever résolument la tête.

— Je m'en moque. Une fois que nous serons à Dundee, il ne
pourra pas continuer à nous ignorer, pas les enfants, au moins. Eux
aussi ont besoin de tirer un trait de façon claire et nette.

— Ça va être un vrai cauchemar pour toi, la prévint Ian en
hochant la tête d'un air navré.

— Tu peux rentrer à Chicago, tu sais, dit-elle en emballant
quelques verres. Rien ne t'oblige à nous accompagner.

C'était la vingtième fois au moins qu'elle le lui répétait. Mais il
ne pouvait pas l'abandonner. Surtout maintenant. A son arrivée à
Dundee, elle n'aurait pas un seul ami sur qui compter.

— Je suis désolé, tu ne te débarrasseras pas de moi aussi
facilement.

— Ton entêtement finira par te jouer des tours.

— Peut-être.

— Ce qui me rassure, c'est que tu es obligé de partir après Noël.

— Non. J'ai pris un congé sabbatique.

— Quoi ? Et ta bourse ? balbutia-t-elle. Et le Congo ?

— Je laisse tout ça à Harold Munoz.

Par réflexe, elle porta ses ongles à sa bouche, mais son frère l'avait obligée à se recouvrir le bout des doigts de Sparadrap.

— Dis-moi que ce n'est pas vrai.

Il resta muet. Elle se faufila alors entre les caisses de déménagement pour s'agenouiller devant lui. En voyant le visage encombré de mèches folles de sa sœur et ses joues maculées de traces noires, Ian crut un instant se trouver en présence de l'adolescente de seize ans qui avait tant souffert de la méchanceté de Luanna.

— Mais pourquoi un tel sacrifice, Ian ?

— Parce que ce n'est pas un sacrifice. C'est mon choix. J'avais envie de faire une pause, rien de plus, je t'assure.

— Ce n'est pas vrai. Tu adores enseigner et tu étais impatient de retourner en Afrique. Tu ne parlais que de ça.

— Reginald va m'envoyer le dossier afin que je dépose ma candidature pour l'année prochaine.

— Je t'en supplie, Ian, ne laisse pas cette histoire te gâcher la vie à toi aussi, murmura-t-elle, la voix pleine de larmes.

— Il n'est pas question de gâcher ma vie. Je fais une pause de quelques mois, je te dis, ce n'est pas une affaire. Tu es ma petite sœur, Liz, dit-il en replaçant correctement sur le pouce de Liz le pansement qui menaçait de tomber. Je ne te quitte pas tant que tu n'auras pas complètement remonté la pente.

— Tu sais, ce qui est arrivé à maman, commença-t-elle en sanglotant.

— Ne pense pas à maman, l'interrompit-il. Ce n'est pas le moment.

— Non, ne t'inquiète pas. Ce que je veux te dire, c'est qu'elle m'a terriblement manqué mais que ma vie aurait été encore bien pire si… si tu n'avais pas été là.

— Coucou ! Il y a du monde ?

Quelqu'un frappait à la porte que Ian avait laissée ouverte pour faciliter ses nombreuses allées et venues jusqu'au camion. Elizabeth se releva aussitôt et s'essuya les yeux d'un rapide revers de main.

— Qui est là ? demanda-t-elle en entendant des pas dans le couloir.

— Hé ! Vous ne m'avez pas déjà oublié, j'espère ?

Ian quitta son fauteuil au moment où un homme de haute stature, à l'allure sportive, entrait dans la pièce d'un pas plein d'assurance. Malgré la fraîcheur de la température, il n'était vêtu que d'un long short large, de tongs et d'un T-shirt moulant. Dès qu'il aperçut Ian, il s'immobilisa sur le seuil et son sourire fondit.

— Pardon, s'excusa-t-il auprès de Liz. J'ignorais que vous aviez de la compagnie.

— C'est mon frère, Ian, dit-elle d'une voix encore enrouée.

Ian épousseta son pull et son jean en attendant la suite des présentations.

— Dave Shapiro, mon professeur de tennis.

— Quand elle daigne m'honorer de sa présence sur le court, précisa Dave avec un sourire éblouissant, tandis qu'il tendait la main à Ian.

Elizabeth resserra sa queue-de-cheval, visiblement mécontente d'être surprise dans une tenue aussi négligée.

— Excusez-moi, j'aurais dû prévenir. Je… je n'irai plus au club, Dave. Je déménage dans l'Idaho.

Sourcils froncés, Dave considéra les cartons, les rouleaux de papier d'emballage et d'adhésif…

— Ce qu'on m'a dit est donc vrai. Ça me navre.

Ian regarda tour à tour Dave et Liz en s'interrogeant sur la nature exacte des sentiments du jeune homme pour sa sœur.

— Vous avez essayé de me mettre en garde, n'est-ce pas ? dit-elle en esquissant un pâle sourire.

— Je ne suis pas venu pour vous narguer. Je regrette seulement de ne pas avoir mis mon poing dans la figure de Keith quand j'en avais l'occasion.

Ian se raidit en entendant le ton protecteur de ce garçon de six ou sept ans plus jeune que sa sœur.

— Si j'avais été à sa place, je n'aurais pas été assez idiot pour abandonner une femme comme vous.

Si Ian avait eu son mot à dire, ce Dave n'aurait de toute façon jamais approché Elizabeth. Non seulement il était trop jeune, mais il avait l'air… si peu sérieux.

Heureusement Ian se faisait du souci pour rien. Liz riait de bon cœur, sans accorder foi aux propos de son professeur.

— Vous ne m'auriez pas épousée. Dois-je vous rappeler que vous êtes un adepte du célibat ?

— Un simple détail, répliqua-t-il d'un air dégagé. Et puis, je me plaçais sur un plan purement théorique.

— Pour un don Juan, vous êtes plutôt sympathique, commenta-t-elle dans un nouvel éclat de rire.

« Pour un don Juan… », se répéta Ian. Si Liz avait si bien percé Dave à jour, pourquoi semblait-elle si flattée ? Finalement, réfléchit-il en voyant Dave adresser de nouveau un sourire aguicheur à Liz, ce déménagement n'était pas une mauvaise idée. Sa sœur avait besoin de temps pour oublier Keith, pas des attentions d'un moniteur de tennis collectionneur de conquêtes féminines.

— Existe-t-il un moyen de vous faire changer d'avis ? demanda Dave avec un regard aux caisses qui encombraient la pièce.

— Je crains que non, répondit-elle.

— Il est important pour les enfants qu'ils soient à côté de leur père, intervint Ian.

Liz sursauta à ce soudain revirement de son frère.

— Alors, vous allez suivre Keith ? Abandonner Los Angeles pour l'Idaho ? poursuivit Dave.

— Vous avez une meilleure idée ? rétorqua-t-elle d'un ton léger.

— Pourquoi ne pas rester ici et sortir avec moi pour remettre les scores à zéro avec votre mari ?

Malgré le ton badin de Dave, Ian soupçonna qu'il ne plaisantait qu'à moitié.

— Je vous suis infiniment reconnaissante de vouloir m'aider à me venger, dit-elle, mais je ne vois vraiment pas qui pourrait tirer un quelconque bénéfice d'une relation intime avec vous.

— Hé, vous êtes dure ! s'écria-t-il, la main sur la poitrine, adoptant la pose de l'offensé.

— Vous jouez assez mal la comédie, commenta-t-elle avec un sourire amusé.

— Il y a le tennis, aussi. Votre service a besoin d'être amélioré.

— Sérieusement, je ne peux pas rester. Ian a raison : mes enfants ont besoin de leur père.

— Difficile d'aller contre cet argument sans paraître mufle, soupira-t-il. Je suppose que la seule chose qui me reste à faire est de vous donner un coup de main pour charger le camion, ajouta-t-il en réponse au gentil sourire de Liz.

Ian ne put qu'admirer l'élégance avec laquelle Dave avait rendu les armes et décida de le prendre au mot sur sa proposition d'aide.

— Promettez-moi une chose, dit Dave en s'arrêtant sur le seuil de la pièce, les bras lourdement chargés. Passez me voir quand vous reviendrez vivre ici.

Le sourire, plus sincère cette fois, qui éclaira le visage de Liz inquiéta Ian. Se pouvait-il qu'elle soit suffisamment vulnérable, en ce moment, pour songer à fondre dans les bras de ce gosse ?

— Vous avez vingt-quatre ans, Dave. Moi, trente et un. Pourquoi voudriez-vous revoir une femme plus âgée que vous, divorcée et avec deux enfants ?

— Tout simplement parce que vous jouez magnifiquement bien au tennis, lança-t-il en s'éloignant.

— C'est qui pour toi, ce type ? murmura Ian en s'efforçant de cacher son hostilité.

— Je te l'ai dit. Mon professeur de tennis.

— Pourquoi tu ne m'as jamais parlé de lui ?

— Et pourquoi l'aurais-je fait ?

— Parce qu'il s'intéresse à toi.

— Il s'intéresse à tout ce qui porte jupon, répondit-elle avec désinvolture.

Un désinvolture apparente, songea Ian, et qui dissimulait mal l'envie qu'elle avait de répondre aux avances de Dave Shapiro — juste pour être rassurée, pour se sentir encore une femme, pour vivre un peu... Dès le lendemain, elle partait pour l'Idaho, à Dundee, où elle ne risquait guère de rencontrer des moniteurs de tennis charmants et peu scrupuleux — c'était peut-être un mal pour un bien, tout compte fait.

# 10.

— Tu es sûre de ce que tu fais ? murmura la mère de Charlene à sa fille.

Les deux femmes étaient assises en face d'un bureau en acajou méticuleusement rangé, dans une pièce au parfum de vieux livres et de cuir, et entendaient M. Rosenbaum, l'avocat que Charlene était venue consulter, discuter avec sa secrétaire dans la salle adjacente. Charlene savait que l'entretien qui allait suivre, malgré l'amabilité que leur avait témoignée à elle et à sa mère M. Rosenbaum, ne serait pas une partie de plaisir.

— Oui, je suis sûre, confirma Charlene avec détermination.

— Keith semble pourtant se repentir sincèrement.

Charlene n'en crut pas ses oreilles : sa mère défendait Keith ! Puis, en réfléchissant, elle s'aperçut que cette attitude n'avait rien de surprenant. Quand Garth, le père de Charlene, avait fini par avouer sa liaison extraconjugale, Céleste, qui aurait dû être la plus affectée par cette révélation, avait été une des premières à tendre la main à Lucie, prouvant ainsi qu'elle était capable de tout pardonner.

— Maman, est-ce que tu te rends compte que Keith est marié à une autre femme depuis presque neuf ans et a eu des enfants avec elle ?

— Je sais tout ça, ma chérie, mais parfois il est possible de dépasser ces contingences.

— Je ne veux pas minimiser la brève aventure que papa a eue, mais elle ne peut être comparée avec ce qu'a fait Keith et qui est pratiquement… inconcevable, conclut-elle, à court de mots susceptibles d'exprimer son sentiment. J'ai compris en tout cas que le mariage auquel je croyais n'a jamais réellement existé.

Le passage des ans avait laissé des traces sur le visage autrefois si beau de Céleste, dont les yeux bleus n'avaient cependant pas perdu leur éclat.

— Tu as pensé à Jennifer, Angela et Isabella ? s'inquiéta-t-elle. Elles adorent leur papa. Et puis Keith est tellement malheureux. Il est passé hier pour me supplier d'intervenir auprès de toi.

Charlene se cacha le visage dans les mains. Pourquoi n'avait-elle pas plutôt demandé à Gabe de l'accompagner ? Lui, au moins, comprenait et soutenait sa décision de mettre un terme à son mariage.

— Pourquoi as-tu attendu d'être dans le bureau de M. Rosenbaum pour m'en parler ? reprocha avec véhémence Charlene à sa mère.

— Parce que tu as refusé de m'écouter dans la voiture.

— Je n'ai toujours pas envie d'en discuter. J'essaye d'être aussi gentille que possible avec Keith, c'est déjà beaucoup. Si j'ai choisi un avocat à Boise, c'est pour ne pas l'offrir en pâture aux commères de Dundee.

— C'est pour protéger tes filles, pas Keith, que tu es venue ici.

« Et pour me protéger moi », compléta-t-elle en son for intérieur — tellement elle redoutait que ses amis ne la tournent en ridicule pour ne pas s'être aperçue plus tôt de la duplicité de Keith. Même s'il avait réussi à compartimenter sa vie de façon parfaitement étanche, elle aurait dû flairer quelque chose.

— Tu veux vraiment divorcer ? poursuivit sa mère. Toi et Keith avez toujours été si amoureux l'un de l'autre. Il faut laisser le temps à la blessure de se cicatriser. Ça ne fait que deux semaines que tu as découvert cette… cette liaison.

110

Il ne s'agissait pas d'une simple liaison, mais Charlene jugea inutile de le répéter une fois de plus. Elle allait entreprendre la démarche qui s'imposait et ne comptait pas changer d'avis.

— Et les autres personnes concernées, tu y penses ? insista Céleste.

— Tu veux parler de… Liz ?

— C'est son nom ?

— Oui.

— En fait, je faisais allusion aux O'Connell. Ils sont effondrés à l'idée que vous vous sépariez, toi et Keith.

« Certainement pas autant que moi », songea Charlene. Eux ne connaissaient que la version selon laquelle, en raison de dissensions au sein du couple liées aux constants déplacements de Keith, ils avaient décidé de mettre un terme à leur vie conjugale.

— Au moins, accorde-toi un délai de réflexion supplémentaire, l'adjura Céleste.

— Non, ma décision est prise.

Charlene craignait de perdre la raison si elle ne faisait pas tout de suite une croix sur le passé. Elle devait reprendre les choses en main et réorganiser sa vie, en coupant entièrement les ponts avec Keith, en dehors de ses visites aux enfants qu'elle s'efforcerait de rendre agréables pour tout le monde. Elle allait recommencer à enseigner et son père avait accepté de l'aider à acheter la ferme.

Bien sûr, elle devait faire son deuil de la vie idyllique dont elle avait rêvé, mais elle n'allait pas pour autant rester dans son coin à pleurer.

— Keith a démissionné de Softscape et travaille pour Ollie à la quincaillerie, se risqua Céleste.

— Je sais.

Keith le lui avait appris au cours de l'un de ses innombrables appels téléphoniques, et Charlene peinait à imaginer son mari au milieu des outils et des bidons de peinture, lui qui ne s'était jamais particulièrement intéressé au bricolage.

— Comme il a arrêté de voyager, le risque que pareille aventure se reproduise est pratiquement nul.

Charlene, bouche bée, ne sut pas ce qui la scandalisait le plus dans la déclaration de sa mère. Etait-ce le peu de cas qu'elle faisait de l'autre famille de Keith ? Ou bien la facilité avec laquelle elle oubliait qu'Elizabeth O'Connell et ses enfants n'allaient pas disparaître d'un coup de baguette magique en permettant à Charlene de reprendre sa vie d'avant ? Ou encore l'allégation implicite que tout se résumait à tenir en bride un mari volage ?

— Tu peux répéter ? demanda-t-elle, suffoquée, au moment où l'avocat toussota pour annoncer sa présence.

Charlene, fusillant sa mère du regard, se tut.

— Que puis-je pour vous, mesdames ? demanda M. Rosenbaum, avec une sollicitude toute professionnelle.

Puis, lorsque Charlene eut annoncé qu'elle espérait obtenir un divorce le plus rapidement possible, il répliqua :

— La plupart des gens qui engagent ce type de procédure souhaitent la même chose, madame O'Connell. Mais, pour être parfaitement honnête avec vous, cela ne se règle pas en un jour.

— Il n'y aura aucune contestation dans mon cas, dit-elle.

— La colère et la cupidité peuvent compliquer les dossiers les plus simples, répliqua-t-il avec un sourire condescendant. Quand les deux parties ne parviennent pas à trouver un accord, la procédure peut prendre des mois, voire une année entière.

— Et en cas de divorce à l'amiable, quel est le délai ?

— Cela peut se faire en un mois, répondit-il du bout des lèvres, manifestement peu habitué à traiter ce genre de dossier.

Quatre petites semaines allaient donc suffire à défaire un lien qu'elle avait cru indestructible. La réponse de Rosenbaum la soulagea et la déprima en même temps. Comment accepter, en effet, qu'il soit si aisé de se dédire de promesses qu'elle considérait comme sacrées ?

— Avez-vous des enfants, madame O'Connell ?

— Oui. Trois filles.

L'avocat chaussa ses lunettes pour prendre en note.

— Le problème de la garde va donc se poser, dit-il d'un ton qui semblait signifier : « Vous voyez ? Les ennuis commencent déjà .»

— Je ne crois pas qu'il y aura d'obstacles.

Il s'arrêta d'écrire pour la considérer par-dessus ses lunettes.

— Je vous demande pardon ?

— Mon mari acceptera de me confier la garde exclusive des enfants si je lui laisse la maison et à peu près tout ce qu'elle contient.

M. Rosenbaum considéra une nouvelle fois Charlene par-dessus ses lunettes.

— M. O'Connell a-t-il déjà accepté ces modalités ?

— Pas encore. Mais j'ai de bonnes raisons de penser qu'il le fera.

— Comment pouvez-vous en être sûre ?

— D'abord, parce que mon offre est très généreuse. Ensuite, comme il s'est rendu coupable de bigamie, s'il ne se range pas à mes conditions, je le dénoncerai à la police.

Si l'audace de sa fille coupa le souffle à sa mère, M. Rosenbaum, lui, ne se démonta pas. Retirant ses lunettes, il sortit de son tiroir un mouchoir pour en essuyer les verres.

— Coupable de bigamie, répéta-t-il lentement en se calant dans son fauteuil. Est-ce pour des motifs religieux ou bien…

— Non. C'est un adultère que mon mari a poussé jusqu'à la limite extrême.

— Ce second mariage est donc récent ?

— En fait, il a duré près de neuf ans sur les onze où nous avons été mariés, confessa-t-elle à contrecœur. Il a deux enfants avec l'autre. Mais je l'ai découvert il y a peu. J'ai été d'une naïveté confondante.

A cette révélation, M. Rosenbaum laissa enfin transparaître son côté humain : ses yeux brillaient de curiosité quand il se pencha vers Charlene en secouant la tête.

— Comment a-t-il réussi à vous cacher l'existence de cette autre famille pendant si longtemps ?

— Tout simplement parce qu'il ment mieux que je n'aurais pu l'imaginer, soupira-t-elle.

— Keith n'est pas aussi mauvais qu'il apparaît là, intervint Céleste en sortant de son silence.

— Et vous êtes… la mère de Keith, je suppose ?

— Non, répondit Charlene en levant les yeux au ciel. C'est ma mère, mais elle oublie parfois de quel côté elle doit se ranger.

— Je n'oublie rien, ma chérie, je t'assure. Tu peux compter sur mon soutien plein et entier, mais…

— Je sais, coupa Charlene. Tu compatis avec tout le monde dans cette affaire.

— Exactement.

— Où vit l'autre épouse de votre mari ?

— En Californie. Ce qui explique pourquoi nos routes ne se sont jamais croisées. La distance qui nous sépare a contribué à me garder dans l'ignorance de son existence ; ma crédulité a fait le reste.

De son index, Rosenbaum se frotta pensivement les sourcils pendant que Charlene racontait la totalité de son histoire.

— Il faut que je vous explique quelque chose, madame O'Connell, dit-il quand elle eut terminé, sur un ton grave qui accrut encore l'anxiété de Charlene. Je ne peux pas utiliser la menace d'un procès comme monnaie d'échange dans votre divorce.

— Pourquoi ? Il est coupable pourtant !

— Ce n'est pas la question. Pour un avocat, cela constituerait une violation du code de déontologie. Si vous, vous le menacez, c'est une autre histoire dont je n'ai pas à être informé.

Elle se demanda un instant si un chantage envers Keith enfreindrait ses propres règles morales, avant de vite balayer ses scrupules.

— Autre chose encore…

114

Elle se crispa, craignant le pire.

— Des poursuites pour bigamie n'ont pas grande chance d'aboutir, à moins que… Pensez-vous que votre mari se livre aussi à des escroqueries ?

— Comme se marier avec plusieurs femmes pour leur extorquer leurs biens ?

— Oui, par exemple.

— Cela m'étonnerait. S'il a soutiré de l'argent à Liz, je peux vous assurer qu'il ne m'en a pas fait profiter.

— Bien… A-t-il commis d'autres actes illégaux ?

— Pas que je sache.

— Est-il un bon père ?

— Oui.

— Dans ce cas, à moins de découvrir un nouveau motif d'inculpation, le tribunal ne perdra vraisemblablement pas son temps à engager des poursuites.

On pouvait donc commettre un crime en toute impunité ? Il aurait fallu qu'en plus d'être bigame Keith soit un voleur pour que l'appareil judiciaire daigne réagir ? Charlene n'en revenait pas.

— Vous avez d'autres bonnes nouvelles ? ironisa-t-elle.

— Peut-être que oui, dit-il avec un sourire matois. Il se peut qu'il ne sache pas ce que je viens de vous dire. Vous n'espériez pas envoyer votre mari en prison ? reprit-il après avoir marqué un temps d'arrêt.

Elle se frotta les yeux que le manque de sommeil rendait douloureux. Elle avait passé plusieurs nuits à la table de la cuisine à essayer de prévoir l'organisation matérielle de sa vie sans Keith et, surtout, à examiner sous tous ses angles sa décision de divorcer.

— Non, ce ne serait bon pour personne. Je veux seulement obtenir la garde des filles, en laissant bien sûr à Keith un droit de visite.

— Souhaitez-vous réfléchir encore quelques semaines ?

Charlene essaya de se représenter le retour définitif de Keith à la maison… Malgré son ardent désir de retrouver ce qu'ils avaient vécu avant, elle décida que ce passé était révolu.

— Non, je veux déposer la demande tout de suite et profiter du remords qu'il éprouve pour lui faire accepter mes conditions.

Céleste marmonna tout en se tordant les mains, mais Charlene s'obligea à ne pas lui prêter attention.

— Vous êtes sûre ? insista M. Rosenbaum.

— Certaine.

— Très bien. Dès que les documents seront prêts, je vous téléphonerai, promit-il en se levant.

Puis il se sépara de ses clientes sur une poignée de main.


Par la vitrine, Keith surveillait la rue. Comme Charlene refusait de répondre à ses appels téléphoniques ou de l'autoriser à mettre les pieds chez elle — en dehors des visites qu'il faisait à ses filles et durant lesquelles elle se retirait dans sa chambre —, il misait sur une rencontre fortuite pour lui parler.

Un jour ou l'autre, espérait-il, elle passerait devant la quincaillerie pour aller rendre visite à sa belle-sœur au magasin de photographie, ou à ses parents qui habitaient à deux pas et, en le voyant au travail, elle croirait à la sincérité de sa promesse de changer de vie.

Lorsqu'elle s'apercevrait en outre qu'il avait coupé tout contact avec Liz, elle fléchirait et accepterait qu'il vienne dîner de temps en temps. Peut-être même que, d'ici à quelques semaines, il pourrait emménager chez elle. Une fois qu'ils vivraient de nouveau ensemble et que leur existence aurait repris son cours normal, il ne doutait pas qu'il parviendrait à la convaincre de le laisser passer un peu de temps avec Mica et Christopher. Ils n'étaient pour rien dans ce qui était arrivé, après tout, et…

— Tu as terminé les clés pour Dot Fisher, Keith ? demanda Ollie Weston, le propriétaire du magasin, un petit homme sec et taciturne pour qui Keith, lorsqu'il avait seize ans, avait travaillé l'été.

— Pas encore. J'ai dû m'occuper de Peter Granger.

— Bon… Mets-y-toi maintenant. Dot va passer les prendre quand elle sortira de chez le coiffeur.

Toujours plongé dans ses pensées, Keith traversa tranquillement la boutique vers la machine à découper le métal. D'une certaine façon, il était soulagé d'être libéré de ses navettes et de la pression de son ancien emploi, même s'il avait parfaitement conscience qu'il ne se satisferait pas toute sa vie de vendre des outils et des matériaux de construction. Mais, pour le moment, il n'avait qu'une seule idée en tête : rentrer dans les bonnes grâces de Charlene et des filles. Une fois qu'il aurait résolu le problème de ce côté-là, il verrait ce qu'il pouvait faire pour Liz et ses deux autres enfants. Sa carrière viendrait ensuite.

Un mouvement, de l'autre côté de la vitrine, attira soudain son attention. Il arrêta sa machine et se haussa sur la pointe des pieds pour tenter d'identifier par-dessus les présentoirs la passante dont il n'avait pas vu le visage. Au même moment, la sonnette de la porte carillonna et la femme entra. Ce n'était pas Charlene, mais… sa mère à lui.

— Bonjour, Ollie. Keith est là ?

— Bonjour, Georgia, répondit Ollie en indiquant de la tête l'autre extrémité du magasin.

Keith, feignant de ne pas avoir remarqué sa mère pour l'obliger à venir jusqu'à lui, s'attaqua de nouveau à ses clés. Même si toute la ville était au courant de sa rupture avec Charlene, il ne tenait pas à ce que quelqu'un entende sa conversation avec sa mère. Elle était tellement bouleversée qu'elle était capable de sortir des horreurs.

— J'ai l'impression que Charlene est en train de déposer une demande de divorce, déclara-t-elle sans préambule en tamponnant ses yeux rouges et gonflés dès que Keith eut éteint sa machine.

Il en resta pratiquement sans voix.

— Qu'est-ce… qui te fait… croire ça ? réussit-il à articuler.

— Je viens de rencontrer Betsy Mann à l'épicerie et elle m'a appris que Céleste ne s'était pas rendue au club de bridge aujourd'hui.

— Et alors ? Je ne vois pas le rapport.

— Elle n'y est pas allée parce qu'elle est partie à Boise avec Charlene.

— Ça ne signifie pas nécessairement que…

— J'ai eu la même réaction au début. Mais, quand j'ai téléphoné chez elle, il y a une heure, Garth m'a déclaré qu'elle était couchée et trop fatiguée pour prendre la communication.

— C'était peut-être vrai, dit-il pour se rassurer.

— Trop fatiguée pour me parler à moi ? Ce serait bien la première fois en vingt ans d'amitié.

Il considéra le magasin d'un air abattu, comme s'il le prenait pour témoin de tous les efforts qu'il avait consentis pour regagner le cœur de Charlene.

— Pauvres petites Isabella, Angela et Jennifer. Comment as-tu pu laisser ton travail interférer avec ta vie de famille ? lança-t-elle avec véhémence comme si elle était prête à le gifler.

Ce qu'elle ferait sans aucun doute si elle apprenait le reste de l'histoire, songea Keith.

— Je t'avais prévenu que tu t'absentais trop. Mais tu n'as jamais voulu m'écouter. Tu croyais que Charlene t'était acquise…

Tandis que sa mère se mettait à sangloter, la pensée de Liz traversa fugitivement l'esprit de Keith. Si son premier mariage était condamné, peut-être devrait-il essayer de sauver le second ? Liz était une femme bien, et elle aussi lui manquait. Cependant, malgré l'amour qu'il lui portait à elle ainsi qu'à Mica et Christopher, et les merveilleux moments qu'il avait passés avec eux à Los Angeles, il ne pouvait imaginer quitter Dundee, pas plus qu'il ne pouvait envisager de ne plus voir Charlene. Elle constituait un élément indispensable à son équilibre.

Il l'avait toujours su, mais il avait été incapable de s'extirper de l'imbroglio qu'il avait lui-même créé, parce qu'il aimait aussi Liz, Mica et Christopher.

— J'ai fait un joli gâchis, avoua-t-il d'un air tellement désespéré que sa mère ne put s'empêcher de le prendre en pitié.

— Mon chéri, dit-elle en lui serrant la main, prie pour qu'il ne soit pas trop tard. Tu m'as demandé de ne pas m'en mêler mais, ajouta-t-elle, la gorge nouée, il est peut-être temps que j'intervienne.

Il imaginait déjà la réaction de Charlene ! Cependant, elle avait toujours été proche des O'Connell et il n'était pas impossible que si sa famille à lui exerçait un peu de pression, la balance penche. Surtout qu'il n'avait pas à craindre que Charlene ne révèle la vérité : pour préserver ses filles, elle préférerait mourir plutôt que de divulguer leur secret.

— D'accord. Dis-lui combien je regrette et combien je l'aime.

— Je n'y manquerai pas. Et je la rappellerai à son devoir envers les enfants. Elle les adore trop pour ne pas écouter la voix de la raison.

# 11.

Tandis qu'ils attendaient au premier des quatre feux de signalisation que comptait Dundee, Mica, assise sur la banquette avant du camion de location que conduisait Ian, se pencha vers l'avant afin de regarder le paysage.

— C'est là qu'on va habiter ? demanda-t-elle, manifestement déçue.

Ian n'eut pas le temps de trouver une réponse encourageante à donner à Mica que Christopher éclatait en sanglots.

— Je veux rentrer à la maison…

— Il est fatigué, expliqua Liz sans essayer de consoler son fils.

Elle était elle-même trop occupée à examiner, d'un œil inquiet, les bâtiments qui se dressaient de part et d'autre de la route.

— Nous sommes tous fatigués, renchérit Ian.

Cela faisait un jour et demi qu'ils roulaient. Depuis quelques kilomètres, Ian avait décidé, par mesure de sécurité, de remorquer derrière le camion la voiture dans laquelle Liz avait suivi jusque-là : harassée par des nuits sans sommeil, elle avait commencé à zigzaguer dangereusement sur la route. Il avait donc préféré tasser les enfants avec eux à l'avant du camion, quitte à les attacher avec la même ceinture, plutôt que de laisser Liz au volant.

— Alors, Ian, où se trouve la maison ? demanda-t-elle.

Ian tira de sa poche l'itinéraire que lui avait dicté Fred, l'agent immobilier par l'intermédiaire duquel il avait loué une maison, sans l'avoir visitée.

— Dans Mount Marcy Street. Ça donne dans la rue principale.

— Mount Marcy Street ? bougonna Mica. C'est un nom ridicule.

Mica avait perdu sa bonne humeur naturelle au fur et à mesure qu'ils avaient approché de leur destination. Quant à Christopher, habituellement si actif, il n'avait pratiquement pas bougé de tout le voyage et, les yeux rivés sur le tableau de bord, s'était enfermé dans un mutisme obstiné.

Quand le feu passa au vert, Ian démarra en s'efforçant de ne pas prêter attention aux regards curieux des passants, peu habitués à voir circuler un camion de déménagement dans les rues de leur petite ville.

— L'agent immobilier m'a décrit le quartier comme étant agréable, dit Ian à Mica.

— Ne te fatigue pas à essayer de me rassurer, répliqua-t-elle. Ça ne marchera pas.

— Votre père habite ici, intervint Liz en espérant calmer ses enfants par ce rappel.

— Et alors ? continua Mica. Je n'ai pas envie de le voir.

Chris, qui ne partageait manifestement pas cet avis, se redressa en essuyant ses larmes.

— Où il est ?

— Nous le trouverons, promit Liz. Tu le verras bientôt.

Si Ian appréhendait cette rencontre, il redoutait encore davantage celle qui ne manquerait pas de se produire avec Charlene. Celle-ci risquait de voir d'un très mauvais œil l'irruption, dans cette petite communauté unie, de la seconde famille de Keith.

Tout en essayant de se convaincre du bien-fondé de ce déménagement, il continuait néanmoins à penser que la décision de venir à Dundee était aberrante.

— D'après les indications, il faut que tu tournes au prochain feu, lui dit Liz.

Soudain, en passant devant le restaurant, Ian reconnut Judy qui, avec l'aide d'une collègue, décorait l'entrée avec des épis de maïs séchés. Il se détourna rapidement. Il voulait avoir le temps d'installer sa sœur avant le déchaînement des passions et des commérages.

— Prends à gauche ici, le guida Liz.

Ils se trouvèrent alors au milieu de constructions plus anciennes, bâties sur des terrains assez vastes. A l'adresse indiquée, ils découvrirent, entre deux maisons de plain-pied, leur nouvelle résidence qui, bien que moins pimpante que ses deux voisines, était très acceptable. En face, de l'autre côté de la rue, se dressait une des plus belles demeures que Ian ait vues jusque-là à Dundee.

— Elle n'est pas mal, tenta, sans réel succès, de s'enthousiasmer Liz.

— Il n'y a pas pléthore de locations sur le marché par ici, tu sais. C'est la meilleure offre que j'ai trouvée, dit Ian en coupant le moteur après avoir garé le camion.

— Qu'est-ce qu'elle est moche ! s'écria Mica en fronçant le nez.

— On ne va pas l'acheter, la rassura Liz. On la loue simplement.

— Pourquoi il nous a fait ça ? soupira tristement Mica en secouant la tête, sans que personne ne juge nécessaire de lui demander à qui ce « il » faisait allusion.

— Je suis sûre que tu vas être agréablement surprise, lui dit Liz. Allez ! On entre ?

Après avoir traversé le jardin détrempé par la pluie et gravi les quatre marches de la terrasse, ils pénétrèrent dans la maison dont ils parcoururent les pièces les unes après les autres en imaginant déjà comment ils allaient les aménager. Les enfants furent ravis de découvrir une table de ping-pong au sous-sol et entamèrent sur-le-champ une partie pendant que Liz et Ian remontaient.

— Il y a de la place, au moins, s'exclama Liz avec une gaieté feinte.

— Et Fred ne m'a pas menti. C'est propre, même si c'est un peu vieillot.

Ian s'apprêtait à aller décharger le camion sans attendre l'arrivée de l'agent immobilier qui lui avait promis son aide, quand Liz lui saisit le bras.

— Ce n'est pas… saugrenu d'avoir déménagé ici, n'est-ce pas, Ian ?

— Tu savais bien que ce ne serait pas facile, lui murmura-t-il gentiment, les yeux fixés sur les pansements autour des doigts de sa sœur et la marque qu'avait laissée son alliance sur son annulaire. Tu regrettes déjà ? Tu veux qu'on rentre à Los Angeles ?

En guise de réponse, elle se contenta de se mordre la lèvre inférieure en considérant la moquette marron, les fausses poutres apparentes, le lambris sombre…

— Tu n'aimes pas la maison ? insista Ian.

— Ce n'est pas ça qui me gêne. C'est… que Mica veut une chose et Chris une autre. Je me sens… écartelée, désorientée. Je me complique peut-être la vie en venant ici. Si je n'étais pas poussée par ce besoin irrésistible d'être près de Keith… La dernière fois que je l'ai vu, c'est quand il a emmené Mica à son spectacle de gymnastique. Nous étions heureux tous les deux. Je n'arrête pas de me dire que… si seulement je lui parlais face à face… eh bien, il me donnerait peut-être les réponses qui me font si atrocement défaut, il m'expliquerait le pourquoi de sa conduite.

Témoin de la détresse de sa sœur, Ian brûlait d'envie d'aller casser la figure à son beau-frère.

— Ce que je te propose, c'est de rester à Dundee jusqu'à la fin du bail et, si tu ne t'es pas habituée à la vie ici à ce moment-là, on envisagera une autre stratégie.

— D'accord. Je me donne six mois, acquiesça-t-elle en relevant le menton.

— Tu sais, Liz, tout va être pénible au début, dit-il en lui serrant doucement l'épaule. Vraiment tout.

— Je sais.

— Ce doit être Fred, déclara Ian en entendant la sonnette de la porte. J'y vais.

— Attends, l'arrêta-t-elle en l'agrippant de nouveau par le bras. Tu n'as donné mon nom à personne, même pas à lui, j'espère.

— Non. J'ai loué la maison comme si elle était pour moi. Pourquoi ?

— Parce que pour l'instant je préfère que Charlene ne sache pas que je suis ici.

— Elle va l'apprendre par elle-même assez vite, tu sais.

— Il faut… il faut que je parle à Keith d'abord.

— Pour lui dire quoi ?

— Je trouve qu'avant d'être clouée au pilori sur la place publique, j'ai au moins droit à une dernière conversation en privé avec l'homme que j'ai épousé.

— Tu peux compter sur moi, je ne dirai rien à personne, promit-il, incapable de trouver un argument à opposer à la plaidoirie de sa sœur, qui parut se détendre un peu et descendit précipitamment au sous-sol pour régler une dispute entre les deux enfants.

Satisfait d'avoir rasséréné sa sœur, il alla ouvrir la porte… et se trouva nez à nez avec une petite femme brune, rondouillarde, qui devait approcher la soixantaine et ne ressemblait guère à Fred ! Elle avait posé un panier en osier à côté d'elle.

— Bonjour, lança-t-elle gaiement. J'espère que vous ne m'en voudrez pas de faire irruption chez vous comme ça, alors que vous n'avez même pas eu le temps de vous installer.

— Non, pas du tout.

— Fred m'a dit que vous deviez arriver cet après-midi, alors je vous guettais, expliqua-t-elle avec un sourire chaleureux. Je tenais à être la première à vous souhaiter la bienvenue dans le quartier.

124

Ian tombait des nues. Lui qui s'était attendu à un accueil hostile !

— Merci.

— Les déménagements, c'est toujours un moment difficile. Alors j'ai pensé que cela vous faciliterait un peu les choses si je vous apportais à dîner, dit-elle en lui tendant le panier. Il y a un ragoût qu'il faudra faire réchauffer, mais le reste est prêt.

— Ça sent délicieusement bon. Nous sommes sincèrement touchés par votre geste, madame.

— Ce n'est rien du tout.

— Où habitez-vous ?

— De l'autre côté de la rue, répondit-elle en désignant l'élégante demeure qui avait frappé Ian. Je vis seule avec mon mari. Nous avons deux enfants, mais ils ont leur propre vie maintenant. Ce sont des adultes.

— Votre maison est magnifique.

— Il faudra que vous veniez nous rendre visite.

— Nous n'y manquerons pas.

— Comment vous appelez-vous ?

— Ian Russell. Et vous-même ?

— Céleste Holbrook.

— Holbrook ? s'étrangla-t-il.

Surprise par la réaction de Ian, elle hésita un bref instant avant de poursuivre.

— Oui. Mon mari est sénateur. Surtout, si vous avez besoin de quoi que ce soit, n'hésitez pas à me demander. Je suis chez moi la plupart du temps.

— C'est très aimable, remercia-t-il distraitement.

Son esprit était ailleurs, occupé par l'image envoûtante de la fille de cette femme, telle qu'elle lui était apparue lors de leur dîner au restaurant et, plus tard, lorsqu'il avait été contraint de lui révéler les frasques de son mari.

Si Céleste fut interloquée par le désintérêt soudain de son

interlocuteur, elle était trop bien élevée pour le laisser paraître et en conclut simplement qu'elle devait s'esquiver.

— Je ne veux pas vous retenir. Je me doute que vous et votre femme avez du pain sur la planche. Tenez, dit-elle en sortant de la poche de son manteau de laine un morceau de papier. J'ai tapé quelques renseignements qui pourront vous être utiles pour le quotidien.

La pauvre Liz qui souhaitait garder l'incognito pendant quelques jours ! songea Ian tout en parcourant la liste des indications que Céleste avait notées.

Quand il eut fermé la porte après les remerciements d'usage, il se prit la tête entre les mains.

— Qu'est-ce qui ne va pas, Ian ?

— Les parents de Charlene habitent en face.


Charlene, assise à une table dans un coin du salon de thé, picorait sans appétit la glace que Lucie lui avait offerte, tout en essayant de faire tenir tranquille Sabrina, la petite de Lucie, âgée d'un an, qui gigotait dans sa chaise haute. Charlene avait changé le lieu du rendez-vous de son déjeuner hebdomadaire avec Lucie au Jerry's Diner, là où travaillait Lucy, quand elle avait entendu dire que la mère de Keith la cherchait. Dans la matinée, elle avait déjà réussi à échapper à deux coups de fil de Georgia et s'était éclipsée par la porte arrière du studio de Hannah dès qu'elle avait vu sa belle-mère entrer. Elle n'avait pas envie de l'entendre lui seriner la même litanie que sa propre mère : « Tu ne veux vraiment pas donner une autre chance à Keith ? Tu peux bien attendre encore quelques mois avant de prendre une décision, non ? La peine et la colère t'aveuglent. Pourquoi ne laisses-tu pas le temps au temps ? »

De surcroît, Charlene ne jugeait pas opportun de dévoiler à la mère de Keith qu'elle avait engagé une procédure de divorce, afin de ne pas être obligée d'en expliquer les raisons. Car alors, comment garder secrète la bigamie de Keith ?

126

Mais peut-être Georgia était-elle déjà au courant de sa démarche et souhaitait s'en entretenir avec elle, songea Charlene. Les papiers avaient pu arriver chez Keith au courrier du matin.

A cette hypothèse, Charlene trouva aussitôt une objection : si Keith avait effectivement reçu les documents, ce serait lui, et non sa mère, qui la chercherait.

Ses supputations furent interrompues par le retour de Lucie, qui apportait un cornet de glace au chocolat et un paquet de serviettes en papier.

— J'ai téléphoné à ta mère pour lui proposer de nous rejoindre, mais elle n'était pas chez elle, annonça Lucie.

— Elle devait être chez ses nouveaux voisins. Ils sont arrivés il y a quelques heures pendant qu'elle me téléphonait et elle s'est dépêchée de leur apporter à dîner.

— Je ne connais personne d'aussi gentil que ta mère, dit Lucie en donnant à Sabrina une cuillerée de sa glace.

— Une vraie sainte, ironisa Charlene.

Malgré l'admiration sincère qu'elle portait à sa mère, Charlene était lasse de l'entendre sans cesse s'apitoyer sur le « pauvre Keith ». Parce que Charlene refusait de pleurer en public, sa mère croyait qu'elle était assez forte pour tout supporter.

— Tu aimais bien les glaces autrefois, fit remarquer Lucie en voyant Charlene jouer avec son dessert sans en manger.

Plus maintenant. Plus rien n'avait le même goût qu'avant, pensa-t-elle.

— Je n'ai pas faim.

— Il n'y a pas besoin d'avoir faim, ça glisse tout seul, dit Lucie en empêchant son bébé de faire tomber le cornet. Qu'est-ce que tu as mangé aujourd'hui ?

— Je ne sais pas.

— Tu as mangé, au moins ?

— Probablement, oui.

— Comment ça « probablement » ? Il est plus de 2 heures.

— J'ai été très occupée.

— A faire quoi ?

— Les cartons essentiellement.

— Quand emménages-tu dans la ferme ? demanda Lucie.

Charlene fut soulagée de changer de sujet de conversation. On lui avait déjà recommandé des centaines de fois de prendre davantage soin de sa santé.

— Pas avant quelques semaines encore.

— Tu veux que je t'aide ?

— Non.

Lucie, surprise par la fermeté de cette réponse, s'adossa à sa chaise en considérant Charlene d'un œil interrogateur.

— Pourquoi ?

— Ça m'évite de gamberger, d'être occupée.

Elle avait déjà lessivé la maison de fond en comble, remis des étagères dans les armoires, vidé le garage de ce qu'il contenait de superflu.

— Ta mère m'a dit que tu envisages de recommencer à travailler ?

— Oui. Je n'ai pas le choix. J'ai trouvé un poste de professeur de math au lycée.

— Eh ben ! Ça n'a pas traîné !

— Depuis deux ans, ils essayent de remplacer Mme Merriweather, sans résultats.

— Mme Merriweather ? Cette espèce de vieux dragon ? Ne me dis pas qu'elle est morte.

Lucie n'était de retour à Dundee que depuis un an, mais c'est là qu'elle avait grandi et, comme Charlene, elle avait été élève au lycée de la ville. Les deux jeunes filles ne s'étaient pas fréquentées alors car, outre les quelques années qui les séparaient, Lucie, à l'époque, avait été trop sur ses gardes et rebelle pour se faire des amies ; il n'avait pas été facile d'avoir la Rouquine pour mère.

— Non, elle a pris sa retraite et, depuis, ses collègues doivent assurer ses cours sur leurs heures de permanence. Ma candidature a donc réjoui tout le monde.

— Quand commences-tu ?

— Après Thanksgiving.

— C'est-à-dire la semaine prochaine ?

— Oui, tu as raison, confirma Charlene.

— Je suis contente que cela ait été aussi facile. Ce n'était pas évident en pleine année scolaire.

— Je suppose que le fait que mon père a aidé à recueillir les fonds pour le nouveau gymnase n'a pas nui.

— Ni que ton célèbre frère entraîne l'équipe de foot du lycée, ajouta Lucie.

— C'est vrai qu'être liée à Gabe présente des avantages.

— Si tu le dis, soupira Lucie en essuyant le menton de sa fille.

— Il m'a promis qu'il te téléphonerait pour s'excuser. Je parie qu'il ne l'a pas encore fait, n'est-ce pas ? dit Charlene.

— Il a appelé avant l'anniversaire de papa.

— Ah oui ? Et alors ?

— On m'a déjà fait des excuses plus sincères.

— Ce qui veut dire que tu n'es pas prête à lui pardonner.

— Et pourquoi je le ferais ?

— Il s'est efforcé d'être gentil pendant la fête organisée pour papa, fit observer Charlene en prenant le relais de Lucie pour nourrir le bébé. Tu peux lui reconnaître ça, au moins.

— Sûrement pas.

— Pauvre Gabe ! s'exclama Charlene en riant, pour la première fois depuis ce qui lui sembla une éternité.

— Tu n'es pas sérieuse, j'espère ! Ton frère n'est franchement pas à plaindre. D'accord, il ne peut pas marcher. Mais, à part ça, il a tout pour être heureux : il a été un sportif adulé, il est riche et beau, il a une femme qui l'aime et dont il est amoureux, il va avoir un enfant…

Charlene n'écoutait plus : une cliente, coiffée d'une capuche en

plastique, entra dans le café. Charlene reconnut cette capuche…
ce manteau…

Pourquoi avait-elle cessé de surveiller le parking ? songea-t-elle,
tandis que Lucie se contorsionnait pour voir ce qui attirait ainsi
l'attention de sa demi-sœur.

— Ah ! J'ai quand même fini par te trouver !

— Bonjour, belle-maman, répondit Charlene en se forçant à
faire un petit salut de la main.

Georgia regarda tout à tour le visage poisseux de Sabrina et la
glace fondue de Charlene avant de fixer Lucie avec insistance.

— Pourrais-je parler un moment seule à seule avec Charlene ?

Lucie hésita mais, sur un signe de tête de Charlene, elle se leva
de la banquette et libéra sa fille de sa chaise haute.

— Je vais aller débarbouiller Sabrina.

— Asseyez-vous, belle-maman, dit Charlene.

— Je suis sûre que tu sais pourquoi je suis ici, commença
Georgia.

— Vous voulez manger quelque chose ?

— Je veux te parler.

— Je n'ai rien à vous dire.

— Je crois qu'on peut sauver votre mariage à Keith et toi.

— Moi, je ne le crois pas.

— Tu as pensé à consulter un conseiller conjugal ?

Georgia arrêta d'un geste du bras les protestations que Charlene
s'apprêtait à formuler.

— Je sais que vous avez un budget très serré.

« Parce que votre fils entretient une autre famille, belle-maman. »
Le souvenir de toutes les économies de bouts de chandelle qu'elle
avait dû réaliser redoubla son amertume. Mais à quoi bon se laisser
envahir par la rancune ? Il était trop tard pour revenir sur ce que
Keith avait fait. Elle avait tout intérêt à oublier le passé et aller de
l'avant, coûte que coûte. En principe, d'ici à trois semaines, ce serait
d'ailleurs chose faite.

— Je suis prête à le payer, continua Georgia. Je ne peux pas laisser votre mariage s'écrouler. Je vous aime trop, toi, Keith et mes petites-filles.

Tel un coup de poignard, la douleur qu'elle s'était à grand-peine évertuée à dominer transperça Charlene. Il n'était pas si simple de rompre avec Keith. Pendant onze ans, quatorze même si elle comptait depuis le moment où elle était tombée amoureuse de lui, ils avaient été étroitement liés l'un à l'autre et adoptés par les deux familles. Comment pouvait-on dénouer tous ces liens ?

— Il a quitté son poste à Softscape, poursuivait sa belle-mère, et travaille désormais à la quincaillerie. Cela prouve qu'il a pris de bonnes résolutions, non ? Il est décidé à rester à la maison avec toi et les enfants, à t'aider comme il aurait dû le faire dès le départ.

« Bouche-toi les oreilles, ma fille, s'adjura Charlene. Tout ce qu'il fait n'est qu'une illusion. Elle ne sait pas. »

Mais Georgia disait ce que le cœur de Charlene voulait entendre.

— Un conseiller conjugal ne pourra pas arranger les choses, belle-maman, déclara-t-elle, d'une voix qui avait cependant perdu un peu de son assurance.

L'espoir de Georgia en fut ravivé.

— Comment peux-tu l'affirmer si tu n'essayes pas d'abord, ma chérie ?

— Je… je ne sais pas.

Elle ne pouvait révéler à Georgia ce dont son fils s'était rendu coupable. Elle ne voulait pas que ses filles soient accueillies par des messes basses partout où elles iraient, ni qu'elles apprennent l'étendue de la faute de leur père.

— Charlene, vous avez été heureux ensemble pendant des années. Pourquoi renoncer à ce bonheur ?

Parce qu'il y avait une femme en Californie qui était, elle aussi, mariée avec Keith et avait deux enfants de lui.

En pensant à « l'autre », elle prit brusquement conscience que

Liz ne s'était pas manifestée depuis que Ian avait débarqué sur le pas de sa porte pour lui assener la nouvelle. Finalement, peut-être dramatisait-elle la situation et envisageait-elle le pire car, à bien y réfléchir, Keith s'était établi à Dundee et semblait avoir respecté son engagement de couper les ponts avec Liz.

Si Liz gardait ainsi le silence, c'est qu'elle n'était peut-être pas réellement amoureuse de Keith et ne s'accrocherait pas à lui envers et contre tout. Qui sait si elle n'avait pas un amant de son côté ou si elle n'était pas uniquement attirée par la sécurité financière que Keith lui apportait ?

Charlene se passa la main sur le visage. La tension qui lui nouait le ventre depuis trois semaines se dissipa au fur et à mesure que son espoir renaissait. Elle ne s'opposerait pas à ce que Keith verse une pension alimentaire régulière pour ses enfants de Californie. Personne d'autre ne le saurait, qu'elle et Keith. Ils pourraient petit à petit reconstruire leur mariage.

Elle imagina la réaction de ses filles si elle leur annonçait le retour de leur papa à la maison...

Georgia, devinant qu'elle avait marqué des points, prit les mains de sa bru dans les siennes.

— Je t'en supplie, Charlene. Pour l'amour de tes enfants, va voir un conseiller conjugal. Au moins pour essayer. C'est tout ce que je te demande.

Lucie revint des toilettes avec une Sabrina babillante et propre qui, en apercevant Charlene, se mit à gigoter. Et Charlene réussit à sourire. Enfin...

La vie qu'elle avait connue n'était pas nécessairement terminée...

— D'accord, acquiesça-t-elle.

— C'est merveilleux, Charlene ! Keith va être aux anges ! s'exclama Georgia en serrant Charlene affectueusement contre elle.

# 12.

Assis devant son ordinateur, Ian étira ses jambes et se cala le dos dans son fauteuil, sans détacher les yeux de la serviette en papier où Charlene avait inscrit son adresse électronique. Elle avait aussi laissé son numéro de téléphone, mais il jugeait un courriel moins importun. Depuis qu'il l'avait vue, il n'avait cessé de s'inquiéter pour elle.

— Ian ? l'appela Liz du haut de l'escalier.

Il rangea rapidement les coordonnées de Charlene dans le dossier où il gardait des doubles de ses demandes de bourse et se frotta les yeux. Il était tard, trop tard pour être encore debout, surtout après une longue journée passée à conduire et à décharger le camion, mais l'image de Mme Holbrook, debout sur son perron, le hantait : Charlene ne tarderait pas à apprendre leur présence en ville. Comment réagirait-elle ? Certainement pas en sautant de joie…

Et alors ? Les enfants de Liz avaient autant le droit que ceux de Charlene de profiter de leur père ! Dundee n'était pas la propriété privée de Charlene, après tout.

— Oui ? répondit-il à l'appel de sa sœur.

Il entendit craquer l'escalier qui menait à la petite pièce du sous-sol où il avait établi son bureau et, quelques instants plus tard, Liz parut sur le seuil.

— Ah ! Tu es là ! En passant devant ta chambre je me suis

aperçue que ton lit était vide. Je vois que tu as déjà installé ton ordinateur.

— Heureusement, j'avais pris un accès Internet en même temps que la ligne téléphonique.

— C'est super ! Comme ça, tu vas pouvoir rester en contact régulier avec ton patron à la fac.

— Ma recherche va devoir attendre. Je vais travailler.

— Où ? demanda-t-elle, abasourdie.

Il n'en avait pas la moindre idée et les offres d'embauche ne devaient pas foisonner dans une si petite ville, mais il devait absolument trouver quelque chose. Pour l'instant, Liz n'était pas en état de prendre un emploi à plein temps, sans compter qu'après le choc affectif que les enfants venaient de subir, sa présence auprès d'eux était plus que souhaitable.

— Je ne sais pas encore.

Il avait un compte d'épargne assez bien garni et se contenterait donc d'un salaire modeste qui lui permettrait de participer aux dépenses courantes. Dans six mois, espérait-il, quand Liz se serait résignée à sa situation de femme abandonnée, elle retournerait à Los Angeles et la vie reprendrait tant bien que mal pour tout le monde, même si les enfants devaient s'habituer à être séparés de leur père.

— Moi aussi, je voudrais travailler, dit-elle. Je ne pense pas que la pension alimentaire que Keith va me verser sera faramineuse. Surtout qu'il a quitté Softscape et je ne sais même pas s'il a trouvé autre chose.

— Et les enfants ?

— Je m'organiserai pour les faire garder.

— Je ne suis pas sûr que ce soit la meilleure solution pour eux en ce moment.

— C'est vrai, mais ce n'est pas à toi de subvenir à nos besoins.

134

— Pourquoi ? D'une part, il s'agit d'un dispositif temporaire et d'autre part on est frère et sœur, non ?

— Je pourrais prendre un mi-temps, au moins. Keith acceptera peut-être de nous aider pour les enfants.

— On se débrouillera très bien sans lui.

— Nous n'avons qu'une voiture.

— Je vais acheter un pick-up que je revendrai en partant.

— C'est une bonne idée, admit-elle sans cesser de se mordre nerveusement la lèvre inférieure.

— Qu'est-ce qu'il y a encore ?

— En plus de tout le reste, je me sens terriblement gênée que tu te mettes ainsi en quatre pour moi.

— Oublie ça et file te coucher. Tu as besoin de sommeil.

— Oui, tu as raison, il faut que je me repose au moins quelques heures. Allez, bonne nuit.

Ian resta seul devant l'écran bleu de son ordinateur… Charlene lui répondrait-elle s'il lui écrivait ?

Il ouvrit sa messagerie électronique et tapa son adresse.

Charlene fut surprise de voir clignoter le signal la prévenant de l'arrivée de deux nouveaux courriels à une heure aussi tardive. L'un venait de Keith et elle soupçonna l'autre d'être un message publicitaire importun puisque l'adresse de l'expéditeur lui était inconnue.

Elle ne se sentait pas la force de répondre à Keith. Ils s'étaient vus dans la journée et elle devait reconnaître que l'entrevue s'était plutôt bien déroulée. Il lui avait une nouvelle fois répété qu'il avait définitivement rompu avec Liz et que le seul contact qu'il garderait serait le chèque mensuel qu'il lui adresserait. Il lui avait aussi déclaré qu'il l'aimait plus que jamais et juré qu'il serait dorénavant un mari modèle.

Bien que Charlene n'aspirât qu'à le croire, elle sentait en elle un vide étrange qui l'inquiétait au point de l'empêcher de dormir.

L'indécision… C'était ce qu'elle détestait le plus au monde.

« Que faut-il que je fasse ? Que vaut-il mieux pour les enfants ? » Ces questions la torturaient sans répit. Ceux qui connaissaient la vérité l'incitaient à divorcer, les autres à se réconcilier avec son mari. A l'exception de sa mère, naturellement, qui savait, mais restait fidèle à sa ligne de conduite de toujours : l'indulgence en toutes circonstances.

Au moment de cocher la case « quitter » de sa messagerie, l'objet du second message accrocha son regard : « Ça va ? »

Ce n'était peut-être pas un courrier indésirable, se dit-elle, mais un ami qu'elle aurait perdu de vue et qui aurait appris qu'elle allait divorcer… Cette perspective ne la réjouit guère davantage, car elle commençait à souffrir de l'excès de sollicitude dont elle était l'objet. Sa curiosité l'emporta cependant.

« Bonjour ! lut-elle. Je voulais juste prendre des nouvelles. Avez-vous réussi à vendre la jeep ? Avez-vous autorisé Keith à revenir chez vous ? Comment vont les filles ? Ian. »

Le frère de Liz ?

Elle ferma sa boîte, l'ouvrit de nouveau, la referma… Elle ne voulait parler à personne qui soit lié de près ou de loin à Liz, alors qu'elle s'évertuait à se convaincre que cette femme n'existait plus.

Quelques questions restées sans réponses et dont Ian possédait peut-être la clé la tracassaient néanmoins. Comment expliquer que Keith ait quitté Liz si vite et si facilement ? Liz était-elle profondément atteinte ? Comment ses enfants réagissaient-ils à la soudaine disparition de leur père ? se demanda-t-elle tout en pestant contre son incapacité à se désintéresser de ces deux gamins.

Les mains tremblantes, le cœur battant, elle tapa : « Nous avons toujours la jeep, mais c'est le cadet de mes soucis en ce moment. Comment va… » Elle hésita, faillit même effacer ce

qu'elle venait d'écrire, puis s'obligea à terminer sa question.
« … votre sœur ? »

Elle se mit à marcher de long en large dans la cuisine, en attendant la réponse. Ian allait-il lui dire que Keith avait maintenu le contact avec Liz et continuait donc à lui mentir ?

Quelques instants plus tard, elle vit une fenêtre apparaître sur son écran, indiquant que Ian demandait à être accepté comme contact dans sa messagerie instantanée.

Charlene s'immobilisa devant son ordinateur. Avait-elle vraiment envie de « parler » à Ian Russell ? Quelques courriels étaient acceptables, mais un dialogue en direct était une autre paire de manches. Il pourrait prendre son acceptation comme une autorisation à s'immiscer dans sa vie et cela, elle n'y consentirait à aucun prix.

D'un autre côté, il croyait peut-être pouvoir de nouveau la rouler dans la farine…

Elle s'assit sur le bord de sa chaise, le regard toujours fixé sur l'invite. Etait-ce parce que Elizabeth avait mis Keith à la porte qu'il avait accouru à Dundee ?

Charlene secoua la tête, comme pour chasser cette pensée. Le principal était que Keith et Liz se soient séparés. Peu importe si la situation ne correspondait pas exactement à celle que Keith lui avait présentée. Pour l'amour de ses filles, elle devait garder à l'esprit son projet de réconciliation avec lui.

Ce que Ian avait à lui dire risquait de tout remettre en cause. Peut-être était-ce d'ailleurs ce qu'il cherchait à faire ! Cependant, pouvait-elle sérieusement envisager de renouer avec Keith sans connaître toute la vérité ?

Le doute s'insinuait en elle, se faisait de plus en plus pressant…

— Et puis zut ! siffla-t-elle en cliquant « oui » sur la fenêtre.

Aussitôt, la première phrase de Ian apparut.

— Pourquoi n'êtes-vous pas encore couchée à cette heure ?

— Je réfléchis et je me dis que je suis folle d'accepter de vous parler.

— Pourquoi ?

— Parce que j'essaye d'oublier votre existence, à vous et votre sœur.

— Refus classique de se rendre à l'évidence ?

— Et alors ?

— C'est bizarre… Vous m'aviez donné l'impression d'avoir les pieds sur terre.

Il avait déjà découvert un trait dominant de son caractère : elle ne craignait pas d'affronter la réalité. Ce qui n'empêchait pas son côté sentimental. C'était à cause de cette contradiction qu'elle était aussi partagée sur l'attitude à adopter envers Keith.

— Je m'étonne de ne pas vous avoir donné l'impression d'être une idiote, plutôt.

— Pourquoi ?

— Vous ne vous en doutez pas ?

— Vous avez fait confiance au seul homme dans votre vie à qui vous auriez dû pouvoir vous fier.

« S'il y a quelqu'un dont je ne veux pas la compassion, c'est bien le frère de Liz », pesta Charlene.

— Inutile de me consoler.

Les messages s'interrompirent pendant un long moment, avant que Ian n'écrive :

— Qu'est-ce qui vous arrive ? Vous craignez de me trouver sympathique ?

Ce fut au tour de Charlene d'hésiter. Non, bien sûr que non, il n'y avait aucun risque de ce côté-là. Quoique… Le dîner en sa compagnie avait été bien agréable et elle ne l'avait rayé de sa liste d'amis possibles que lorsqu'elle avait appris qui il était.

— Je crois que je peux résister à cette tentation, répondit-elle.

— N'oubliez pas que je ne suis qu'un innocent spectateur.

— N'oubliez pas que nous sommes dans des équipes adverses.

— C'est la faute de Keith, pas la mienne.

— Pourquoi m'avez-vous envoyé un courriel ? Votre sœur vous a confié une mission de reconnaissance ?

— Non.

Elle eut beau attendre, il ne s'expliqua pas davantage.

— Vous êtes toujours là ? le relança-t-elle.

— Je me demandais…

— Quoi ?

— Si vous aviez laissé Keith revenir.

— Vous avez besoin de ce renseignement pour aider votre sœur à décider ce qu'elle va faire ?

— Non. Mais si elle me le demandait…

— Vous lui diriez.

— Probablement. Je suis son frère.

Charlene ne pouvait pas lui reprocher cette loyauté familiale. En outre, il avait le mérite de la franchise.

— Vous êtes très attaché à votre sœur, décidément.

— Oui.

Sa réponse n'avait pas tardé cette fois.

— Elle est jolie ?

Charlene regretta aussitôt sa question. Mais elle était dévorée de curiosité. Elle voulait en savoir davantage sur cette femme qui avait donné deux enfants à Keith. Pourquoi avait-il succombé ? Etait-elle d'une telle beauté et d'un caractère si agréable que Keith avait oublié qu'il avait déjà fondé une famille ?

Charlene avait conscience qu'elle cherchait à excuser la conduite de Keith : si Liz était irrésistible, la responsabilité de Keith s'en trouverait diminuée.

— Très jolie, répondit Ian.

— Est-ce qu'elle vous ressemble ?

— Un peu.

Dans ce cas, elle devait être effectivement séduisante.

Un violente bouffée de jalousie s'empara d'elle, plus forte que tout le reste. Plus forte que sa curiosité, que ses craintes, que ses doutes. Elle ferma les yeux et serra les poings pour essayer de refouler ce sentiment détestable, en s'emportant contre elle-même et sa fragilité. Dans l'intérêt des enfants, elle devait garder son calme, prendre les bonnes décisions, rester maîtresse d'elle-même et… arrêter de dialoguer avec Ian Russell.

Quand elle voulut se déconnecter, elle s'aperçut qu'il avait ajouté une phrase, qui l'arrêta net…

— Mais pas plus jolie que vous.

Un instant plus tôt, elle l'avait accusé intérieurement de tenter de l'abattre moralement de façon à renforcer la position de sa sœur. Si tel était le cas, pourquoi lui adresserait-il un tel compliment ?

— Vous recommencez à essayer de me consoler, tapa-t-elle.

— Pas exactement. Vous êtes belle. Je n'ai pas dit aimable. Lol.

Elle ne put s'empêcher de rire.

— Ce n'est pas avec le genre de nouvelle que vous m'avez apportée que je vais apparaître sous mon meilleur jour.

— Effectivement.

— Habituellement, je suis très aimable.

— On verra…

Charlene frissonna d'appréhension.

— Que voulez-vous dire ?

— Keith est-il revenu habiter avec vous ?

Elle sentit que Ian savait quelque chose qu'elle ignorait.

— Pourquoi ? Est-ce qu'il appelle aussi Liz pour la convaincre de lui pardonner ?

— Répondez d'abord à ma question.

Il voulait négocier. Pourquoi n'accéderait-elle pas à sa requête ? Il était de notoriété publique que Keith ne vivait plus avec elle…

— Nous ne sommes plus ensemble.

140

— C'est terminé, alors ?

Elle pensa au dossier de divorce qui était probablement déjà arrivé dans la boîte aux lettres de Keith, ainsi qu'à sa promesse de consulter un conseiller conjugal. Heureusement, Ian n'insista pas pour obtenir une réponse plus précise, qu'elle était de toute façon incapable de lui fournir.

— C'est votre tour, maintenant, lui rappela-t-elle.

— Il n'a pas appelé Liz.

— Pas du tout ?

— Pas une seule fois.

— Mais alors, que manigancez-vous ? Je ne comprends plus.

— Rien. Il faut que j'y aille. Je suis épuisé. A bientôt !

Là-dessus, il se déconnecta, laissant Charlene en plein désarroi. Qu'avait-il voulu dire par cet « A bientôt » ?…


Une fine couche de neige s'était déposée sur les routes et les champs pendant la nuit. Charlene, au volant de son mini van, accompagnait ses filles à l'école.

— On fera un bonhomme de neige ce soir, maman ? demanda Isabella.

— Oui, si le soleil n'a pas tout fait fondre, mon poussin, répondit Charlene en jetant un coup d'œil à la plus jeune de ses filles qui avait le nez écrasé sur la vitre couverte de buée.

— Et si papa veut nous aider ? demanda Angela sur un ton agressif.

— Eh bien ? répliqua Charlene.

— Est-ce que tu rentreras dans la maison pour ne pas être obligée de le rencontrer ?

Charlene sentit que ses trois filles étaient suspendues à ses lèvres. Elle était indécise.

— On verra le moment venu, finit-elle par déclarer.

— Tu n'es plus en colère contre lui ? demanda Isabella.

— Je n'ai pas dit ça. C'est plus…

Elle réfléchit à quels mots choisir pour expliquer ce qu'elle ressentait à ses enfants.

— J'essaye d'oublier la bêtise de papa.

— Qu'est-ce qu'il a fait, papa ? demanda Angela.

— Je vous expliquerai quand vous serez plus grandes et que vous serez mieux armées pour comprendre.

— S'il t'a cassé quelque chose, on ne peut pas te le racheter ?

— J'aimerais bien, ma chérie, si c'était possible.

— Tu essaies de lui pardonner à cause de nous, n'est-ce pas ? intervint Jennifer.

— Comment as-tu pu deviner ça, à ton âge ? demanda Charlene en riant.

— Je t'ai entendue au téléphone avec grand-mère O'Connell.

— Eh bien… Papa et moi, nous allons tout mettre en œuvre pour réussir à former de nouveau une vraie famille.

— Grand-mère a rappelé après ton départ, lui apprit Angela.

— Ah bon ? s'étonna Charlene qui ralentit à l'approche de l'école. Pourquoi ne me l'as-tu pas dit quand je suis rentrée ?

— Ce n'est pas à toi qu'elle voulait parler.

— C'est à nous, compléta Jennifer. Elle nous a dit de ne pas nous inquiéter, qu'elle se chargeait de vous apporter une aide à tous les deux pour que papa revienne bientôt.

Charlene serra les dents, irritée par l'ingérence de sa belle-mère.

— Est-ce qu'il revient ce soir ? demanda Isabella.

— Non, pas ce soir, mais dans quelques semaines, ce n'est pas exclu. De toute façon, il ne vous arrivera rien. Vous le savez, ça ? Papa et moi, nous vous aimerons toujours et nous veillerons sur vous, même si…

— Regardez ! coupa Angela. C'est qui ?

Charlene vit, dans la direction indiquée par sa fille, une grande femme blonde sortir d'un 4x4 Cadillac blanc. Par la portière opposée, deux gamins descendirent en se bousculant : une fillette aux cheveux châtain foncé et chaussée d'épaisses lunettes et un adorable petit garçon tout blond et râblé.

— Je ne sais pas, dit-elle. Ce sont vraisemblablement des nouveaux habitants.

— C'est rare ici, s'écria Jennifer, très excitée.

— C'est exact. Il est possible que ce soient les voisins de votre grand-mère qui viennent d'emménager, dit-elle en dévisageant les inconnus avec autant de curiosité que ses filles.

— Peut-être, opina Angela. Mamie m'a dit qu'il y avait une fille à peu près de mon âge.

— Celle-là ne peut pas avoir huit ans, déclara Jennifer.

— Pourquoi ? demanda Angela.

— Tu as vu comme elle est grande ?

— Oui, mais sa mère aussi est grande, fit remarquer Charlene.

— Qu'est-ce qu'elle est belle sa mère ! s'extasia Isabella.

C'était vrai. En outre, elle était élégamment vêtue, malgré le temps et l'heure relativement matinale.

— Dépêche-toi que je les rattrape, supplia Angela.

Charlene se rangea le long du trottoir et les trois filles descendirent en toute hâte. Elles lui firent un signe de la main en guise d'adieu et se précipitèrent à la poursuite des inconnus.

A peine Charlene eut-elle démarré qu'elle s'aperçut qu'Isabella avait oublié son cartable. Elle se gara en double file et courut après elle.

— Isabella ! cria-t-elle en se faufilant entre les groupes d'enfants et de parents.

L'inconnue, en voyant Charlene approcher, attrapa ses deux gamins par le bras et les entraîna vers le bâtiment administratif.

— Qu'est-ce qui ne va pas, Angela ? demanda Charlene en voyant sa mine renfrognée.

— Quand j'ai demandé à la fille qui a mon âge si elle pourrait

143

venir jouer à la maison, sa mère l'a écartée en disant : « Je crains que non. »

Angela avait pris une expression sévère pour imiter le ton de la femme.

— Vraiment ? s'étonna Charlene en suivant du regard le trio qui disparut dans l'école. Ce n'est pas très gentil.

— Non, alors ! ronchonna Angela.

— Elle a peut-être réagi comme ça parce qu'elle ne sait pas qui nous sommes et veut d'abord faire connaissance. C'est compréhensible, non ?

— C'est exactement ce que j'ai dit à Angela, acquiesça Jennifer. Il faut leur laisser le temps. Ils finiront par bien nous aimer, surtout qu'ils ont le même nom de famille que nous.

— Quoi ?

A ce moment-là, la sonnerie retentit et les trois filles se sauvèrent à toutes jambes, abandonnant leur mère sur le bord du parking.

Charlene était comme anesthésiée. « Elle n'aurait pas osé », se répétait-elle à l'infini tandis que les questions se bousculaient dans sa tête. Quelles étaient les probabilités pour qu'une autre famille O'Connell arrive en ville à cette époque ? Cette grande femme blonde, était-ce Liz ? Et ces enfants, ceux de Keith ? Elle se remémora l'échange de messages avec Ian la veille au soir... Il avait semblé détenir une information qu'elle n'avait pas...

Sa gorge se noua. Il fallait absolument qu'elle sache, qu'elle en ait le cœur net... Mais elle n'allait pas aborder Liz à l'école, avec les enfants, les enseignants et l'administration qui observeraient le duel.

— C'est un cauchemar...

Rosie Strickland, la préposée à la circulation, l'interpella :

— Ça va, Charlene ?

Mais elle entendit à peine, se précipita vers son mini van, sauta dedans et démarra en trombe.

# 13.

On cognait sur la porte.

Le bruit s'insinua dans l'inconscient de Ian, le tirant petit à petit d'un rêve agréable dont il savait qu'il lui échapperait dès qu'il aurait ouvert les yeux. Aussi lutta-t-il pour ne pas se réveiller… Mais les tintements répétés de la sonnette eurent raison de lui.

En gémissant, il dirigea ses yeux hagards, encore à moitié clos, vers la fenêtre, à travers laquelle filtrait une lumière grise chargée de froidure et, brusquement, il reprit pied dans une réalité qu'il aurait volontiers continué à ignorer. Il vivait désormais dans une petite ville de quinze cents habitants située dans les montagnes au nord de Boise alors que, trois semaines plus tôt, il s'était préparé à retourner dans la région la plus exotique du globe. A présent, une simple séance de cinéma lui apparaîtrait comme une aventure extraordinaire !

« Si j'avais tué Keith dès que j'ai découvert son double jeu, je ne serais pas dans ce trou », pesta-t-il tout bas.

Les coups redoublèrent sur la porte. Des coups furieux.

Qu'y avait-il donc de si urgent ? Personne n'était même au courant de leur présence ici. Où donc était sa sœur ?

— Liz ?

Pas de réponse. Il n'entendit personne bouger ou parler dans la maison. Même les enfants semblaient partis. Il lui revenait donc de recevoir le visiteur.

Peut-être était-ce Keith qui venait lui donner l'occasion inespérée de lui tordre le cou.

Ragaillardi par cette pensée, il passa les doigts dans sa tignasse dans une tentative infructueuse pour la discipliner, enfila son jean et se rendit d'un pas mal assuré dans le salon. Ses yeux le brûlaient. Il n'était pas raisonnable de s'être couché si tard, se rabroua-t-il. Mais, à l'instant même où il ouvrit la porte, sa fatigue s'évanouit.

Le souffle coupé, Charlene recula d'un pas, comme si elle venait de recevoir une gifle.

— Alors, c'est bien vous, dit-elle entre ses dents.

— Charlene…

— Espèce de salaud !

— Ecoutez-moi…

— Vous l'avez amenée ! Elle va emménager ici ! s'écria-t-elle en apercevant les caisses derrière Ian.

Elle hurlait presque, de façon quasi hystérique.

— Cette décision n'a rien à voir avec vous, dit-il avec une extrême douceur dans l'espoir de la calmer.

— Ben voyons, articula-t-elle d'une voix à peine audible maintenant.

La main posée sur la poitrine, elle avait la respiration si courte qu'il craignit un instant qu'elle ne tombe en syncope. Il lui saisit le bras pour la tirer vers l'intérieur de la maison, à l'abri du froid et de l'humidité. Mais elle se libéra brutalement, avec la même répulsion qu'elle aurait manifestée s'il avait tenté de l'entraîner dans un caveau contenant un cadavre en putréfaction et, dans sa précipitation, glissa sur une marche et tomba. Quand elle vit Ian accourir pour l'aider, elle s'écarta de lui en rampant.

— Je vous l'ai dit. Elle peut garder Keith, déclara-t-elle en se relevant. Mon mariage est terminé. Grâce à vous ! Peut-être est-ce cela dont vous vouliez vous assurer lors de notre charmant dialogue par ordinateur interposé ? Vous cherchiez sans doute à savoir si votre mission était remplie ? Eh bien, vous pouvez remballer vos affaires, retourner à Los Angeles… et emmener mon mari avec vous !

— Ce n'est pas aussi simple, Charlene, commença-t-il.

Mais elle ne l'écoutait pas. Ses yeux débordaient de larmes. Cette fois cependant, loin de s'effondrer en sanglots, elle releva le menton et le défia du regard à travers ses pleurs.

— Moi, je trouve ça très simple, au contraire. Je ne vois aucun inconvénient à ce que Keith et votre sœur passent le reste de leur vie ensemble. Mais en Californie, ajouta-t-elle en détachant chaque syllabe du dernier mot.

Le seul problème était que Keith l'avait choisie elle, Charlene.

— Vous ne voulez pas entrer pour qu'on discute calmement ?

Sa question fut accueillie par une salve de regards furibonds qui ne firent qu'augmenter l'admiration de Ian pour le cran avec lequel cette femme lui tenait tête.

— Allez au diable ! Vous ne pouvez pas m'atteindre, vous entendez ? Vous ne pouvez pas me faire mal ! Alors, autant ficher le camp d'ici ! tempêta-t-elle en filant vers sa voiture.

— Hé ! Soyez prudente ! cria-t-il, inquiet à la pensée de la voir prendre le volant dans l'état où elle se trouvait.

Elle ne parut pas l'entendre. Elle fit crisser les pneus en sortant en marche arrière et manqua de peu emboutir la voiture qui s'engagea à ce moment dans l'allée de la maison d'en face.

Céleste Holbrook se gara en hâte tandis que Charlene, dans un vrombissement de moteur, démarrait en trombe.

— C'était Charlene, non ? cria-t-elle à Ian de l'autre côté de la route quand elle sortit de son véhicule.

— Hélas, oui, répondit-il avec un long soupir.

— Qu'est-ce qu'elle faisait chez vous ? Qu'est-ce qui lui arrive ? ajouta-t-elle sans attendre la réponse à sa première question.

— Elle a reçu un choc. Il serait peut-être bon que vous passiez voir si tout va bien.

Céleste considéra un moment son nouveau voisin, pieds nus et en simple T-shirt malgré la bise glaciale.

— J'y cours, répondit-elle en remontant en voiture.

Au moment où il s'apprêtait à rentrer, Liz arriva. Elle aussi semblait troublée.

— Qu'est-ce que tu fais dehors dans cette tenue ? s'étonna-t-elle en descendant de son 4x4.

Il croisa les bras autour de sa poitrine pour se réchauffer.

— Charlene est venue.

— Qu'est-ce qu'elle voulait ? demanda Liz après une longue hésitation.

— Qu'on retourne à Los Angeles en emmenant Keith.

— Tu lui as dit qu'il ne me répond même pas quand je l'appelle au téléphone ?

— Non. En fait, je n'ai pas pu lui dire grand-chose.

— Nous avons le droit d'habiter ici, déclara Liz.


Keith sentit son estomac se nouer quand son regard tomba sur la grande enveloppe qu'il venait de sortir de la boîte aux lettres de ses parents. Il avait profité de sa pause déjeuner pour venir vérifier si le dernier chèque de Softscape, dont il avait besoin pour envoyer de l'argent à Liz et verser sa contribution à Charlene, était enfin arrivé.

Hélas, ce qu'il tenait entre les mains n'était pas un chèque. L'enveloppe portait le tampon d'un certain M. Rosenbaum, avocat à Boise.

Il entendit son père et sa mère, dans la pièce voisine, se disputer sur l'endroit où accrocher un tableau que Georgia avait acheté la semaine précédente. Malgré l'amour qu'il portait à ses parents, la cohabitation avec eux lui pesait. Et Charlene lui manquait. Liz aussi. Il regrettait de ne plus jouer à la bagarre avec ses enfants, de ne plus les prendre sur ses genoux, de ne plus les entendre rire. Il regrettait également… son salaire d'avant.

Pourquoi ce courrier ? La dernière fois qu'il avait appelé Charlene, elle avait paru prête à consulter le conseiller en affaires conjugales censé sauver leur mariage. Il est vrai qu'elle ne lui avait pas pour autant dit d'oublier les papiers que son avocat pourrait lui faire parvenir.

Son cœur battait fort quand il décacheta l'enveloppe. Il avait beau deviner ce qu'elle contenait, la vue du document officiel lui causa un choc terrible : Charlene divorçait. Charlene, la femme qui l'avait toujours aimé d'un amour passionné…

« Ne se rend-elle donc pas compte de ce à quoi je renonce ? Mon sacrifice ne représente donc rien à ses yeux ? » se demanda-t-il avec amertume.

Il entendit vaguement sa mère entrer dans la pièce, mais était trop accablé pour se soucier de cacher les documents.

— Qu'est-ce que c'est ?

Il avala plusieurs fois sa salive avant de pouvoir répondre.

— Charlene demande le divorce, dit-il d'une voix blanche, comme si l'affaire concernait un autre que lui.

— Quoi ? s'écria Georgia en s'approchant pour examiner les papiers. Elle avait dû entamer la procédure avant d'accepter de voir un conseiller, mon chéri. Tu l'as appelée ?

La vérité était qu'il avait peur de le faire, peur d'entendre qu'elle maintenait sa demande de séparation. Jusque-là, il ne l'en avait pas cru capable.

— Ne reste pas là, les bras ballants ! Téléphone-lui.

Il avait la gorge trop nouée.

— Ce soir.

— Non, tout de suite. Ça passe avant tout.

— Je m'en occuperai plus tard.

« Quand je pourrai respirer », compléta-t-il pour lui-même.

— Si tu ne réagis pas immédiatement, tu vas la perdre pour de bon, Keith.

Il prit alors une profonde inspiration, jeta le dossier du divorce sur la table pour l'éloigner de son champ de vision et se dirigea vers le téléphone.

A la quatrième sonnerie, Charlene décrocha. Il reconnut à peine sa voix.

— Charlene ?

— Quoi ?

— Tu pleures ?

Quand il l'entendit réprimer des sanglots, il eut l'impression qu'il allait étouffer.

— Ma chérie. Voyons, ma chérie. Je…

— Pourquoi appelles-tu ? coupa-t-elle sèchement.

Il cligna des yeux pour refouler ses propres larmes.

— J'ai reçu les papiers.

— Dépêche-toi de les signer, je t'en supplie. Je… je veux que tout ça soit terminé le plus vite possible.

Keith crut un instant que sa poitrine allait exploser.

— Et le conseiller conjugal ? Tu avais dit…

— J'ai changé d'avis.

— Pourquoi ?

— Ecoute, Keith. Retourne avec Liz et fiche-moi la paix.

— Mais je n'en ai pas envie. C'est avec toi que je veux faire la paix.

— Tu ne comprends donc pas que c'est impossible ?

— Je ne signerai pas les papiers, Charlene.

— Dans ce cas, je vais aller voir le commissaire, Keith. Ce que tu as fait est illégal.

Il en resta bouche bée. Serait-elle vraiment capable de le dénoncer ?

Soulagé de voir sa mère quitter la cuisine pour aller répondre à la porte, il se concentra de nouveau sur ce que lui disait Charlene.

— Il y a forcément un moment où tu as été amoureux de Liz, Keith.

Oui, il avait aimé Liz et continuait à l'aimer, mais pas aussi viscéralement que Charlene. Comment pourrait-il faire comprendre à Charlene ce qui s'était passé en lui ?

Il y renonça, d'autant plus que lui-même n'avait pas les idées parfaitement claires sur le sujet, et décida d'orienter la conversation sur leur propre mariage plutôt que sur Liz.

— On est ensemble depuis le lycée, Charlene. Ce qui représente la moitié de notre vie, tu te rends compte ? On a trois enfants. Tu ne vas pas tirer un trait sur tout ça, si ?

— Ce n'est pas moi qui ai tiré un trait là-dessus, Keith. C'est toi, il me semble. Maintenant, tout ce que je demande, c'est qu'on me laisse élever mes filles en paix. Je ne veux pas que les enfants de Liz fréquentent la même école qu'elles. Je ne veux pas la croiser quand je fais le plein de la voiture. Je ne veux pas...

— Qu'est-ce que tu racontes ?

Charlene n'eut pas le temps de répondre.

— Keith, il y a quelqu'un pour toi à la porte, annonça Georgia.

Une bouffée d'épouvante s'empara de Keith, que la vue du visage désemparé de sa mère fut loin d'apaiser.

— Une dame qui se présente comme étant ta femme.

Keith eut l'impression que les battements de son cœur résonnaient dans toute la pièce.

— Liz est là ? demanda Charlene qui avait de toute évidence entendu les paroles de sa belle-mère.

— Oui, dit-il dans un souffle, médusé de ne déceler aucune surprise dans la voix de Charlene.

— Tu seras peut-être heureux dans ton autre mariage, Keith,

avec… tes autres enfants. Mais je t'en supplie, retourne en Californie avec eux et leur mère.

— Tu n'es pas sérieuse, Charlene. Il faut qu'on parle de…

Mais elle avait déjà raccroché.

Liz ne se rappela pas avoir déjà ressenti pareille sensation de froid. Assise dans une attitude compassée sur le bord du canapé dans le salon des parents de Keith, elle attendait son mari, les yeux rivés sur sa belle-mère que, jusqu'alors, elle avait cru morte, et qui ne lui cachait pas son hostilité.

— Je ne suis pas venue faire un scandale, dit Liz.

— Qu'est-ce que vous cherchez, alors ? lança Georgia d'un ton cassant. Mon fils est marié à une femme adorable avec qui il a trois enfants et nous comptons ses beaux-parents parmi nos amis.

Si Liz avait pu un instant imaginer que la famille de Keith ignorait son existence, elle aurait attendu d'être en tête à tête avec lui pour l'affronter. Mais elle avait cru que la rumeur se serait déjà répandue dans une petite communauté comme Dundee. Comment les parents de Keith pouvaient-ils ne pas être au courant ? Qu'est-ce qui avait retenu Charlene de le leur révéler ?

Peut-être Charlene se sentait-elle profondément humiliée elle aussi. Rien ne le justifiait pourtant, puisque c'est sa relation avec elle que Keith souhaitait préserver.

— Alors ? Qu'est-ce que vous avez à dire ? relança Georgia.

Liz avait estimé que le huis clos de la maison de ses parents assurerait davantage de confidentialité à l'entretien avec son mari que la quincaillerie où Keith était employé. Mais elle s'était lourdement trompée. Elle aurait dû se montrer plus patiente…

— Je… me rends bien compte que ma venue ici…, commença-t-elle.

Elle s'arrêta net : Keith se tenait dans l'embrasure de la porte. La vue de son mari, cet homme qu'elle aimait, lui coupa le souffle.

Comment admettre que le lien qu'ils avaient tissé ait été dénué de toute sincérité ?

Elle se leva, obéissant à sa première impulsion, encore maintenant, d'aller vers lui, vers la sécurité de ses bras robustes, le parfum de sa peau, son corps musclé si doux à caresser…

Mais il ne lui adressa pas même un sourire. Il avait l'air à la fois hébété et agacé. Ses vêtements étaient froissés, ses cheveux hirsutes.

— Bonjour, Liz, dit-il avec raideur en la saluant d'un signe de tête.

Georgia O'Connell les regarda tour à tour.

— Keith, qui est cette dame ?

Il se frotta le front avec la paume de sa main en fermant les yeux, comme s'il souffrait d'une terrible migraine. Liz retenait son souffle.

— Keith ? répéta Georgia.

La voix perçante de sa mère le sortit de sa stupeur, en même temps qu'elle provoqua l'apparition d'un homme d'un certain âge, de la même taille que Keith en plus corpulent, qui avait un incontestable air de famille avec lui. Son père, déduisit Liz. Il s'appelait Frank d'après ce que lui avait dit l'employé de la station-service.

— Georgia ? Ça va ? demanda-t-il avec une sincère sollicitude qui contrastait avec son extérieur bourru.

— Maman, papa… J'ai commis une énorme bêtise.

Ainsi, elle n'était qu'une « bêtise » ? s'offusqua-t-elle en se rongeant le pourtour du pouce jusqu'au sang. Elle aurait dû accepter que Ian l'accompagne. Mais elle avait pensé, ou plutôt espéré, que Keith reviendrait à la raison en la voyant, qu'il s'apercevrait qu'il l'aimait et, à partir de là, qu'ils trouveraient une solution satisfaisante. Elle n'avait pas souhaité que son frère assiste à cette réconciliation. Qu'aurait-il compris à sa démarche, de toute façon ?

— Tu as eu une liaison ! s'étrangla Georgia.

Keith fronça les sourcils, sans quitter Liz du regard. Elle eut l'impression alors qu'il se retenait de céder à son désir de s'élancer vers elle.

— Au départ, oui, c'était ça, avoua-t-il dans un souffle.

Liz sentit ses jambes flageoler, tandis que M. O'Connell se précipitait pour soutenir sa femme, sur le point de défaillir.

— C'est pour cette raison que Charlene demande le divorce ? parvint à demander Georgia. Parce que… parce que tu l'as trompée ?

Keith acquiesça de la tête. Il était livide et sa mère n'avait guère plus de couleurs.

— Qui est cette femme ? répéta-t-elle. Elle prétend être mariée avec toi.

— C'est impossible, voyons, objecta Frank. Keith a déjà une famille.

— Si, nous sommes mariés, intervint Liz. Et nous avons deux enfants.

— Keith ! Dis-moi que ce n'est pas vrai ! implora Georgia. Voyons, Keith ! C'est illégal ! reprit-elle, quand le silence de son fils l'eut contrainte à admettre la réalité. Ce n'est pas comme ça que nous t'avons élevé.

— Où sont les petits ? demanda Frank.

Liz sortit deux photographies de son sac.

— Mon frère garde Christopher et Mica est à l'école, répondit-elle en tendant le portrait de son fils à Frank et celui de sa fille à Georgia.

Les deux grands-parents examinèrent, médusés, les petits-enfants dont ils venaient de découvrir l'existence.

— Dans quelle école ? demanda Keith.

A son ton de voix, Liz devina qu'il avait envie de voir Mica et Christopher et, pour la première fois depuis leurs retrouvailles, frémit d'espoir.

— A l'école Caldwell.

154

— Ici ? A Dundee ? s'exclama Georgia en s'arrachant à la contemplation des clichés.

— J'ai loué la maison qui est en face de celle des Holbrook, annonça Liz avec un hochement de tête.

A ces mots, sa belle-mère s'écroula dans son fauteuil.


Cet après-midi-là, Charlene, assise dans sa voiture sur le parking de l'école, attendit la sortie des classes en se rongeant les sangs, tant elle redoutait que les enfants de Liz n'aient fait allusion à leur père devant ses filles. Elle tenta de se rassurer : les petits de cet âge appelant rarement leurs parents par leur prénom, il restait une chance que ses filles continuent à attribuer au hasard le fait qu'elles portent le même nom de famille que les deux nouveaux élèves.

Rien n'était sûr cependant. Elle se reprocha avec véhémence de leur avoir tu la vérité, car elle aurait présenté les choses de façon à atténuer le choc de cette terrible découverte.

Toujours tenaillée par l'inquiétude, elle aperçut Jennifer au coin du bâtiment et retint sa respiration… jusqu'à ce que le visage de sa fille s'éclaire d'un large sourire à la vue de sa mère. Le soulagement fut malheureusement de courte durée : Jennifer, qui avait deux ans de plus que Mica, n'avait vraisemblablement pas eu de contacts avec elle, réfléchit-elle.

Isabella arriva ensuite, en sautillant et en brandissant des feuilles de papier, manifestement ravie de la façon dont elle s'était acquittée des tâches demandées par la maîtresse.

Charlene se força alors à se détendre et accueillit ses deux filles avec un grand sourire en manifestant autant d'enthousiasme qu'elle le put à leurs commentaires sur leur journée d'école.

— Où est votre sœur ? finit-elle par demander lorsque le flot des élèves commença à tarir sans qu'Angela ne soit apparue.

— Je ne sais pas. Je ne l'ai pas vue, répondit Jennifer en sortant le quatrième tome des aventures d'Harry Potter de son cartable.

— Elle est allée en récréation ?

— Sûrement, dit Jennifer en cherchant dans son livre la page où elle s'était arrêtée. Mais en général elle la passe à la cage d'écureuil et moi je vais aux panneaux de basket.

Charlene sentit une boule se former dans son estomac. Elle coupa le moteur et descendit de voiture en recommandant à ses filles de l'attendre une minute.

Au moment où Charlene poussa la porte du bâtiment administratif, elle comprit que ses pires craintes s'étaient matérialisées. Mica et Angela étaient assises côte à côte, entourées de Tom Clovis, le principal-adjoint, Sherry Foley, sa secrétaire, et Agnes Scott, la maîtresse d'Angela.

— Ah ! Te voilà ! s'exclama Tom avec soulagement en voyant Charlene, que le tutoiement ne surprit pas.

Ils avaient tous grandi ensemble et elle était même sortie avec Tom à une époque.

— Nous t'attendions, ajouta-t-il. Je t'ai laissé deux messages.

Charlene ayant passé la journée avec divers membres de sa famille, qui étaient maintenant tous au courant de sa situation et prêts à faire front avec elle, elle n'avait pas écouté son répondeur.

— Pourquoi ? demanda-t-elle, s'attendant au pire quand elle vit les larmes ruisseler sur les joues d'Angela.

— Mica dit que mon papa est en réalité son papa à elle, sanglota la fillette.

— C'est ma maman qui me l'a dit, assura Mica.

— Je ne cesse de leur répéter qu'il doit y avoir deux Keith O'Connell, déclara Tom avec un rire gêné, mais Mica affirme que son père habite ici depuis longtemps. Or, je sais bien qu'il n'existe pas deux personnes de ce nom à Dundee.

Charlene avait la bouche desséchée. Comment expliquer les choses ? Ce qu'elle avait à dire allait l'humilier devant ses amis, devant toute la ville même car, dès le lendemain, tout le monde saurait qui étaient Liz, Mica et Christopher. Mais ce qui affolait

Charlene davantage encore était la peine et le traumatisme qu'elle allait infliger à ses filles.

— Angela…, commença-t-elle après avoir tenté de s'éclaircir la voix et jeté un coup d'œil à Mica.

Contrairement à Angela, Mica avait un visage un peu ingrat, dont on devinait cependant qu'il deviendrait beau avec l'âge et dont les yeux vifs respiraient l'intelligence et exprimaient pour le moment un tel chagrin et une telle indignation que Charlene en fut émue presque jusqu'aux larmes. Elle aurait pourtant voulu détester cette enfant qui constituait la preuve vivante de la trahison de Keith et symbolisait l'épreuve la plus difficile qu'elle ait eu à vivre. Mais cette petite était autant victime que ses propres enfants des agissements de Keith.

Elle s'agenouilla devant les deux gamines en prenant spontanément dans la sienne la main d'Angela puis, après une hésitation, celle de Mica. Le contact des doigts glacés de la fille de Liz la rebuta d'abord. Puis, la fragilité de ses épaules et son regard qui semblait si averti chez quelqu'un de son âge l'attendrirent et elle serra affectueusement la main de la petite.

— Angela, reprit-elle, tu te rappelles quand je vous ai dit que papa avait fait une bêtise ?

Charlene sentit aussitôt la curiosité des adultes autour d'elle piquée au vif. C'est tout juste si elle n'entendit pas leurs pensées. « Qu'est-ce qui lui prend ? Pourquoi ne dément-elle pas tout simplement ? »

— Oui, répondit Angela du bout des lèvres. Tu as dit que c'était comme quand Isabella avait cassé ton vase préféré.

— Exactement. Papa a fait quelque chose qui ne peut pas se réparer. On a évoqué ça, aussi, tu t'en souviens ?

Angela fit signe que oui, mais aux larmes qui embuèrent de nouveau les yeux de sa fille, Charlene devina qu'elle avait compris que Mica avait dit la vérité.

Quand un sanglot s'échappa des lèvres d'Angela, Mica tressaillit et Charlene ne put davantage retenir ses pleurs.

— Tu vois, ma chérie, pendant une de ses absences, avant ta naissance… papa est tombé amoureux de la mère de Mica et… a fondé une autre famille.

Sans répondre aux réactions abasourdies des trois adultes, Charlene parvint à esquisser un sourire entre ses larmes.

— Mica a raison. Il n'y a qu'un seul Keith O'Connell, mais il vous aime toutes les deux aussi fort. Ça, je le sais de façon certaine.

C'est alors que la porte s'ouvrit brusquement sur… Liz, tirée à quatre épingles, les yeux cachés derrière des lunettes de soleil.

Charlene lâcha instantanément la main de Mica, qui se précipita vers sa mère.

— Je veux retourner en Californie, hurla-t-elle en éclatant en sanglots.

— Moi aussi je veux qu'elle s'en aille, déclara Angela en se jetant au cou de Charlene.

Quand Charlene se releva, elle se trouva face à face avec la femme qui couchait avec Keith depuis neuf ans. Bien qu'il fût difficile, derrière ses lunettes noires, de percevoir les sentiments de Liz, elle semblait incroyablement peu concernée, calme, maîtresse d'elle-même… Cependant, ces pansements qui entouraient chacun de ses doigts devaient bien être un signe…

— Je vous prie d'excuser mon retard, dit-elle.

Et elle partit avec sa fille, comme si Charlene et Angela n'avaient pas existé.

Charlene s'essuya les yeux et déposa un baiser sur les cheveux de sa fille.

— Ça va aller, assura-t-elle.

Pourtant, elle fondit en larmes lorsque Tom, Sherry et Agnes firent cercle autour d'elle pour la réconforter.

# 14.

Les jours et les semaines passèrent sans que « l'autre » ne manifeste la moindre intention de déguerpir. Où qu'elle aille, Charlene était sûre de croiser l'un ou l'autre des membres de la deuxième famille de Keith, si bien qu'elle ne fréquentait dorénavant que contrainte et forcée des lieux où elle avait aimé se rendre auparavant, que ce soit le salon de coiffure, l'épicerie ou le restaurant. Si elle et Liz se rencontraient par hasard, elles échangeaient un bref regard gêné et s'éloignaient aussitôt.

Et puis, même lorsque Liz n'était pas physiquement présente, elle la poursuivait sans le savoir. Il suffisait que Charlene mette le pied dans une pièce pour que les conversations s'arrêtent et que les regards attristés de gens qu'elle connaissait depuis toujours se tournent vers elle. Même sa belle-famille n'osait plus lui adresser la parole.

Le coup de massue lui fut asséné lorsque, comme l'avait prédit M. Rosenbaum, Keith refusa de signer les papiers. La procédure de divorce se mit alors à traîner : quatre semaines, puis six, puis huit… Maintenant que la vérité avait éclaté sans qu'aucune poursuite judiciaire n'ait été engagée, Keith, débarrassé de la menace de Charlene de le dénoncer, était plus que jamais résolu à lui prouver qu'il avait changé et était prêt à tout pour la reconquérir. Charlene enrageait tellement contre lui qu'elle décida de lui réclamer la moitié de la valeur de la maison, au lieu de la lui céder sans contrepartie comme elle l'avait prévu au départ, et l'obligea à venir chercher et raccompagner les filles chez son frère pour éviter qu'il ne vienne chez elle.

Heureusement, entre les festivités de Noël, ses cours et son emménagement dans la ferme, sa vie était si remplie qu'elle n'eut plus le temps de penser à quoi que ce soit et encore moins d'analyser ses émotions. Pour obliger Keith à signer les documents du divorce, elle s'opposa à ce qu'il vienne habiter dans leur ancienne maison. De son côté, Keith réagit en exigeant la garde partagée des enfants.

En février, afin de sortir de l'impasse dans laquelle ils étaient tous deux enfermés, Charlene accéda à la requête de Keith, et il fut décidé que les trois filles passeraient désormais un week-end sur deux, ainsi que Thanksgiving, la veille de Noël et un mois d'été avec leur père. Dès lors, les rencontres prolongées avec leur demi-frère et leur demi-sœur devinrent inévitables… et guère appréciées d'ailleurs car, malgré les efforts de Charlene pour leur démontrer leur erreur, ses trois filles accusaient Mica et Christopher de leur avoir volé leur père.

Quand mars arriva, cependant, les commérages avaient à peu près cessé : tout le monde s'était habitué à la présence des autres O'Connell et au nouveau statut de Charlene. Les difficultés commencèrent ainsi à s'aplanir pour les deux familles, même si Charlene ne recouvra pas totalement sa liberté de mouvements : elle était obligée d'éviter la maison de ses parents parce que Liz et Ian habitaient en face, faire ses courses le week-end parce que Liz travaillait à l'épicerie la semaine, aller chercher ses filles quelques minutes plus tôt qu'auparavant pour que tous les enfants O'Connell ne se côtoient pas sur le trottoir. Sans oublier, bien sûr, que chaque fois qu'elle se rendait à la coopérative agricole pour acheter de quoi nourrir les animaux qu'elle élevait sur sa ferme, elle devait feindre de ne pas voir Ian Russell qui y avait trouvé un emploi.

Cette attitude n'avait cependant pas découragé Ian de lui envoyer quelques courriels. La première fois, vraisemblablement averti par Earl, le gérant de la coopérative, qu'elle cherchait à acheter un cheval, il lui avait proposé son aide. Elle avait aussitôt effacé le message : il était la dernière personne à qui elle demanderait conseil !

Quelques semaines plus tard, peu de temps après qu'elle eut appris par le vétérinaire que Bailey était atteint d'un cancer, Ian avait repris contact pour lui dire combien la nouvelle l'attristait. Ce deuxième message avait pris le même chemin que le premier.

Le mois dernier encore, il lui avait écrit pour lui annoncer des promotions sur les sacs de nourriture pour animaux de la marque qu'elle préférait. Elle avait alors été tentée de donner suite, car son budget était serré maintenant. En effet, Keith travaillait toujours à la quincaillerie, où son salaire ne lui permettait pas d'apporter une aide substantielle à Charlene.

Néanmoins, ce troisième message aussi avait terminé à la corbeille. Elle ne voulait plus entendre parler de Ian, Liz ou Keith, bien que ce dernier eût du mal à comprendre le caractère définitif de ce rejet. Il continuait à lui téléphoner de temps en temps ou passait la voir dans l'espoir de la persuader de reprendre la vie avec lui, en déclarant qu'il ne pourrait jamais l'oublier. Cependant, quand elle le croisait en ville en compagnie de Liz ou de Mica et Christopher, elle savait que jamais elle n'accepterait de se réconcilier.

La plupart du temps, Charlene parvenait très bien à mener sa vie comme si Keith, Ian et Liz n'existaient pas. Elle acceptait même de temps en temps des rendez-vous amoureux. Evidemment, les hommes qu'elle rencontrait étaient tous d'anciens camarades dont elle n'avait aucune chance de tomber amoureuse, mais c'était une façon de prouver qu'elle refusait de se laisser abattre et détruire. Même si elle se sentait souvent seule, elle était trop absorbée par ses activités pour y prendre garde : entre la traite de la vache tôt le matin, ses heures d'enseignement pendant la journée, l'éducation des enfants et l'entretien de la ferme le soir, quand arrivait minuit, elle s'effondrait en général sur son lit et sombrait dans un sommeil sans rêves.

A l'arrivée du printemps, quand la neige fondit et qu'avril pointa son nez, Charlene pensait qu'elle et ses filles étaient sorties du tunnel. Jennifer avait perdu son ton agacé lorsqu'elle parlait de Mica, « mademoiselle-je-sais-tout ». Ses propres relations avec Georgia, si elles demeuraient distantes en raison du divorce, étaient maintenant dénuées d'hostilité. D'un point de vue strictement matériel, grâce à l'aide de Gabe, les installations de base de la ferme et les réparations de la grange étaient terminées. Charlene avait désormais l'impression de contrôler la situation...

Lorsqu'un jour, au moment où elle franchit le seuil de la salle des professeurs du lycée, toutes les conversations s'arrêtèrent net.

— Qu'est-ce qui vous arrive ? demanda-t-elle.

Quand elle vit sa meilleure amie, Beth Nelsen, une professeur d'histoire divorcée comme elle, baisser la tête d'un air embarrassé, elle comprit que ses collègues ne lui jouaient pas une blague.

— Pourquoi est-ce que personne ne me répond ?

— Ecoute, Charlene, assieds-toi donc, proposa Guy McCauley, le principal.

— Je ne suis pas en retard, dit-elle en jetant un coup d'œil à sa montre.

— Non, non.

— Est-ce que... un parent d'élève a appelé pour se plaindre ? Je ne me souviens pourtant pas d'incidents dont...

— Non, bien sûr que non ! coupa le principal. Tout le monde est content de ton travail.

— Dans ce cas, qu'est-ce qu'il y a ?

— Ce n'est rien, en fait, finit par se lancer Guy avec un sourire gêné. Enfin, rien de nouveau. Tu te rappelles qu'Ina Guardino part en congé de maternité dans deux semaines et que nous avons cherché en vain un professeur pour la remplacer ?

Charlene sentait tous les yeux braqués sur elle.

— Oui, bien sûr. Mais si tu me demandes de m'occuper d'une classe de plus, Guy, ce n'est pas la peine. Je sacrifie déjà mon heure de déjeuner pour assurer un des cours d'informatique de Janet Wolfe depuis qu'elle s'est cassé le fémur, en plus de mes heures d'enseignement normales. Si j'ai demandé à être libérée la dernière heure de la journée, c'est pour aller chercher mes enfants. Tu vois que mon emploi du temps est plein.

— Tout le monde en a parfaitement conscience et personne ne songerait à t'imposer davantage de responsabilités pédagogiques. C'est pourquoi nous nous réjouissons d'avoir trouvé quelqu'un… euh… en fait c'est Madge qui l'a déniché, s'empressa-t-il de rectifier.

Madge, une professeur d'histoire installée à sa place habituelle de bonne élève au premier rang de l'assemblée, sembla vouloir démentir l'affirmation du principal, puis se contenta de le fusiller du regard, une réaction qui stupéfia Charlene.

— Voilà une bonne nouvelle ! s'exclama Charlene. Qui est-ce ?

Elle déposa son sac avant de s'asseoir, comme d'habitude, à côté de Beth, néanmoins troublée par le silence pesant qui accueillit sa question et les regards qui ne la lâchaient pas. Elle entendit Guy s'éclaircir la voix.

— Ian Russell, murmura-t-il d'une voix à peine audible mais que Charlene entendit.

— Quoi ? Non ! Ce n'est pas possible !

— Ecoute, Charlene, dit bienveillamment Guy. Ian est titulaire d'une chaire à l'université de Chicago et il a écrit une thèse de doctorat ! Nous avons une chance inouïe que quelqu'un d'aussi qualifié ait…

— Il est beaucoup trop qualifié, justement, objecta-t-elle.

—… accepté de nous aider.

— Dans deux mois, c'est les vacances. On peut se débrouiller sans lui pour huit malheureuses semaines !

163

— Tu as dit toi-même que ton emploi du temps était plein à craquer. Et c'est pour tout le monde pareil.

— Mais je ne savais pas ! Je me suis trompée ! Bien sûr que je peux me charger d'un cours supplémentaire !

— Et tes enfants ?

— Je m'arrangerai pour les faire garder. C'est temporaire de toute façon et il y a bien quelqu'un d'autre dans cette pièce qui peut faire un effort.

— Oui, moi, se proposa Beth en levant la main comme une élève.

Ce soutien procura à Charlene une satisfaction mêlée de honte, car elle savait pertinemment que son amie, qui élevait seule ses quatre enfants, n'avait pas besoin d'une charge accrue de travail. Pour le moment cependant, elle jugea plus urgent de se protéger elle-même contre ses ennemis plutôt que de céder à son sentiment de culpabilité.

— Ce qui fait deux, annonça-t-elle gaiement. Qui d'autre ?

Elle s'aperçut que tous détournaient les yeux. Tous, sauf Madge, la professeur d'histoire.

— Charlene, ce sera mieux pour les élèves d'engager Ian, déclara-t-elle en décochant à ses collègues des regards lourds de reproches pour leur lâcheté. Nous avons besoin d'un professeur de sciences et Ian est un candidat parfait.

— Oui, vraiment parfait, renchérit une voix féminine pleine de sous-entendus.

— Nous n'avons pas besoin de lui, insista Charlene.

— C'est un biologiste, tu sais, s'acharna Madge.

Ian lui avait dit qu'il était chercheur. Mais il avait aussi prétendu être romancier. Décidément, il n'était pas le genre d'individu en qui on pouvait avoir confiance…

— On est dans un lycée, pas dans un établissement d'enseignement supérieur. Un doctorat ne sert à rien pour travailler ici.

— Même moi je n'ai pas soutenu de thèse, renchérit Guy comme s'il considérait la situation sous un angle qui lui avait échappé jusqu'alors.

— Ian va peut-être s'imaginer qu'il serait mieux placé que toi pour être principal, appuya Charlene qui était prête à toutes les mesquineries pour empêcher le recrutement de Ian. Qui nous dit que M. le Docteur Russell n'ira pas nous montrer à nous, pauvres péquenauds, comment faire notre métier ?

— Ian n'assure qu'un remplacement temporaire, intervint Madge. Il ne représente une menace pour personne ici. Allons, chers collègues. Vous vous rendez compte de ce qu'il peut apporter à nos élèves avec sa connaissance concrète de la jungle africaine ? Il est aussi d'accord pour s'occuper des candidats au concours général lycéen.

En entendant les acclamations suscitées par cette dernière annonce, Charlene se leva d'un bond.

— Nous disposons de tout un tas de livres sur l'Afrique. Et… et quant au concours général, je m'en charge.

— C'est vrai ? demanda Guy comme si la proposition de Charlene l'intéressait. Ça tombe bien, parce que j'ai promis à Ian de lui trouver quelqu'un de compétent pour l'aider.

— Ça suffit ! Ian travaille à la coopérative, s'emporta Charlene. Les employés ne sont pas assez nombreux là-bas. Il n'y en a jamais un de libre quand j'y vais.

En remarquant les yeux éberlués de ses collègues, Charlene se rendit compte qu'elle avait quasiment crié.

— Voyons ! reprit-elle d'une voix plus calme, il n'a rien à faire ici, vous ne trouvez pas ? S'il vous plaît !

— Je suis d'accord avec Charlene, déclara Beth.

— Pourtant, avant qu'elle arrive, tu ne cachais pas ton enthousiasme d'avoir le beau Ian comme collègue, insinua Madge.

— J'ai dit que je ne trouvais pas que c'était une bonne idée, se défendit Beth timidement.

— C'était après ou avant de tomber dans les pommes ? ironisa

Madge en croisant les bras sur sa plantureuse poitrine. De toute façon, j'ai été presque obligée de le supplier d'accepter le poste, alors il est hors de question que je lui annonce maintenant que nous avons changé d'avis.

— Il a déjà accepté ? demanda Charlene.

— Oui, répondit Guy comme en s'excusant. On ne peut pas revenir sur notre proposition, Charlene. Mais ce n'est que pour deux mois. Ce n'est quand même pas la mer à boire !

« Pas la mer à boire » ! Non, mais il se payait sa tête ! Elle allait rencontrer Ian tous les jours et, pour couronner le tout, sa salle de classe serait adjacente à la sienne. Ils allaient même partager la réserve où le matériel était entreposé !


Dès que Charlene entra dans la coopérative, Ian vit que quelque chose avait changé et soupçonna qu'elle avait appris son recrutement au lycée. Au cours des derniers mois, elle était passée d'une franche hostilité à son égard à une attitude empreinte de politesse. La semaine dernière, elle s'était même laissée aller à plaisanter avec lui quand il l'avait aidée…

Aujourd'hui, en revanche, alors qu'il était disponible, elle faisait ostensiblement la queue devant le comptoir de Earl, avec Isabella, et évitait obstinément son regard.

Après un premier mouvement de colère à la vue de Ian qui se tournait les pouces, Earl comprit la situation et adressa Ray White, qu'il était en train de servir, à son employé pendant que lui-même s'occupait de Charlene.

Ian ne prêta qu'une oreille distraite aux récits de rodéo de Ray, trop occupé à surprendre la conversation entre Charlene et Earl.

— J'ai l'impression qu'elle grossit, dit Charlene.

— Tu as remarqué des changements au niveau de l'encolure ou des épaules ? demanda Earl.

— C'est difficile à dire. Je ne l'ai pas depuis assez longtemps.

— Mesure-la avec un mètre de couturière de la pointe de l'épaule à la pointe de la fesse.

— La fesse de Jemima ? s'esclaffa Isabella.

Ian sourit en chargeant sur son épaule le gros sac d'avoine que Ray avait commandé. La passion de Charlene et de ses filles pour leur jument le ravissait chaque fois, bien qu'il trouvât déraisonnable de la part de Charlene de s'être lancée dans la gestion d'une ferme à une période aussi tourmentée de sa vie. D'ailleurs, la façon dont elle flottait dans ses vêtements prouvait qu'elle jouait avec sa santé.

Il rendit la monnaie à Ray tout en écoutant Earl conseiller à Charlene de calculer le poids exact de la jument et de lui faire faire davantage d'exercice avant de la mettre au régime.

— D'accord, dit Charlene en soupirant comme si elle portait tout le poids du monde sur les épaules.

Malgré lui, Ian lui jeta un coup d'œil. S'il l'avait admirée quand elle était mariée à Keith, maintenant il la respectait. Son comportement avec Liz, Mica et Christopher, bien que leur présence en ville n'ait certainement pas été aisée à accepter, avait été exemplaire. Elle n'avait pas incité ses amis à se détourner d'eux et n'avait pas exigé que Keith coupe tout contact avec Mica et Christopher, alors qu'il n'aurait pas hésité à obéir s'il avait eu le moindre espoir de regagner ainsi les faveurs de Charlene.

Non, décidément elle ne s'était abaissée à aucune méchanceté, aucune mesquinerie. Selon Mica, qui la rencontrait parfois à l'école, il lui arrivait même de lui adresser un petit salut.

Autant qu'il puisse en juger, la stratégie de survie mise au point par Charlene consistait à éviter toute situation qu'elle risquait de ne pas maîtriser. Voilà vraisemblablement pourquoi elle n'avait répondu à aucun de ses courriels, même celui concernant Bailey.

— Regarde, maman ! Il y a l'oncle de Christopher là-bas ! s'écria tout à coup Isabella.

Charlene croisa un bref instant le regard de Ian, avant de détourner les yeux. Feignant de ne pas avoir entendu sa fille, elle la tira par le bras et suivit Earl vers une palette de sacs d'aliments. Mais Isabella parvint à lui échapper et courut vers la caisse.

— Bonjour ! cria-t-elle.

Malgré la contrariété que Ian crut discerner sur le visage de Charlene, ou peut-être à cause d'elle, il lui sourit. Le fait de résider dans la même ville qu'elle pimentait indiscutablement sa vie.

— Alors, quoi de neuf, mademoiselle ? demanda-t-il à Isabella.

— Mon chien est de nouveau malade, annonça-t-elle avec une moue inquiète. Il reste couché toute la journée, sans bouger. Maman dit que c'est à cause de ses articulations, qui lui font mal.

— Malheureusement, les chiens ne vivent pas aussi longtemps que les êtres humains.

— Je sais. Tu crois qu'il va mourir ? demanda-t-elle en baissant la voix.

— Ce n'est pas impossible, répondit-il, choisissant de dire la vérité, même dure à entendre. Il est vieux, comme l'a fait remarquer ta maman.

Au lieu des larmes qu'il attendait, il vit la petite opiner gravement de la tête. Son visage s'illumina cependant quand Ian lui tendit une des sucettes entreposées sous la caisse pour les enfants des clients.

— Demande la permission à ta mère, d'abord.

Le « non » catégorique et abrupt qu'opposa Charlene à la requête de sa fille les surprit tous les deux.

— Pourquoi ? s'indigna la petite.

— On va bientôt dîner.

— Mais je viens de sortir de l'école.

Ce qui était exact. Il n'était que 4 heures.

— Je t'achèterai quelque chose à l'épicerie.

— Je n'ai pas envie de passer à l'épicerie. Je veux rentrer directement à la maison pour jouer.

— Demande-lui quelle serait sa réponse si c'était Earl qui te proposait une sucette, lui suggéra Ian.

Il avait parfaitement conscience de se livrer à une grossière provocation, mais ne voyait pas d'autre façon d'entrer enfin en contact avec Charlene dont l'indifférence méprisante commençait à lui peser.

— C'est moi qui décide pour ma fille. Elle n'a pas besoin de sucrerie, répliqua-t-elle d'un ton cinglant.

— Si ! s'insurgea Isabella. S'il te plaît, maman chérie…

Derrière le regard furibond que Charlene lui décocha, Ian décela un léger fléchissement.

— Vous l'avez fait exprès, l'accusa Charlene.

— Ce n'est pas impossible, répliqua-t-il avec un haussement d'épaules amusé. Mais j'ai fait pire, pas vrai ? Comme de venir habiter à Dundee. Ou d'accepter un poste d'enseignant au lycée. Je suis un criminel, en fait. Il faudrait m'enfermer.

— Je me réjouis de voir qu'on est d'accord sur quelque chose, dit-elle d'un ton acerbe.

— Tu ne crois pas que tu exagères un peu, Charlene ? intervint Earl.

— Il est hors de question que ma fille accepte quoi que ce soit de votre part, poursuivit-elle sans prêter la moindre attention à Earl.

— Mais pourquoi, maman ?

— Ecoute, Charlene, intercéda Earl en déposant un gros sac en jute sur le comptoir, c'est une sucette, rien d'autre. J'aurais pu la lui offrir moi-même si j'y avais pensé.

Confrontée aux supplications de sa fille et à la désapprobation de Earl, Charlene parut prendre conscience que ses émotions l'entraînaient dans une vaine bagarre.

— D'accord, capitula-t-elle, la mâchoire serrée, tandis qu'Isabella défaisait avec empressement le papier de sa sucette.

Puis elle paya Earl et attendit impatiemment qu'il ait chargé le sac dans le coffre de sa voiture pour démarrer en projetant une gerbe de gravier.

— Ce doit être la seule femme en ville qui n'ait pas le béguin pour toi, commenta Earl d'un air pensif en entrant dans le magasin.

Et la seule femme, ici ou ailleurs, que Ian ne parvenait pas à s'arracher de l'esprit.

# 15.

— Je ne comprends pas, avoua Lucie avec perplexité.

Charlene ferma le site Web sur les chevaux qu'elle était en train de consulter et changea son téléphone de main.

— Je viens de t'expliquer, enfin !

— Selon toi, Ian a passé les bornes, c'est ça ?

— C'est le moins qu'on puisse dire, oui !

— Parce qu'il a offert une sucette à Isabella ?

— Alors qu'il savait pertinemment que je m'y opposais.

— Ecoute, on peut quand même imaginer pire crime que d'essayer de faire plaisir à ta fille.

— On voit que tu n'étais pas là ! rétorqua Charlene d'un ton vif. Quoi qu'il en soit, il s'est arrangé pour que Earl, que je connais depuis toujours, se retourne contre moi, lui aussi.

— Tu es en train de me dire que Earl s'en est pris à toi ?

— Absolument. Il s'est rangé du côté de Ian.

— Et comment Ian a-t-il opéré pour obtenir ce résultat ?

— Oh, il est très doué pour rallier les gens à sa cause. Tu sais bien que personne ne résiste à son charme. Tu aurais dû entendre mes collègues lundi. « Il a une thèse de doctorat… C'est un biologiste… Je n'arrive pas à croire qu'il va travailler ici avec nous… Qu'est-ce qu'il est beau !… »

— Charlene ? se risqua Lucie après un long silence.

— Quoi ?

171

— Cela ne sert à rien de t'énerver comme ça.

— Mais il me vole tout, bon sang !

Bien que consciente de se comporter comme une gamine, Charlene était incapable de se dominer. La défection — si on pouvait utiliser ce terme… — de Earl, à la coopérative, l'avait piquée au vif.

— Comment veux-tu qu'il te vole, voyons ? Tout le monde t'adore, Charlene. Tu es à bout de nerfs, c'est tout. Et tu risques de faire une dépression si tu ne te reposes pas.

Charlene fonçait tête baissée dans un mur et ne voyait pas comment s'arrêter. Vingt-quatre heures ne lui suffisaient pas pour s'acquitter de tout ce qu'elle entreprenait et, pourtant, elle continuait à se charger de tâches supplémentaires. Le travail était à la fois sa perte et son salut.

— Pourquoi ne lèves-tu pas un peu le pied ?

— Pour avoir le temps de penser à tout ce que j'ai perdu ? Non, merci. Je vais très bien.

— Ce n'est pas vrai. Tu es au bout du rouleau. Tu devrais peut-être vendre ton cheval et ta vache et arrêter pour le moment les travaux de réfection de la ferme.

Charlene se frotta les yeux. Il était déjà 11 heures. Elle n'était pas raisonnable de veiller si tard alors qu'elle enseignait le lendemain. Mais elle en était venue à redouter de dormir car, malgré son immense fatigue, elle continuait à rêver. A rêver par exemple que deux bras robustes l'enlaçaient. Alors, se ravivaient en elle les sensations éprouvées à être aimée, désirée, protégée…

Pures chimères ! s'emporta-t-elle. Si elle avait appris une chose au cours de l'année écoulée, c'était qu'elle ne pouvait compter que sur ses propres bras.

Elle se pencha pour caresser Bailey, qui était couché à ses pieds, en essayant d'ignorer la détérioration rapide de son état de santé. Sa mort serait particulièrement malvenue en ce moment.

— Ça va, hein, mon pépère ?

Il leva vers elle ses bons yeux confiants.

— Ne t'en va pas, murmura-t-elle, je t'en supplie.

— Tu veux me faire plaisir ? lui demanda Lucie à l'autre bout du fil. Arrête tout pendant quelques jours, et dors.

S'arrêter ? Allons, ce n'étaient pas des vacances qui résoudraient ses problèmes, quoi qu'en pensent ses proches.

— Tu parles d'une bonne idée, lança-t-elle sèchement.

— Tu m'inquiètes vraiment, soupira Lucie.

— Je vais bien, je te dis.

— Est-ce que Keith t'appelle toujours ?

— Non, rarement. D'après ce que je sais, il essaie de se réconcilier avec Liz.

— Et Liz ? Comment réagit-elle ?

— Elle sort avec lui de temps en temps, répondit Charlene en se rappelant les avoir vus tous les deux sortir du restaurant quelques jours auparavant.

— S'ils se remettent ensemble, tu crois qu'ils vont habiter dans ton ancienne maison ?

— J'espère bien que non.

— Ce n'est pas exclu malgré tout. C'est là qu'il habite et, s'il vend, il devra te verser la moitié de la somme.

— C'est exact, mais Liz a peut-être de l'argent.

— Elle ne travaillerait pas à l'épicerie dans ce cas.

— C'est sympa de me remonter le moral.

— Excuse-moi. Tu le prendrais comment s'ils renouaient ?

— Pas bien, répondit Charlene qui avait visiblement assez longuement réfléchi à la question. Je serais terriblement jalouse, bien sûr. Mais, indépendamment de cet aspect-là, cela compliquerait notablement les visites des filles à leur père, surtout si elles devaient se dérouler dans notre ancienne maison.

— C'est vrai, ça ! Tu as raison !

— Bon, il faut que je te laisse, Lucie. Je n'ai pas fini de préparer mes cours pour demain et il est tard.

Afin de s'épargner les remontrances que ne manquerait pas de lui renouveler Lucie sur la façon dont elle se ruinait la santé, elle ne dit mot du paquet de copies qu'elle n'avait pas encore corrigées.

— Quand est-ce que Ian commence à travailler au lycée ? demanda Lucie.

— Lundi en huit, je crois.

— Ce qui veut dire que tu as presque deux semaines devant toi pour t'habituer à l'idée de l'avoir comme collègue.

« En quoi est-ce rassurant ? » se demanda Charlene.

— Est-ce que c'est Keith qui garde les filles ce week-end ? poursuivit Lucie en changeant de sujet.

— Oui.

— Cela te dirait de dîner au restaurant avec Mike et moi vendredi, histoire de sortir de chez toi ?

— Merci, mais j'ai promis à Beth d'aller danser avec elle.

— Eh bien ! Au moins, ça c'est chouette ! Tu vas peut-être rencontrer quelqu'un.

— Ici ? Quelqu'un que je ne connaîtrais pas ?

— On ne sait jamais. Il y a toujours des touristes qui viennent passer quelques jours au Running Y et qui aiment s'encanailler avec les gens du cru.

— Ce serait génial, mentit Charlene.

A l'hésitation que marqua Lucie, Charlene comprit que sa demi-sœur n'avait pas été dupe de son enthousiasme feint mais, heureusement, elle n'insista pas.

— A demain, Charlene.

Charlene poussa un profond soupir de soulagement en raccrochant. Petit à petit, elle en était venue à aimer Lucie comme une vraie sœur mais, pour le moment, même les conversations les plus anodines lui pesaient.

Avant de s'attaquer à ses copies, elle vérifia son courrier électronique et ne trouva que des messages sans importance.

A peine eut-elle commencé à lire les devoirs de ses élèves, qu'une demande d'autorisation de connexion aux messages instantanés émanant de Ian Russell apparut à l'écran.

« Quand on parle du loup… », pesta-t-elle tout bas en rejetant instantanément la demande avec un sourire satisfait. « Prenez ça dans les dents, docteur Russell ! »

Elle se remit à ses copies et, en levant les yeux par hasard quelques instants plus tard, elle constata que Ian avait renouvelé sa requête.

— Qu'est-ce que tu en penses, Bailey ? Avons-nous vraiment envie de parler à ce monsieur ?

Le chien ouvrit un œil avant de se rapprocher davantage encore de sa maîtresse et de s'assoupir de nouveau.

— Je suis exactement de cet avis. Pas question.

Elle cherchait comment bloquer les contacts indésirables, quand le téléphone sonna. « I. Russell », lut-elle sur l'écran du combiné. Il avait un sacré toupet d'appeler ! Surtout à une heure pareille ! C'était déjà un peu fort qu'il se permette de lui envoyer des courriels, même si elle lui avait donné son adresse. Mais, à l'époque, elle ignorait qui il était.

Elle décrocha, déterminée à lui dire son fait.

— Je vous ai trouvé le chiot idéal, déclara-t-il aussitôt avec un enthousiasme enfantin qui la prit de court.

— Quoi ?

— Il vient d'être recueilli par la SPA de Boise. Il est très mignon, alors il faut vous dépêcher. Vous avez un crayon ?

— Je ne veux pas de chiot.

Comment pourrait-elle remplacer Bailey alors qu'il était toujours en vie ?

— Je pensais que cela permettrait d'adoucir pour les filles… ce qui va arriver.

Il n'avait pas tort. Il était vrai qu'elle s'inquiétait de la réaction des trois gamines à la mort de leur animal adoré. En outre, Bailey était tellement pacifique qu'il accepterait certainement sans difficultés la présence d'un compagnon.

Charlene n'eut le temps de rien répliquer. Ian lui indiqua l'adresse du site Internet et raccrocha. Elle en demeura quelques instants bouche bée.

En entendant la respiration sifflante de Bailey, elle se rappela, les yeux embués de larmes, le pronostic pessimiste du vétérinaire. La maison paraîtrait bien vide sans son basset… A quoi cela l'engageait-il de jeter un coup d'œil ? décida-t-elle en tapant l'URL.

Aussitôt, apparut la photo d'un chiot adorable, âgé de dix semaines selon la légende, un croisement de labrador et de chow-chow. Bien qu'elle eût préféré mourir plutôt que de le reconnaître, elle était touchée par la délicatesse dont avait fait preuve Ian en lui proposant un animal d'une autre race que Bailey. Ainsi, elle n'aurait pas l'impression de remplacer son vieux compagnon.

— Tu es vraiment chou, concéda-t-elle. Dommage que tu viennes de la part de Ian !

Elle imaginait pourtant la surprise de ses filles quand elles rentreraient du week-end chez leur père dimanche, si… Mais, quand elle cliqua sur le lien au-dessous de la photo et vit le prix de l'adoption, elle arrêta sur-le-champ sa lecture. Elle ne pouvait actuellement se permettre de débourser cent soixante dollars quand, de surcroît, elle devait prévoir des frais de vétérinaire pour Bailey.

— Tant pis, soupira-t-elle en éteignant son ordinateur.

Si elle avait écouté ce que lui dictait sa bonne éducation, elle aurait remercié Ian. Mais elle le soupçonna d'avoir agi par intérêt et se persuada qu'il cherchait à gagner son amitié pour avoir la ville entière à ses pieds. Elle n'allait certainement pas lui laisser remporter une victoire pareille. Si elle résistait à ses assauts, il finirait par retourner en Californie en emmenant avec lui sa sœur et ses neveux.

\*\*
\*

Assise dans la pénombre, tout en réfléchissant à la proposition qu'elle venait de recevoir de ses locataires d'acheter sa maison de Californie, Liz regardait les rayons de lune s'insinuer entre les doubles rideaux et se rejoindre pour former une mare de lumière sur le tapis du salon. Elle venait de passer à Dundee les quatre mois et demi les plus pénibles de sa vie. Plus réservée que son frère, elle n'avait pas sa faculté à lier connaissance et souffrait de solitude. A cet isolement, s'ajoutait la crainte permanente de croiser Charlene ou un membre de la famille Holbrook. Dans ces conditions, devait-elle donner suite à l'offre d'achat de la maison ?

Quand elle se sentait trop déprimée, il lui arrivait d'appeler Dave Shapiro, qui était une des rares personnes capables de la dérider. Mais, ce soir-là, elle y renonça, car Ian, à qui elle préférait cacher ses contacts avec Dave, n'était pas encore couché et risquait de la surprendre. Elle avait conscience de la folie qu'il y avait, pour une divorcée éplorée de trente et un ans, à entretenir une relation avec un fringant don Juan de vingt-quatre ans. En outre, il essaierait vraisemblablement de la convaincre de garder sa propriété pour l'obliger à retourner en Californie, ce qui ne se révélerait pas nécessairement salutaire pour les enfants, qui étaient heureux de voir leur père régulièrement.

Leur père... La pensée de Keith lui arracha une grimace de dégoût. Dès qu'il s'était rendu compte qu'il échouerait à recoller les morceaux de son premier mariage, il s'était mis à l'appeler et à passer plus souvent, sous prétexte de voir Mica et Christopher. Il lui avait offert des cadeaux, l'avait invitée au restaurant, s'était fait tendre. Au début, et bien qu'elle ne fût pas dupe de sa manœuvre, elle avait trouvé agréables ses attentions. La dernière fois qu'ils s'étaient vus, il l'avait même emmenée chez lui... dans le lit qu'il avait partagé pendant tant d'années avec Charlene. Mais elle était restée étrangement absente pendant leur étreinte. Comment, en effet, occulter totalement le fait qu'il lui avait préféré Charlene, qu'elle demeurerait toujours un pis-aller ? C'est au cours de cette nuit-là qu'elle avait pris conscience qu'elle valait mieux que ce qu'il lui avait donné et qu'elle s'était surprise à remplacer Keith par Dave dans ses fantasmes. Elle avait alors annoncé à son ex-mari qu'elle ne le laisserait plus la toucher.

— Liz ? Tu es encore debout ?

— Oui, dit-elle en accueillant son frère avec un sourire.

— Qu'est-ce que tu fais ?

— Je réfléchis.

— A quoi ?

— A Keith. A Charlene. A cette ville.

Il se glissa dans la pièce et vint s'asseoir en face d'elle.

— Keith appelle beaucoup ces derniers temps, fit-il remarquer en scrutant son visage.

Elle croisa les bras en se calant dans son fauteuil.

— Les enfants le voient souvent et c'est une bonne chose.

— Il n'y a pas que les enfants. Toi aussi.

— Plus maintenant.

— Ce qui veut dire ?

— Qu'il n'y a aucun risque que je renoue avec lui.

— Tu m'enlèves un poids, avoua-t-il avec un sourire. Pendant un moment, j'ai vraiment regretté qu'on soit venus ici.

— J'ai bien fait de prendre cette décision. J'aurais mis plus de temps à me détacher de lui autrement.

— Tu as l'air très sûre de toi, dit-il en fronçant les sourcils.

— Oui. Il a essayé de me reconquérir et, de mon côté, j'ai voulu ressusciter des sentiments d'autrefois. Mais je me suis aperçue qu'ils étaient morts.

— Tant mieux !

La joie de son frère la gêna l'espace d'un instant. Se montre-rait-il aussi enthousiaste s'il apprenait qu'elle parlait régulièrement à Dave ? Mais, après tout ce qu'elle avait subi, ces conversations nocturnes avec son ancien moniteur de tennis lui procuraient un plaisir indicible, dont elle n'était pas prête à se priver. Comme elle n'avait pas le cœur à arracher ses enfants à leur père pour retourner à Los Angeles, quel mal y avait-il à poursuivre une liaison téléphonique avec quelqu'un qui habitait à plus de deux mille kilomètres d'elle ?

Sa conscience avait beau lui souffler que sa démarche n'était pas aussi innocente qu'elle voulait s'en persuader, elle savait que sa relation avec Dave ne déboucherait sur rien de solide. Jamais elle ne s'engagerait sérieusement avec un homme de sept ans son cadet, qui lui, de surcroît, recherchait les aventures sans lendemain.

— Mes locataires de Los Angeles aimeraient acheter la maison, annonça-t-elle à Ian.

— Ah bon ? Tu vas la vendre, alors ?

— Je saurai comment utiliser l'argent, c'est sûr.

— On a de quoi vivre.

— Grâce à toi. Mais tu ne vas pas rester ici ad vitam aeternam, dit-elle en jouant avec une mèche de cheveux.

— C'est exact.

— Tiens, j'ai croisé Charlene l'autre jour.

— Il n'y a rien là d'extraordinaire, vu la taille de Dundee, commenta-t-il en étendant ses longues jambes.

— Non, mais cette fois, j'ai vraiment croisé son chemin, dans le sens littéral du terme. Mercredi dernier, juste après avoir déposé les enfants à l'école, je me suis aperçue que c'était au tour de Christopher d'offrir des friandises à ses camarades. Je me suis précipitée à l'épicerie pour acheter des boîtes de petits gâteaux et, au moment où je sortais en courant de la boutique, elle arrivait et je l'ai bousculée.

— Qu'est-ce que tu as fait ?

— Je me suis arrêtée pour ramasser ce que j'avais fait tomber.

— Et elle ?

Liz se tordit nerveusement les mains.

— Eh bien… Au lieu de passer son chemin, elle… m'a aidée à récupérer ce qui était par terre.

— C'est quelqu'un de bien, dit Ian d'un air rêveur.

— Je sais.

Liz soupçonnait son frère d'être attiré par Charlene, mais elle préférait ne pas s'attarder sur cette possibilité, redoutant que la même femme ne lui vole à la fois Keith et Ian. Aussi changea-t-elle de sujet.

— Tu as envoyé ta candidature pour la bourse ?

— Oui, dit-il en se levant. Alors, qu'est-ce que tu as décidé pour ta maison ?

— J'aimerais bien retourner vivre à Los Angeles, répondit-elle sans pouvoir chasser Dave de son esprit. Mais, avec Keith ici, ce n'est pas envisageable. Il faut que j'attende que les enfants grandissent.

— Tu vas vendre, alors.

— Oui.

— Mica et Christopher ont de la chance d'avoir une mère comme toi, affirma-t-il, admiratif, en lui serrant affectueusement l'épaule. Sur ce, je vais me coucher.

Au lieu d'imiter sagement son frère, Liz descendit en catimini dans le salon et décrocha le téléphone.


Bien que le Honky Tonk, le bar en vogue de la région qui accueillait des orchestres de danse le week-end, fût très animé ce soir-là, Charlene ne s'amusait pas franchement.

— Tu as l'air ailleurs, lui fit remarquer Beth.

— J'écoute la chanson de Shania Twain, répondit Charlene après avoir bu une gorgée de son thé glacé.

Charlene se félicita de ce que le volume assourdissant de la musique la dispense de poursuivre la conversation. Elle ne se sentait pas d'humeur à bavarder. Les parents de Keith avaient décidé à l'improviste d'emmener les trois filles dans le Texas voir leur oncle, le frère de Keith. Bien qu'elle n'eût jamais éprouvé pour lui de sympathie particulière, Charlene se sentait exclue. Son divorce l'avait séparée de son mari, mais aussi de sa belle-famille.

Elle tenta de se raisonner, en se réjouissant que Jennifer, Angela et Isabella bénéficient de l'occasion de partir ainsi avec leurs grands-parents. Elle-même n'avait aucune envie de se lancer seule dans une excursion de ce genre et n'en aurait de toute façon pas les moyens avant longtemps.

— Ce sont tes filles qui te manquent ? demanda Beth.

— J'essaye d'oublier qu'elles sont si loin de moi.

— Quand sont-elles parties ?

— Ce matin.

— Arrête de broyer du noir. Je parie que tu ne vas pas voir le temps passer jusqu'à leur retour, dimanche.

— Ce ne sont pas les filles qui me tracassent.

— Est-ce que ce serait Ian Russell par hasard ? demanda Beth en remuant son gin-tonic.

Charlene ne répondit pas. Elle pensait à cet adorable petit chien que Ian avait trouvé.

— Charlene ? insista Beth. Tu es toujours en colère de savoir que le frère de Liz va venir enseigner chez nous ?

— Oh non ! Je m'en moque, répondit-elle d'un air faussement dégagé.

A ce moment, Alex Riley, un séduisant cow-boy qui travaillait au Running Y, s'approcha de leur table. A la grande déception de Beth, qui soupirait pour lui depuis des mois, c'est à Charlene qu'il s'adressa :

— Tu veux danser ?

Pour ne pas causer de peine à Beth, Charlene commença par refuser :

— En fait, je crois que je vais…

Elle s'arrêta net. Keith venait d'entrer en compagnie de Jon Small, divorcé lui aussi, avec qui il traînait depuis peu.

— Alors, Charlene ? la pressa Alex.

Elle s'excusa intérieurement auprès de Beth, mais elle ne voulait pas que Keith la trouve seule à une table : il ne manquerait pas de s'inviter pour tenter de la convaincre de passer la nuit avec lui... Même si cela faisait longtemps, trop longtemps, qu'un homme ne l'avait serrée dans ses bras, elle ne devait pas céder à la tentation. Elle le regretterait trop amèrement ensuite.

— Oui, avec plaisir, répondit-elle à Alex en se levant tandis que l'orchestre entamait un boogie qui souleva l'enthousiasme de l'assistance.

— Cela ne dérange pas ton ex-mari que nous dansions ensemble, n'est-ce pas ? s'assura Alex qui avait remarqué que Keith, debout au bord de la piste, les fusillait du regard.

— Et même, de quel droit s'y opposerait-il ? répliqua-t-elle avec désinvolture en frappant le sol des pieds et en tournoyant au rythme de la musique.

— Je ne suis pas inquiet, dit Alex. Encore quelques bières, et je serai prêt pour une bonne petite bagarre.

Il ne manquerait plus que le père de ses enfants se fasse casser la figure au Honky Tonk, songea Charlene.

Quoique... Si les traces avaient le temps de disparaître avant le retour des filles dimanche soir...

— C'est ce qu'on appelle un sourire démoniaque, ou je ne m'y connais pas, commenta Alex.

— Je dois avouer que l'idée m'a tentée un instant.

— Je pourrais faire attention. Juste lui couper la lèvre, par exemple. Après ce qu'il t'a fait, il ne l'aurait pas volé.

— Non. On ne se bat pas, décréta Charlene, consciente que la vengeance ne résoudrait rien.

— Je suis sûr que Ian ne verrait pas d'objections.

— Je n'ai pas l'impression que Ian apprécie particulièrement la violence. De toute façon, il n'est pas là pour nous départager.

— Si ! Il joue au billard avec Earl dans l'arrière-salle.

Charlene s'arrêta de danser pour fouiller du regard la foule amassée dans la pièce adjacente.

— Où ?

— Là ! dit Alex en lui montrant Ian du doigt.

Après une série de contorsions pour éviter la foule des clients, elle finit par l'apercevoir. Il était debout à côté d'une table de billard, en grande conversation avec Earl.

# 16.

— Allez, viens, Beth, on y va, déclara Charlene dès qu'elle eut regagné sa table.

— Mais cela ne fait qu'une demi-heure qu'on est arrivées, protesta Beth, stupéfaite. Et j'espérais…

— Tu viens danser, Beth ?

C'était Alex qui l'invitait. Beth jeta à son amie un coup d'œil implorant avant de se tourner avec un sourire radieux vers son beau cow-boy.

Tandis que le couple se fondait dans la foule des danseurs, Charlene pesta sous cape contre elle-même de s'être laissé conduire par Beth au lieu d'utiliser sa propre voiture.

Mais comment aurait-elle pu deviner que Keith et Ian se trouveraient là ? Ce n'était pas la première fois qu'elle passait sa soirée au Honky Tonk avec Beth et elle n'y avait jamais vu aucun des deux.

Elle avala une grande gorgée de son thé glacé en réfléchissant à la ligne de conduite à adopter. Elle ne pouvait ni rester assise à sa table, où Keith s'empresserait de la rejoindre, ni se réfugier à l'arrière de l'établissement de crainte de tomber nez à nez avec Ian, ni attendre dehors à cause du froid. Vu la chaleur suffocante qui régnait toujours au Honky Tonk, elle n'avait en effet pas jugé utile de s'encombrer d'un manteau pour les cinq minutes du trajet en voiture.

Restait… la fuite vers les toilettes. Hélas, Keith l'intercepta avant qu'elle n'ait atteint le vestibule.

— Qu'est-ce qui t'a pris de danser avec Alex ? demanda-t-il, les yeux brillants, les mâchoires serrées.

Charlene voulut continuer son chemin sans lui prêter attention, mais il la saisit par le poignet et la retint énergiquement.

— J'ai été patient, Charlene. Ça fait des mois que ça dure. Quand vas-tu cesser de me punir pour ce qui s'est passé et me laisser revenir ?

— Quoi ? Comment oses-tu formuler les choses ainsi, comme si ce qui s'est passé ne dépendait pas de toi ?

— Justement ! Ça ne dépendait plus de moi. La situation m'avait échappé. Je n'étais pas capable… Et puis zut ! Je me suis déjà excusé. Des milliers de fois. Ça n'a servi à rien. Tu as voulu que je reste à Dundee, je l'ai fait. Tu voulais la ferme, tu l'as. Le seul obstacle qui empêche notre famille de se reconstituer, c'est toi. Quand accepteras-tu d'oublier le passé ?

— Je ne savais pas que tu étais si crampon, déclara-t-elle en lui jetant à la figure le terme que lui-même avait employé à son égard.

— Je n'aurais jamais cru que tu étais une garce sans cœur.

— Si je suis une garce, c'est ta faute, rétorqua-t-elle. Mais je ne veux pas me disputer. C'est terminé, nous deux. Je continue ma vie sans toi, dorénavant, ce qui signifie que je peux danser avec qui bon me semble.

Il blêmit.

— Ne dis pas ça. On s'aime.

— Non, Keith. Plus maintenant.

— Tu t'es engagée pour le meilleur et pour le pire, rappelle-toi.

— Et tes propres engagements, qu'en fais-tu ?

— Je suis fidèle depuis que j'ai avoué.

— Tu n'as pas avoué. Tu as été découvert.

185

— Depuis que j'ai été découvert, alors.

— Je vais demander à Liz si c'est vrai, le défia-t-elle.

Le temps d'hésitation qu'il marqua suffit à la convaincre de l'inutilité de cette vérification.

— Je m'en moque, de toute façon. Lâche-moi.

— Non. Tu dois m'écouter.

— Il n'y a rien d'autre à dire.

Il se passa la main sur le visage.

— Charlene...

L'orchestre entama alors la vieille chanson de Céline Dion *Because You Loved Me*, dont les paroles étaient particulièrement émouvantes pour eux qui s'étaient tant aimés.

— Danse avec moi, dit-il brusquement.

— Non. Je n'en ai pas envie.

— Mais bon sang ! On a eu trois enfants ensemble, quand même. Tu me dois au moins ça.

— Je ne te dois rien du tout !

— De toute façon, elle m'a déjà promis cette danse.

Charlene sentit une main masculine la prendre fermement par le coude. Reconnaissante de cette intervention, elle se tourna vers... Ian Russell.

— Tu peux toujours courir ! lança Keith.

Ian dévisagea Keith avec l'air de quelqu'un à qui la perspective d'une bagarre ne déplaisait pas.

— Pardon ?

— Ne te mêle pas de ça, Ian, l'avertit Keith.

— Je m'en irai si Charlene me le demande.

— Alors, Charlene ?

Charlene ne pouvait pas laisser son ex-mari sortir victorieux de cet affrontement. Il avait causé trop de tort autour de lui : à elle bien sûr, mais aussi à Liz, Ian, à tous les membres des deux familles. La seule façon de lui faire enfin comprendre qu'ils ne formaient plus un couple était de se ranger du côté de Ian et Liz.

— J'ai effectivement accordé cette danse à Ian, dit-elle à mi-voix, laissant le frère de Liz la conduire vers la piste.

Charlene se sentait mal à l'aise. Les bras passés autour du cou de Ian, elle prenait soin de garder ses distances. Pourtant, elle avait la sensation d'être collée contre lui. Jamais, avec aucun autre cavalier, elle n'avait eu pareille conscience du lien physique qui réunissait leurs corps, de la position respective de leurs mains, de leurs jambes…

Elle se mordit la lèvre pour s'encourager. Pourquoi avait-il fallu que Ian vienne la secourir au début d'un slow ? La chanson de Céline Dion lui parut interminable.

— Qu'est-ce que vous avez pensé du petit chien ? demanda-t-il.

— Il est adorable, répondit-elle sans le regarder.

Ian changea de position pour l'obliger à tourner son visage vers lui, mais elle s'obstina à s'intéresser aux lassos et aux miroirs publicitaires accrochés aux murs de bois de la salle, à Bear, le barman, à Jon Small en discussion animée avec Keith, aux clients qui entraient et sortaient…

— Vous allez l'adopter ? reprit-il de sa voix chaude et grave.

— Non.

Il se pencha en arrière pour l'obliger à lever la tête.

— Pourquoi ? Ce serait un bon dérivatif pour les filles. Bailey n'a vraisemblablement plus très longtemps à vivre.

— Je sais, mais… Plus tard, éventuellement, dit-elle pour esquiver la vraie raison, d'ordre financier.

— C'est la race qui ne vous convient pas ?

— Non, non.

Il se tut, intrigué, et Charlene observa, par-dessus son épaule, Beth et Alex. De toute évidence, aucun des deux n'escomptait terminer la nuit seul.

Dans ce cas, peut-être pourrait-elle emprunter la voiture de Beth ? se dit-elle.

— Qu'est-ce qui ne va pas ? demanda Ian.

— Rien.

— Qu'est-ce qui ne vous a pas plu chez ce chien ?

— Vous pourriez arrêter sur ce sujet ? s'énerva Charlene. Je l'adore ! Seulement… je n'ai pas les moyens de l'adopter pour le moment.

— Mais c'est un animal de la SPA !

— Il faut quand même compter cent soixante dollars de frais. Ce n'est pas grave… Je prendrai un autre chien, un jour.

Il essaya de la serrer davantage contre lui, mais elle résista.

— Vous savez que je vais finir par attraper un tour de reins, si vous ne vous détendez pas, soupira-t-il.

— Vous espériez un accueil plus chaleureux ?

— Peut-être pas chaleureux. Mais je pensais que danser avec vous serait un tout petit peu plus agréable que de tenir dans mes bras un mannequin de cire.

— Je ne suis pas si raide que ça ! se récria-t-elle.

En guise de réponse, il lui adressa une moue dubitative.

— Avec quelqu'un d'autre, je ne serais pas comme ça.

— Prouvez-le !

— Comment ?

— Faites comme si j'étais quelqu'un d'autre.

Du coin de l'œil, Charlene vit Keith sur le bord de la piste, en compagnie de Jon, qui le suivait désormais partout comme une ombre. Elle savait que son ex-mari reviendrait à la charge si elle s'éloignait de Ian.

Elle décida de faire contre mauvaise fortune bon cœur et s'abandonna à la musique… et aux bras de son cavalier. Elle posa sa tête sous le menton de Ian, ses lèvres à portée de la veine qui palpitait dans son cou. Elle sentit le contact de sa poitrine virile contre ses seins, le mouvement érotique de ses hanches qui s'accordait au rythme des siennes.

Loin de lui faire ironiquement remarquer, comme elle le craignait, qu'il n'en avait pas tant espéré en lui demandant de se détendre, il arrêta carrément de parler et plaça résolument les mains au creux de ses reins. Mon Dieu que c'était bon ! Elle se blottit encore plus près de lui. Elle était tellement lasse. Lasse de la douleur et de la déception qui ne la quittaient pas, lasse des responsabilités qu'elle devait assumer, lasse des décisions à prendre. Pour le moment, elle n'aspirait qu'à se laisser emporter par la musique, loin de ses soucis.

Elle y réussit si bien que, lorsque à la fin de la chanson Ian s'écarta d'elle, elle eut l'impression qu'on lui arrachait la chaude protection d'une couverture.

Elle était décidément trop dépendante de la présence d'un homme dans sa vie, se reprocha-t-elle en s'ordonnant de remercier Ian pour son aide et d'oublier la façon dont il l'avait serrée contre lui.

Mais Keith la surveillait toujours. Quant à Alex et Beth, ils étaient tendrement enlacés, perdus dans leur monde à eux, insensibles à ce qui les entourait.

Par un mouvement presque réflexe, elle retint Ian par le bras avant qu'il n'ait le temps de s'éloigner.

— Vous pourriez me raccompagner chez moi ? demanda-t-elle sur une impulsion.

La question les surprit tous les deux.

— Tout de suite ?

— Oui, dit-elle tandis qu'un autre tube de Céline Dion, tiré du film *Titanic*, démarrait.

— Et puis non, rectifia-t-elle. Après ce slow.

Elle se glissa entre ses bras avant même qu'il n'ait pu réagir. Tant pis si elle se montrait trop entreprenante. Il lui avait dit d'imaginer qu'il était quelqu'un d'autre et sa ruse fonctionnait à merveille : elle aurait volontiers dansé toute la nuit avec lui.

Tandis qu'il raccompagnait Charlene chez elle, Ian se sentit submergé par un torrent de sensualité exacerbée au souvenir des slows langoureux qu'elle lui avait accordés. C'était la première fois qu'il tenait ainsi une femme dans ses bras depuis l'amourette qu'il avait eue avec une de ses assistantes lors de son dernier séjour au Congo. Une affaire de si peu de conséquence que la danse avec Charlene lui avait semblé plus pleine d'intimité que les ébats amoureux qu'il avait partagés alors avec cette femme.

— Quelqu'un garde les filles ce soir ? demanda-t-il pour faire la conversation.

Il espérait ainsi empêcher ses pensées de vagabonder sur des chemins interdits, parce que, en supposant même que Charlene accepte, il ne pouvait envisager une liaison avec elle. Il porterait un coup trop dur à Liz. En outre, il soupçonnait que Charlene ne cherchait pas une simple aventure. Or, il n'était que de passage à Dundee : une fois sa bourse obtenue, il partirait.

— Non, je n'ai pas eu besoin de baby-sitter, parce qu'elles sont au Texas avec leurs grands-parents, dit-elle en fixant résolument la route.

— Pourquoi le Texas ?

— Ils sont allés voir le frère de Keith.

— A Baylor ?

Elle acquiesça de la tête et tourna enfin vers lui ses yeux magnifiques, bordés de longs cils, qu'il admirait tant. Malgré lui, la vision fulgurante de Charlene le regardant pleine de désir tandis qu'il lui enlevait son corsage lui traversa l'esprit… Il toussota.

— Vous connaissez le Texas ?

— Non.

Il s'arrêta au carrefour où il devait tourner et ne démarra pas quand le feu passa au vert, intrigué par les deux points lumineux qu'il vit dans son rétroviseur extérieur : les phares d'une jeep.

— C'est vert, dit Charlene.

— Je crois que Keith nous suit, annonça-t-il en prenant son virage.

Cette nouvelle ne ravirait pas sa passagère, il s'en doutait. Mais, pour sa part, Ian fut presque soulagé, car ainsi il ne serait pas tenté de profiter de la vulnérabilité qu'il décelait chez Charlene ce soir.

Ce fut uniquement par acquit de conscience que Charlene se retourna pour vérifier les dires de Ian.

Keith ne prenait aucune précaution pour ne pas être repéré et, lorsque Ian s'engagea dans l'allée de Charlene, il se gara le long du trottoir.

— Qu'est-ce qu'on fait, à votre avis ? demanda Ian quand Charlene ne fit pas mine de vouloir descendre. Voulez-vous que je lui dise de partir ?

Elle considéra la masse sombre et déserte de sa maison dans l'obscurité, puis se tourna de nouveau pour observer son ex-mari. Assis au volant de sa jeep, dont le moteur continuait à tourner, il les regardait d'un air mauvais.

— Non, je vous invite.

— Je ne crois pas que ce soit une très bonne idée, objecta Ian, pris au dépourvu.

Elle insista avec un sourire espiègle.

— Pourquoi ? Quand vous avez offert une sucette à Isabella, c'était bien parce que vous vouliez qu'on soit amis, non ?

Des amis ? Autant demander au Grand Méchant Loup de sauter à la corde avec le Petit Chaperon Rouge. Ce n'était pas de se lier d'amitié avec elle dont il rêvait, mais de l'entraîner au lit. Inutile cependant de le lui faire savoir, d'autant plus qu'il parviendrait vraisemblablement à maîtriser ses ardeurs si elle-même se montrait réservée.

— Je vous servirai un verre de vin et, en échange, vous me parlerez de l'Afrique.

Il s'imagina seul avec elle dans la maison vide et silencieuse...

— Non, je ne préfère pas, Charlene. Pas avec Liz et tout ce qui s'est passé.

« Et alors que je n'ai pas rencontré de femme aussi séduisante depuis bien longtemps », ajouta-t-il pour lui-même.

— Je croyais qu'on devait jouer à être quelqu'un d'autre ce soir ? le provoqua-t-elle.

Une tactique qu'il n'était pas sûr de bien maîtriser... Cependant, il ne pouvait non plus se résoudre à laisser Charlene seule chez elle, à la merci de Keith qui, de toute évidence, ne reculait devant rien.

— Quelques minutes seulement, alors.

Ian alluma un feu dans la cheminée pendant que Charlene préparait deux verres de vin. Quelques instants plus tard, elle entendit un grand coup frappé à la porte et, par le judas, découvrit son ex-mari. Elle prit une profonde inspiration avant d'entrouvrir la porte, sans le laisser entrer.

Keith essaya de voir à l'intérieur de la maison, au-delà de Charlene. Bien sûr, il cherchait Ian, mais elle maintint la porte entrebâillée, n'offrant à son regard que le reflet orangé du feu dans la cheminée du salon.

— Qu'est-ce que tu veux, Keith ?

— Savoir combien de temps il va rester là, seul avec toi.

— Tant que nous en avons envie, répondit-elle en repoussant doucement du pied Bailey qui l'avait rejointe.

Le visage de Keith s'assombrit.

— A quoi tu joues, Charlene ?

— A rien. J'ai invité un ami à passer la soirée chez moi, c'est tout.

— Parce que Ian est ton ami, maintenant ? Et Liz aussi ?

— Je commence à croire que je pourrais davantage compter sur elle que sur toi, rétorqua-t-elle. Peu importe. De toute façon, s'ils sont à Dundee, c'est à cause de toi.

Il resta quelques secondes pantois.

— Tu es injuste ! Je leur ai demandé de retourner à Los Angeles parce que je savais que tu n'avais aucune envie de les voir ici. J'ai supplié Liz de partir, mais elle a refusé à cause des enfants.

— Ce qui prouve qu'elle s'inquiète davantage que toi de leur sort. Tu baisses encore dans mon estime, mon pauvre Keith, ajouta-t-elle d'un air affligé en hochant la tête.

— Mais je savais que tu ne reprendrais jamais avec moi si… Comment est-ce que je pouvais deviner… M'attendre même… Ecoute, j'aime tous mes enfants, mais…

— Pas autant que tu t'aimes toi-même, coupa-t-elle.

Cette remarque sembla tellement ébranler Keith, que Charlene regretta de ne pas avoir tourné sept fois la langue dans sa bouche. Certes, elle avait visé juste, mais n'avait eu aucune intention de le blesser à ce point, lui qui s'était suffisamment fait de tort à lui-même. Elle voulait simplement qu'il la laisse tranquille pour qu'elle puisse recommencer sa vie.

— Pas autant que je t'aime, toi, murmura-t-il.

— Ça finira par te passer !

— Je ne veux pas que ça me passe, Charlene !

Elle entendit alors Ian s'approcher et lui fut reconnaissante de sa présence rassurante.

— Rentre chez toi, Keith, dit-il.

Keith les regarda tour à tour.

— Comment oses-tu te mêler de ça ? Ce ne sont pas tes affaires. De quel droit est-ce que tu…

— Quoi ?

— Ne la touche pas, Ian. Tu m'entends ? Ne la touche pas.

— Nous sommes adultes, Keith. Nous ferons l'amour jusqu'à l'aube si le cœur nous en dit, déclara Charlene en claquant la porte.

Quand elle sentit le regard de Ian braqué sur elle, au lieu de se tourner vers lui, elle se baissa pour caresser la tête de Bailey et écarta les rideaux afin de surveiller Keith.

Il fit les cent pas sur la pelouse pendant quelques minutes avant de hurler un juron accompagné d'un doigt d'honneur dans leur direction, de gagner sa jeep et de démarrer rageusement dans une gerbe de gravillons.

— Je parie qu'il va revenir tout à l'heure, dit Ian derrière son dos.

— Je sais, acquiesça-t-elle en se redressant avec une volte-face.

— Il n'a pas les clés de la maison, au moins ?

— Non. Avec lui, c'est difficile de faire semblant d'être quelqu'un d'autre, s'excusa-t-elle avec un pâle sourire.

— Tant mieux. Parce que vos yeux sont irrésistibles et c'est vous et personne d'autre qui me plaisez.

Charlene sentit son cœur s'affoler quand il accrocha son regard et comprit alors d'où venait la colère qu'elle éprouvait à son encontre : elle s'en voulait de le trouver terriblement beau. Quelle femme, en effet, accepterait facilement de désirer son ennemi ?

Ian était-il réellement son ennemi ? se demanda-t-elle, soudain assaillie par le doute.

— Tout ça va être bien compliqué, murmura-t-elle.

— Pas si nous l'empêchons.

— Exact, approuva-t-elle en inspirant profondément.

— Je peux m'en aller, maintenant ?

— Non.

Elle l'examina un long moment, en s'attardant sur ses cheveux bruns bouclés, l'or de ses yeux, les traits virils de son visage, puis lui tendit la main, en se demandant s'il allait l'accepter. Mais elle devinait l'attirance qu'elle exerçait sur lui…

Il hésita un bref instant avant de lui prendre la main.

— Tu ne facilites rien, Charlene, soupira-t-il.

— Je m'en moque, répliqua-t-elle avec un sourire en sentant la chaleur de la peau de Ian se diffuser en elle. Parle-moi de l'Afrique.

# 17.

Keith attendait que Liz lui ouvre sa porte en tournant en rond, animé d'une rage qu'il contenait à grand-peine, tant savoir Ian et Charlene seuls dans la ferme l'enrageait.

Quand Liz apparut enfin, il la bouscula pour entrer et essaya de l'embrasser, avec une violence qu'il était incapable de dominer plus longtemps. Il ne supportait plus d'avoir perdu tout contrôle sur sa vie et échoué à reconquérir ce qui lui manquait le plus. Si Charlene lui était devenue inaccessible, il se contenterait de Liz. Il ne pouvait imaginer être dépossédé à jamais des deux familles qu'il avait fondées. Il avait largement payé pour ses erreurs à présent !

Mais Liz esquiva son baiser et se débattit jusqu'à ce qu'il la lâche.

— Ça ne va pas, non ? siffla-t-elle, des éclairs furibonds dans les yeux.

Elle n'éleva pas la voix, mais Keith comprit que seule la crainte de réveiller les enfants la retenait.

— Je me suis suffisamment confondu en excuses, me semble-t-il. Je regrette ce que j'ai fait, de toute mon âme. Il est temps que tu me pardonnes, maintenant.

Il vit Liz secouer la tête d'un air navré comme s'il venait de proférer une absurdité. Lui, cependant, ne voyait rien d'absurde dans ses propos : il ne comprenait pas comment Liz, aussi bien que Charlene, qui toutes deux lui avaient voué un si grand amour, pouvaient se détourner de lui. Il passait des heures à errer à travers les pièces désertes de la maison qu'il avait autrefois partagée avec Charlene, sidéré par ce brutal revirement.

— Je ne crois pas que tu sois bien placé pour décider quels sentiments je dois éprouver, déclara-t-elle.

— Mais je suis libre maintenant, Liz. Plus aucun obstacle ne se dresse entre nous. Je n'ai plus personne d'autre dont je doive me soucier, plus de secrets non plus. Je pourrai désormais te consacrer toute mon attention, à toi seule.

— C'est trop tard, Keith.

— Pourquoi ?

— C'est comme ça, point final, dit-elle avec un haussement d'épaules.

— Je serai irréprochable. Je… mettrai tout en œuvre pour que tu oublies Charlene à jamais.

— Tu sais très bien que c'est impossible. Il fallait réfléchir avant aux conséquences de ta conduite.

— Tu pourrais me pardonner, s'écria-t-il en lui saisissant la main.

Elle se dégagea vivement.

— En admettant même que j'en sois capable, ce n'est pas moi que tu veux, mais Charlene. Tu as été parfaitement clair là-dessus.

Sans trop y croire, Keith joua sa dernière carte. Il avait besoin de s'accrocher à l'espoir qu'il pourrait de nouveau mener un semblant de vie normale qui lui permettrait en même temps de conserver un peu de sa dignité face à Charlene.

— Ce n'est pas vrai, Liz. Je t'aime. Regarde tout ce que je t'ai donné. C'est à toi, et non à Charlene, que j'ai acheté une montre en diamants. Tu as une maison nettement plus belle que la sienne, une nounou à mi-temps…

— Moi aussi je travaillais, Keith. A part la montre, le reste on l'a payé tous les deux.

196

— Tu avais droit à une plus grosse part de mon salaire qu'elle !

— On se demande pourquoi.

— Pour que tu sois heureuse.

— Non, c'était pour que, toi, tu sois heureux, Keith. Le train de vie que tu maintenais avec ta belle maison, ta jolie femme, la nounou, ta carte au club de tennis, c'était un luxe que tu t'offrais : tu jubilais de pouvoir jouer un personnage totalement différent de celui que tu es ici à Dundee.

— Tu n'es pas juste. J'ai fait tout ça pour toi.

— Si c'était le cas, ce qui est arrivé n'aurait pas été possible, dit-elle doucement. Maintenant, Keith, je te prie de partir.

— Quoi ?

— Je ne veux pas que tu mettes les pieds dans cette maison, en dehors des visites aux enfants.

— Tu ne peux pas me flanquer dehors.

— Si. Je peux même réveiller Ian si tu refuses d'obtempérer.

— N'importe quoi ! lança-t-il sur un ton méprisant. Ton grand méchant frère n'est même pas là.

Elle se redressa mais ne démentit pas.

— Ça ne t'intéresse pas de savoir où il est ? demanda-t-il avec un sourire méchant.

— Non, pas particulièrement.

— Il est avec Charlene. C'est pas une garce, ça ? Et, à mon avis, ils ne sont pas en train de regarder un livre d'images…

— Fiche le camp ! ordonna-t-elle, poings serrés.

Quand il lut, sur le visage de son ex-épouse, la profonde répugnance qu'il lui inspirait, Keith cessa enfin de s'aveugler sur les sentiments réels de Liz.

— Oublie que je suis venu, va ! Quand Ian partira d'ici, Charlene se rendra compte de ce qu'elle a perdu avec moi et elle me reviendra. Tu verras. Et alors, tu regretteras de ne pas avoir saisi ta chance quand tu le pouvais.

Sur ces belles paroles, il sortit à grandes enjambées rageuses en claquant la porte. Il espérait secrètement qu'elle courrait après lui et le supplierait de revenir discuter calmement, comme elle en avait l'habitude après une dispute… Malheureusement, il n'entendit que le verrou qu'elle tira derrière lui…

Allongé sur le dos à même le sol, Ian s'absorbait dans la contemplation du plafond afin de résister à la tentation de toucher Charlene qui, couchée perpendiculairement à lui, avait posé la tête sur sa poitrine. Les flammes crépitaient dans l'âtre, devant eux, et un parfum de résine et de fumée flottait dans l'air. Les doubles rideaux, en l'isolant de l'extérieur, conféraient à la pièce chaleur et intimité. Ils étaient tous les deux détendus, même si l'atmosphère, elle, n'était pas dépourvue d'une certaine électricité, de celle, subtile et insidieuse, qui naît d'un désir inassouvi.

— Le français est encore utilisé en Afrique ?

— La colonisation a laissé des traces profondes sur l'ensemble du continent, expliqua-t-il en s'autorisant à jouer avec une mèche des cheveux de Charlene.

— Tu sais parler français ? demanda-t-elle en caressant Bailey qui était venu se blottir contre elle.

— Oui, je parle français, dit-il avec un gros accent.

Il fut tenté de continuer, de lui dire qu'il la trouvait belle, mais elle insisterait pour qu'il traduise…

— En quoi les éléphants des forêts peuvent-ils intéresser un biologiste américain ?

— Parce qu'ils constituent une espèce menacée. En soixante-dix ans, leur nombre, en Afrique, est passé de cinq millions à seulement cinq cent mille, dont un tiers d'éléphants des forêts. Il est donc important de les surveiller.

— Cela sert-il à quelque chose face à l'augmentation de la population humaine et la destruction de la forêt ?

— Bien sûr. Si on connaît bien leur habitat et leurs déplacements, on peut déterminer la superficie de forêts qu'il faut protéger pour qu'ils disposent d'un espace vital suffisant.

— Je ne crois pas avoir entendu parler des éléphants des forêts auparavant, reprit-elle d'un ton rêveur après un long silence.

— On les appelle aussi parfois « éléphants nains ».

— Ça ne m'évoque rien non plus. Mais l'Afrique ne fait pas partie des sujets de conversation quotidiens, par ici. Je ne connais personne qui soit allé là-bas, à part toi.

— En général, l'image qu'ont les gens est celle de l'éléphant des savanes.

— Les énormes bêtes qu'on voit traverser d'immenses plaines herbeuses dans les films ?

— Exactement. A une époque, on pensait qu'il n'en existait que deux espèces dans le monde : l'africain des savanes et l'asiatique.

Pourquoi entrer dans tous ces détails, dont elle se moquait très probablement ? s'interrogea-t-il. Tout simplement parce que, s'il s'arrêtait de parler, il craignait que ses mains ne prennent le relais.

— Mais, grâce à l'ADN, on s'est aperçu qu'en fait, l'éléphant des forêts appartient à une troisième espèce aussi éloignée des deux autres que le lion l'est du tigre.

— Et d'apparence aussi, ils sont différents ?

— Oui ! Les éléphants des savanes peuvent atteindre quatre mètres de hauteur.

— Et ceux des forêts sont plus petits ?

— Nettement. Le plus gros des mâles ne dépasse pas deux mètres cinquante. Leurs oreilles sont plus arrondies, aussi…

Charlene se redressa pour boire une gorgée de vin et lui tendit son verre avec un sourire qui ébranla Ian jusqu'au plus profond de son être, car il y lut qu'elle était en proie au même désir lancinant que lui. Il faillit l'attirer vers lui pour goûter à ses lèvres… Non, une relation entre eux n'était pas envisageable…

— Tu parlais de la forme de leurs oreilles, relança-t-elle.

Trouvant difficile de se concentrer quand elle le regardait, il attendit qu'elle ait repris sa position avant de poursuivre son exposé sur tout ce qui distinguait les deux pachydermes africains.

— Tu les adores vraiment ! commenta-t-elle en se retournant sur le ventre pour s'appuyer sur ses avant-bras.

— Ce sont des animaux extraordinaires, admit-il avec un sourire.

— Mais ils risquent de disparaître rapidement parce qu'ils n'ont plus d'endroits pour vivre, c'est ça ?

— Oui, et aussi parce que les braconniers les tuent pour leur ivoire, dit-il en reprenant son sérieux.

— Laissons cet aspect-là des choses pour le moment, décida-t-elle en buvant une autre gorgée de vin. Raconte-moi comment on s'y prend pour pister un éléphant des forêts.

Il croisa les mains derrière sa tête.

— Eh bien... Nous établissons notre base près d'Ouesso, dans le nord du pays. A partir de là, soit nous pénétrons dans la forêt en bateau, soit nous la contournons en Land Rover. Il nous arrive aussi de marcher jusqu'à des campements.

Bailey leva alors la tête pour lécher la main de Charlene avant de reposer son museau sur ses pattes.

— Comment va-t-il ? demanda Ian.

— Pas très bien. Je devrai probablement le faire piquer, mais j'espère qu'il tiendra encore quelques mois.

Ian ne put résister à l'envie de la consoler et, se penchant vers elle, il lui souleva le menton.

— Je suis triste pour toi.

— C'est la vie, dit-elle. Bon, revenons à des choses plus gaies. Tu me racontais comment tu partais sur la trace de tes éléphants.

Il retira sa main de peur de recourir à des moyens plus directs pour lui faire oublier Bailey...

— Oui... Eh bien... Ils ont beau peser deux tonnes et demie, ils sont difficiles à trouver, à cause de la densité de la végétation dans la jungle.

— Et quand tu en vois un, qu'est-ce que tu fais ?

— Je l'anesthésie pour l'immobiliser et lui mettre un collier de télémesure muni d'un émetteur GPS.

— Un collier ?

— Tu es si…

— Si quoi ?

— Splendide.

— Tu ne crois pas que c'est un peu exagéré ? répliqua-t-elle dans un éclat de rire.

— Ah ça, non !

— Tu as trop bu, à mon avis.

— Il m'en faut plus pour me soûler, je t'assure. Qu'est-ce que je disais ? demanda-t-il en s'éclaircissant la voix.

— Les colliers.

— Ah oui… Les colliers GPS. Ils pèsent dans les treize à quatorze kilos.

— Décidément ! Ce n'est pas un métier de tout repos !

Avant de poursuivre, il but une gorgée de vin.

— C'est très excitant. On n'est jamais sûr de trouver des éléphants.

— Si je devais un jour tomber nez à nez avec une de ces bestioles, j'aimerais bien avoir une armée derrière moi. Ne me dis pas que tu es seul.

— Je dispose de toute une équipe. Des scientifiques, des délégués de différentes organisations de défense de la nature, un vétérinaire, des chasseurs locaux…

— C'est tout ?

— La dernière fois, j'avais aussi une assistante de terrain, dit-il en taisant la liaison qu'il avait entretenue avec elle.

Tout cela semblait si loin, songea-t-il en dégageant le visage de Charlene d'une mèche de cheveux égarée.

— Ce doit être dangereux malgré tout.

— Un peu, mais le jeu en vaut la chandelle.

— A quelle distance faut-il s'approcher ?

— A moins de cinquante mètres. Quand j'ai piqué mon premier mâle, j'étais dans un bai…

— Qu'est-ce que c'est ?

— Une grande clairière humide et herbue. Les animaux viennent boire là. Bref. Il y avait une mare d'un mètre de profondeur, dans laquelle j'ai dû pénétrer pour me cacher. Et, continua-t-il en riant au souvenir de la scène, quand la fléchette anesthésiante l'a touché, il s'est mis à lancer de l'eau en tous sens avec sa trompe, en aspergeant tout le monde. On a dû attendre sous cette douche pendant trois minutes, qui nous ont paru des heures, avant de savoir dans quelle direction il s'enfuirait.

— Et ?

— Il s'est enfoncé dans la forêt. Nous nous sommes élancés à ses trousses, les chasseurs en tête. On a couru pendant un quart d'heure avant de le rejoindre. Une sacrée poursuite !

— Et tu as renoncé à cette vie d'aventures pour travailler à la coopérative de Dundee ?

Malgré l'apparente légèreté du ton, il décela une note plus sérieuse dans sa question. Elle cherchait vraisemblablement à vérifier les raisons exactes de sa venue à Dundee et la durée de son séjour.

— Ma situation professionnelle va bientôt s'améliorer. Tu n'as pas oublié que j'ai obtenu un poste dans ton lycée, j'espère.

— Mais ce travail ne te satisfera pas plus que le précédent, si ?

Au lieu de répondre tout de suite, il s'assit, vida son verre, puis se leva. Il se faisait tard et Liz allait s'inquiéter.

— C'est vraisemblable, finit-il par admettre.

Il désirait Charlene. Il rêvait de la tenir nue entre ses bras en se réveillant le matin, de prendre le petit déjeuner avec elle… Mais elle n'accepterait pas une aventure de passage. Elle avait trois enfants et méritait quelqu'un qui s'engage pour la vie. Sans compter qu'il y avait Liz, Keith, le passé...

— C'est bien ce que je pensais, dit-elle.

— Charlene, si les choses n'étaient pas ce qu'elles sont..., commença-t-il en lui prenant les mains.

Elle se dégagea aussitôt.

— Pas besoin d'expliquer. Je comprends.

— Je ne veux pas te faire souffrir.

— Moi non plus, dit-elle avec un sourire et un imperceptible haussement d'épaules.

Si elle n'avait pas montré autant de force d'âme, il aurait certainement réussi à s'en aller. Mais ses yeux pétillants débordaient de vitalité, de détermination à ne jamais s'avouer vaincue.

Il l'attira à lui et, les mains posées dans la cambrure de ses reins, la serra contre son corps. Il cherchait un prétexte pour enfreindre la règle qu'il s'était lui-même fixée. C'est elle-même qui, en le provoquant, le lui offrit.

Il s'apprêtait à goûter à ses lèvres, s'autorisant cette petite entorse. Mais il avait sous-estimé Charlene qui, avec un sourire malicieux, tourna la tête au dernier moment, ne lui laissant que sa joue à effleurer.

— Bonne nuit, dit-elle en se portant hors d'atteinte.

— Ne me mets pas à l'épreuve, murmura-t-il, quand il fut certain qu'elle avait parfaitement conscience de ce qu'elle suscitait en lui.

— Pourquoi pas ?

— Parce que tu sais très bien ce dont j'ai envie.

— Et ?

— Ce ne serait raisonnable pour aucun de nous deux.

— Peut-être que j'en ai assez d'être raisonnable, rétorqua-t-elle. Mais, très bien. Je respecte ton souhait. Bonne nuit.

Ian n'eut pas le temps de dire « ouf ». Il se retrouva sous la véranda, la porte soigneusement fermée derrière lui.

« Peut-être que j'en ai assez d'être raisonnable. » Les mots de Charlene résonnaient. Eh bien, si elle cherchait des volontaires pour une nuit d'amour torride, il voulait être le premier. Mais une autre voix, celle de la conscience, se fit entendre. Et celle-là lui disait : « Tu devrais être satisfait que la soirée se soit terminée sans faux pas. Pense à Liz. »

Pourtant, il frappa à la porte.

— Tu as oublié quelque chose ?

Il poussa le battant pour la forcer à l'ouvrir davantage.

— Oui, ça.

Il l'attrapa, l'attira contre lui et l'embrassa avec fougue, sans lui laisser l'occasion de s'esquiver, ce qu'elle ne tenta d'ailleurs pas de faire. Elle passa les bras autour de son cou en cambrant les reins contre lui, avec un gémissement. Puis elle entrouvrit les lèvres et le laissa s'enivrer jusqu'à ce que le désir lui coule dans les veines.

Quand, enfin, il la libéra, ils étaient tous deux hors d'haleine et vacillants.

— Certaines personnes ne savent pas ce qu'il leur faut, murmura-t-il en considérant le visage en feu et les paupières mi-closes de Charlene.

— C'est à moi que tu fais allusion ?

— Peut-être à moi aussi, répondit-il sans ciller devant son regard de défi.

— Eh bien, considère ce baiser comme un souvenir de moi, dit-elle.

Il entendit de nouveau la porte se fermer.

Dieu qu'elle était enrageante ! Pourquoi ne pouvait-elle accepter le fait qu'il existait entre eux une attirance très forte avec laquelle il valait mieux ne pas jouer, dans l'intérêt de tout le monde ? Au lieu de cela, elle lui avait fait miroiter la perspective de moments délicieux dont il regretterait plus tard de ne pas avoir profité.

« Rentre chez toi. Envoie ton dossier de bourse et fiche le camp de Dundee », s'adjura-t-il. Cette femme, qui ne ressemblait à aucune de celles qu'il avait connues, risquait d'anéantir l'avenir qu'il s'était prévu.

D'un autre côté, si elle pouvait supporter cette tension, pourquoi lui n'y parviendrait-il pas ?

Il se mit de nouveau à cogner sur la porte.

— Ce n'était qu'un échantillon, cria-t-il. Mais s'il te prend l'envie de m'inviter une nouvelle fois, tu as intérêt à être sûre de ce que tu cherches.

Et il s'en alla.


Quand, en se garant dans l'allée, Ian vit la lumière brûler dans la cuisine, il comprit que Liz n'était malheureusement pas encore couchée.

— Ian ? appela-t-elle alors qu'il n'avait pas encore fermé la porte.

— Oui. C'est moi.

Vêtue d'un élégant peignoir de soie beige, elle s'arrêta sur le seuil de la pièce. Elle semblait avoir encore perdu du poids, constata Ian qui s'inquiéta une nouvelle fois pour sa santé. Elle ne s'épanouissait visiblement pas à Dundee, où elle ne s'était liée d'amitié avec personne. Même avec Keith, qui appelait de temps en temps, elle gardait ses distances.

Non pas qu'il espérât qu'elle se montre plus chaleureuse avec son ex-mari ! Il voulait simplement qu'elle récupère, qu'elle redevienne la personne qu'elle était avant que Keith ne pulvérise le bonheur qu'elle avait connu au cours des années passées.

— Tu t'es bien amusé ? demanda-t-elle.

Il devina, à la tension dans ses épaules et dans ses traits, qu'elle savait d'où il venait.

— Si on veut. Pourquoi ? Keith a appelé ?

— Il est passé, en fait, répondit-elle en l'observant. Il était furieux.

— De quel droit continue-t-il à t'embêter ?

— J'ai fini par lui dire que j'allais te tirer du lit, s'il ne partait pas.

— Je suis désolé.

Elle resta muette.

— Je t'aurais parlé de Charlene moi-même. Tu me crois, Liz, n'est-ce pas ?

— Tu as le droit de choisir tes fréquentations.

— Bien sûr, mais… Je peux comprendre ce que tu ressens vis-à-vis de Charlene. J'aimerais bien… j'aimerais bien ne pas être autant attiré par elle, termina-t-il en enfonçant les mains dans ses poches.

Il vit sa sœur ouvrir la bouche, la refermer et disparaître dans la cuisine.

— Vas-y ! Dis-le !

— Dire quoi ?

Il la suivit. Elle s'était déjà installée pour coudre les rideaux qu'elle avait promis à Mica pour sa chambre. Ian trouvait malsain qu'elle passe tout le temps libre que lui laissait son travail à l'épicerie sur des activités liées aux enfants. Il aurait voulu qu'elle pense à elle aussi.

— Ce que tu as sur le cœur. C'est dur pour moi de craindre à chaque instant que tu te brises en mille morceaux. On ne pourrait pas parler… franchement ? suggéra-t-il en pensant à la façon dont Charlene affrontait la réalité.

— Il n'y a rien à dire. Tu l'aimes bien, pas moi.

— Tu ne la connais pas vraiment.

— Rien ne nous destine en effet à devenir amies.

— Tu sais que je vais bientôt retourner en Afrique, lui rappela-t-il en s'asseyant.

— C'est justement pour cette raison que je ne comprends pas ce que tu fabriques. S'il ne s'agissait que de moi, je n'aurais aucun droit de te demander de ne pas la voir. Mais enfin, Ian, tu as pensé à elle ? J'ai beau être jalouse, j'ai beau la détester parce que, encore maintenant, Keith l'aime plus qu'il ne m'a jamais aimée moi, je sais par quelle épreuve elle est passée. Pourquoi sors-tu avec elle alors que tu vas partir ?

— Parce que... elle a quelque chose en elle qui m'accroche, Liz. Je ne sais pas comment exprimer ça.

— Elle sait ce que tu ressens pour elle ?

— Elle est au courant de mon départ, dit-il en guise de réponse.

Seul le cliquetis des ciseaux de Liz troubla le silence qui suivit.

— Et elle, elle en est où par rapport à toi ? finit par demander Liz.

Il haussa les épaules pour montrer qu'il l'ignorait. Il était pourtant pratiquement certain que Charlene aurait fait l'amour avec lui ce soir s'il avait abordé la situation différemment, mais il n'était pas assez bête pour l'avouer à sa sœur. La franchise avait ses limites.

— Elle est guérie de Keith ?

— Elle en a tout l'air.

— Ian, je..., commença-t-elle en posant ses ciseaux et en se redressant.

— Quoi ?

— Tu souhaites toujours que je te parle franchement ?

— Oui.

— Comme de toute façon tu vas bientôt quitter Dundee, tu ne pourrais pas... éviter de la voir ? S'il te plaît, ajouta-t-elle d'une voix implorante.

Il regarda sa sœur, en se demandant pourquoi il lui était si difficile d'accéder à sa requête. Evidemment parce qu'il ne parvenait pas à maîtriser son attirance physique pour Charlene ! Cependant, s'il ne perdait pas de vue que son seul point commun avec elle était de connaître Keith — ce dont ils auraient pu se dispenser — et que

Charlene, avec trois enfants à élever, cherchait une liaison stable, il pensait pouvoir rester sourd à l'appel des sens.

— On va conclure un marché, Liz, finit-il par dire.

— Lequel ?

— Tu arrêtes d'appeler Dave Shapiro et moi je ne vois plus Charlene.

— Tu es au courant pour Dave ?

— Je me doute bien que tu ne subtilises pas la facture de téléphone sans motifs.

— On parle comme des amis, c'est tout. Il... il me donne quelque chose dont j'ai besoin en ce moment, Ian, rien de plus.

— Ce soir, Charlene aussi m'a semblé indispensable, avoua-t-il, en se remémorant avec émotion le baiser qu'ils avaient échangé.

— Tu as couché avec elle ?

— Non.

— Je ne peux rien espérer de sérieux avec Dave. Pas plus que toi avec Charlene.

— Dans ce cas, nous n'avons rien à perdre à rompre.

— Tu as raison, acquiesça-t-elle enfin.


Charlene avait eu l'intention d'arriver en avance pour être bien placée au spectacle annuel de l'école élémentaire Caldwell et ne pas croiser Liz ou Ian. Mais, au dernier moment, elle était retournée chez elle chercher le Caméscope qu'elle y avait oublié. Si bien que lorsqu'elle pénétra dans la salle polyvalente, Agnes Scott, l'organisatrice de la manifestation cette année, s'adressait à l'auditoire parmi lequel elle aperçut Liz et son frère.

Le local était plein à craquer. Charlene enleva sa veste, qu'elle mit sur son bras. Si, dehors, régnait la fraîcheur idéale d'une soirée de printemps, à l'intérieur, la chaleur était suffocante et incommoda d'autant plus Charlene que, comme chaque fois qu'elle se trouvait dans la même pièce que Liz, les gens épiaient leurs réactions. Charlene supportait difficilement cet intérêt malsain. Malheureusement, elle ne pouvait s'y soustraire aujourd'hui, car Jennifer devait présenter une de ses chorégraphies, Angela un numéro de claquettes et Isabella chanter *Somewhere Over the Rainbow* .

— Charlene !

Elle leva la tête et découvrit Keith en train de faire de grands gestes pour attirer son attention. Apparemment, il était revenu à temps de Boise où il avait accompagné son père à un rendez-vous médical…

« Je t'ai gardé une place ici, à côté de moi ! » lut-elle sur ses lèvres. Mais elle n'avait aucune envie d'entendre ses commentaires sur la visite de Ian chez elle le vendredi précédent. Il avait déjà essayé de lui téléphoner plusieurs fois, sans compter qu'il était repassé à la ferme après le départ de Ian cette nuit-là, ainsi que le jour suivant. Elle avait réussi à le chasser en le menaçant d'appeler Gabe qui, malgré son fauteuil roulant, continuait à intimider ses interlocuteurs d'un seul froncement de sourcils.

Charlene, en indiquant son Caméscope, lui fit signe qu'elle avait d'autres projets et traversa prestement la salle dans la direction opposée. Elle sentit que Ian la suivait des yeux, mais ne s'autorisa pas à le regarder, pas plus qu'à se laisser perturber par le froid dédain avec lequel Liz l'observait.

Les lumières s'éteignirent progressivement et un projecteur illumina la scène au moment où deux enfants de maternelle entraient présenter un tour de magie. Après les applaudissements de rigueur, ce fut au tour de Mica de s'avancer. Dans sa jolie robe et ses chaussures vernies noires, elle avait la classe de sa mère.

— Je vais vous jouer la *Sonate Au Clair de Lune* de Ludwig van Beethoven, annonça-t-elle dans le microphone avant de se diriger vers le piano qu'un organisateur avait poussé au milieu de la scène.

Charlene coupa son Caméscope. Angela, les rares fois où elle mentionnait Mica, en parlait maintenant avec un certain respect, mais Charlene ne voyait toutefois pas de raisons de faire figurer la fille de Liz sur les cassettes familiales.

Cependant, tandis que la fillette s'installait devant son instrument, Charlene commença à se reprocher sa mesquinerie. Mica était une enfant comme les autres et Liz… une femme comme les autres. Elles avaient souffert elles aussi, au moins autant que Charlene et ses filles.

Avec un soupir, Charlene remit sa caméra en marche, décidée à vaincre sa jalousie. Elle devrait se montrer plus généreuse dorénavant.

Mica joua de mémoire l'intégrale de la sonate sans une seule fausse note, malgré la difficulté du morceau, et l'accord final déclencha des applaudissements enthousiastes auxquels Charlene se joignit de bon cœur. La petite possédait décidément de multiples talents, car Angela avait déjà mentionné ses résultats scolaires exceptionnels.

Quand Mica salua timidement avant de quitter la scène, Charlene ne put s'empêcher de se retourner vers Ian, s'attendant à le voir entouré par des parents admiratifs. Si Liz, rayonnante de fierté, acceptait sans rechigner les compliments que les spectateurs lui prodiguaient sur sa fille, Ian, lui, était adossé au mur et la fixait.

Lorsque leurs regards se croisèrent, elle sentit son estomac se nouer. Ce qui s'était passé le vendredi précédent semblait les relier par un fil invisible : les heures passées ensemble à bavarder, sa description de l'Afrique, leur baiser à la porte et même ce que Ian lui avait crié avant de partir. « Ce n'était qu'un échantillon. Mais s'il te prend l'envie de m'inviter une nouvelle fois, tu as intérêt à être sûre de ce que tu cherches »…

Ils n'avaient pas repris contact depuis cette nuit-là, mais leur attirance mutuelle, loin de s'affaiblir, s'était plutôt renforcée. Elle devina qu'il avait toujours la même envie dévorante d'être près d'elle. Et elle aussi…

— Qu'est-ce que tu fais ? entendit-elle quelqu'un lui demander sèchement.

Charlene se força à se détourner de Ian… pour voir Keith surgir à côté d'elle.

— Rien, pourquoi ?

— Tu as les yeux rivés sur Ian.

— Non.

— Alors qui regardes-tu ?

— Personne. Arrête, un peu. Je suis contente pour lui et Liz, c'est tout. Mica s'est drôlement bien débrouillée.

— Quoi ? Tu es contente parce que Mica a bien joué ?

— Pas toi ?

— Bien sûr que si, mais…

Le visage de Keith sembla se déformer de douleur.

— Tu n'éprouves plus rien pour moi, n'est-ce pas ? C'est Ian qui t'intéresse.

— Je ne m'intéresse à personne en particulier.

— Il aime son travail, Charlene. Il passe des mois en Afrique et il adore ça. Il n'est pas prêt à rester ici à tes côtés.

— Toi par contre tu étais prêt ! lança-t-elle, incapable de résister à la tentation d'envoyer cette pique à Keith.

— Je le suis, maintenant, dit-il solennellement.

— Tu ferais bien de t'asseoir. Tu gênes les spectateurs.

— Il ne va pas se conduire comme il faut envers toi.

— Je suis assez grande pour m'occuper de moi, Keith.

Mme Devonish, une des institutrices, s'approcha d'eux.

— Keith, s'il te plaît, murmura-t-elle. Tu déranges la représentation.

Il s'excusa d'un signe de tête et, après un dernier regard furibond à l'intention de son ex-femme, s'éloigna tandis que Charlene se remettait à filmer le spectacle en se demandant si Keith avait raison. Ian l'intéressait-il vraiment ? Depuis lundi, elle relevait scrupuleusement sa boîte électronique, dans l'espoir de trouver une réponse au courriel de remerciement qu'elle lui avait adressé pour l'avoir raccompagnée chez elle et pour la bonne soirée qu'elle avait passée en sa compagnie. Où qu'elle aille, elle s'était mise à le chercher, lui ou son pick-up. Et la colère qu'elle avait ressentie quand elle avait appris qu'il allait enseigner dans son lycée s'était transformée en impatience. Elle savait qu'une relation avec lui ne pouvait être que temporaire mais, après tout, se dit-elle, elle avait bien le droit de s'amuser un peu…

Quand Isabella se présenta pour chanter sa chanson, un sourire de fierté illumina le visage de sa mère, qui applaudit à tout rompre quand la petite eut terminé.

Ses pensées revinrent alors à Ian. Que cela lui plaise ou non, elle devait se rendre à l'évidence : elle serait ridicule de laisser les choses déraper avec le frère de Liz. Elle s'en sortait déjà à peine entre la ferme, le lycée et l'éducation des filles. Elle n'allait pas en plus se lancer dans une aventure sans lendemain avec un homme qui allait bientôt disparaître dans la jungle africaine.

# 18.

— Tu t'es entiché d'elle, commenta Liz quand Mica et Christopher, le spectacle terminé, eurent filé au buffet reprendre une part de gâteau.

— Absolument pas, affirma Ian sans pouvoir détacher son regard de Charlene.

Il se régalait de la voir marcher, avec son jean taille basse qu'il affectionnait, un pull moulant et une paire de bottes très sexy, tandis qu'elle parcourait la salle à la recherche de ses filles tout en s'arrêtant ici et là pour bavarder avec des amis.

— Tu ressembles à un félin aux aguets, insista Liz.

— Je me suis engagé à ne plus la voir et j'ai tenu ma promesse, déclara-t-il en tournant délibérément le dos à la salle pour prouver à sa sœur qu'elle se trompait.

Il n'avait même pas cédé à la tentation de répondre à son courriel. Dieu sait que cela n'avait pas été facile !

— Et toi ? poursuivit-il. Pas de coups de fil dont tu aurais oublié de me parler ?

— J'ai trouvé un message sur le répondeur hier soir, dit-elle, d'un ton qui laissait penser qu'elle ne trouvait pas plus aisé que son frère de respecter leur accord.

— Tu as rappelé ?

— Non.

— C'est bien.

— Tu te fais de fausses idées sur Dave, tu sais. Et puis il habite à plus de mille kilomètres d'ici. Qu'est-ce que ça peut bien faire si…

— Liz ?

Ian sursauta, comme si un courant électrique l'avait traversé : c'était la voix de Charlene. Quand il se retourna, il la trouva à côté de lui, accompagnée de ses trois filles.

Liz, après un instant de stupéfaction, reprit contenance.

— Oui ? dit-elle du bout des lèvres.

— Je voulais juste vous féliciter. Mica a joué magnifiquement. Elle est vraiment très douée.

— Merci, murmura-t-elle, abasourdie. Vos filles aussi ont été parfaites.

— Eh bien, bonne soirée, dit Charlene, le visage illuminé par un sourire de triomphe qui, comme le soupçonna Ian, n'était pas uniquement suscité par sa fierté maternelle.

— Bonne soirée, répéta Liz mécaniquement.

Puis, quand Charlene et sa progéniture furent hors de portée de voix, elle murmura à son frère :

— Elle aussi t'apprécie. Ça crève les yeux.

— Ce n'est pas moi qu'elle a abordé, répliqua-t-il en regardant Charlene s'éloigner.


Charlene s'assit devant son ordinateur. Les filles, épuisées par les émotions de la journée, dormaient. Comme il ne restait qu'un jour de travail avant le week-end, elle s'autorisa une autre nuit écourtée. Quelque chose la tracassait davantage que le manque de sommeil : Ian s'appliquait de toute évidence à garder ses distances.

Pourquoi n'avait-il pas répondu à son courriel ? Ou téléphoné ? Pourtant, elle lui plaisait. Il avait dû manquer la moitié du spectacle tant il avait été occupé à la regarder !

Tandis qu'elle réfléchissait à l'attitude de Ian, ses yeux se posèrent sur Old Bailey, couché près du canapé, qui n'avait même plus la force de venir se blottir sur ses pieds. Elle allait devoir affronter la triste réalité un de ces jours…

L'euphorie qui l'avait envahie après sa courte conversation avec Liz se dissipa. Son chien était en train de mourir et elle avait besoin de parler à quelqu'un. Elle envisagea d'appeler ses parents, ou bien Gabe. Il y avait aussi Lucie… Beth… Tous seraient prêts à l'écouter et à l'aider. Mais c'était Ian qu'elle voulait entendre.

Elle vit sur sa liste de contacts qu'il était connecté et lui envoya un message instantané.

— Où es-tu ?

Aucune réponse. Soit il n'était plus devant son ordinateur, soit il n'avait pas envie d'entamer un échange avec elle. Charlene commençait à désespérer lorsque, tout à coup, deux mots s'affichèrent à l'écran.

— Chez moi.

— Bailey ne va pas fort. J'ai besoin de toi.

Elle s'arrêta de taper et relut plusieurs fois sa dernière phrase. Non. Elle ne pouvait envoyer à Ian un aveu aussi direct…

— J'ai besoin que tu me parles encore de l'Afrique, corrigea-t-elle.

— Tu crois que cela t'aidera ?

— Le sujet m'intéresse.

Il y eut un long blanc avant que n'apparaisse le message suivant.

— Je t'ai parlé des tribus pygmées ?

— Non.

— Les pygmées vivent dans les forêts les plus inhospitalières de l'est du Congo.

— Comment ils sont ?

— Les livres expliquent qu'ils vivent de la chasse et de la cueillette, qu'ils ont la peau foncée et mesurent un mètre cinquante.

— Et toi, qu'est-ce que tu dis ?

— C'est un peuple courageux qui se bat pour protéger sa culture et son environnement et attache une grande importance à la spiritualité. Ils chantent beaucoup.

— Quel genre de musique jouent-ils ?

— C'est une musique vocale très riche. Une sorte de tyrolienne avec un rythme hypnotisant.

Charlene perçut de nouveau la passion de Ian pour l'Afrique.

— Est-ce que les pygmées te manquent quand tu es aux Etats-Unis ?

— Parfois.

Charlene jeta un coup d'œil à Bailey. Que n'aurait-elle donné pour la présence de Ian à ses côtés !

— Parle-moi de leur mode de vie, écrivit-elle.

— C'est aux femmes que revient la charge de nourrir la tribu. Elles ramassent dans la forêt des ignames, des fruits, des champignons et du manioc et, à certaines époques de l'année, des termites, des chenilles et des escargots.

— Pour manger ?

— Délicieux !

— Au moins tes recettes gastronomiques m'aident à penser à autre chose !

— Ça ne va pas ?

— Je ne veux pas que Bailey meure.

— Je sais bien. Je comprends.

Elle sentit sa gorge se nouer et ne sut quoi écrire.

— Ce que tu as fait tout à l'heure... quand tu es venue féliciter Liz pour Mica... c'était vraiment gentil, lut-elle en souriant à travers ses larmes.

— J'ai des moments comme ça.

— Est-ce que Keith continue à te faire des remarques à propos de vendredi dernier ?

— De temps en temps. Ce soir il m'a accusée de ne pas te quitter des yeux.

— Il n'avait pas complètement tort.

— C'est seulement parce que je te trouve attirant physiquement.

— Tu adores flirter avec le danger.

— Tu es dangereux ?

— Je peux l'être. Savais-tu que la nourriture que rapportent les femmes pygmées est ensuite équitablement répartie entre tout le monde ?

— Tu préfères parler des pygmées à ce que je vois ?

— Et que l'éducation des enfants est alloparentale ?

— Ce qui signifie ?

— Qu'elle n'est pas uniquement de la responsabilité des parents, mais est confiée à l'ensemble de la collectivité.

— Toi non plus, Ian, tu n'as pas arrêté de me regarder.

— Tu crois ? En fait, mes yeux étaient attirés vers toi comme par un aimant, oui.

Charlene se sentie rassérénée. Mais alors, pourquoi n'avait-il pas répondu à son courriel ?

— Je vais quitter la ville, un jour ou l'autre, écrivit-il comme s'il avait entendu l'interrogation de Charlene. Nous sommes dans une impasse.

— Je sais. Bon, il se fait tard. Il faut que j'aille me coucher.

— Mais nous n'avons pas parlé du rôle des hommes dans la société pygmée.

— Ce sera pour une autre fois. Bonne nuit.

— Charlene…

Elle se déconnecta avant qu'il ne termine sa phrase et alla faire un câlin à Bailey.

— Tu sais que tu choisis vraiment mal ton moment, mon toutou ?

Tandis qu'il lui léchait le visage, elle décida, aussi dur que ce fût, de l'emmener chez le vétérinaire le lendemain après le lycée. Il était temps de mettre un terme aux souffrances de son chien adoré.

Devant son écran, Ian poussa un soupir. Il avait conscience d'avoir enfreint l'accord passé avec sa sœur en répondant au message de Charlene. Mais Bailey était en train de mourir...

— Tu as des nouvelles de Reg ? lui demanda Liz en surgissant sur le seuil de son bureau.

— Tu es encore debout ? s'étonna-t-il en pivotant sur son fauteuil pour lui faire face. Décidément, nous sommes des oiseaux de nuit tous autant que nous sommes.

— Qui d'autre n'est pas encore couché ?

— Personne.

— Je crois deviner. Quoi de neuf pour ta bourse ? poursuivit-elle quand il ne répondit pas.

— Rien encore. Tu as hâte que je parte ?

— Si cela peut t'éviter de tomber amoureux de Charlene, oui.

— Tu la détestes à ce point ?

— Détester n'est pas le terme exact. Mes sentiments à son sujet sont terriblement confus, avoua-t-elle en s'appuyant contre le chambranle de la porte. Mica l'admire énormément et elle était aux anges quand elle a appris que Charlene avait aimé son morceau de piano.

— Qu'est-ce que Mica pense d'Angela ?

— Je crois qu'elle est jalouse d'elle comme moi je le suis de Charlene.

— Avec tous ses dons, de quoi Mica pourrait-elle être jalouse ?

— Angela est aussi populaire que Charlene. Tu vois le parallèle ? Si nous nous étions rencontrées dans d'autres circonstances, je suis certaine qu'il n'y aurait eu aucun problème entre nous.

Ian inscrivit le numéro de téléphone de Charlene sur un bloc et le tendit à Liz en se levant.

— Qu'est-ce que c'est ? demanda-t-elle.

— Appelle Charlene et invite-la à déjeuner.

— Tu n'es pas sérieux, j'espère.

218

— Si.

— Pourquoi est-ce que je ferais ça ?

— Parce que son chien est en train de mourir et parce qu'elle mérite d'être connue.

— J'ai l'impression d'être une cloche, à côté d'elle, déclara-t-elle, hypnotisée par ce numéro sur la feuille blanche.

— Elle a fait le premier pas, Liz. C'est à toi de faire le deuxième. Cela pourrait s'avérer bénéfique pour Mica et Christopher. Toi aussi tu mérites d'être connue, ajouta-t-il affectueusement quand Liz leva les yeux vers lui.

— Son chien est en train de mourir ?

— Oui, et ça lui crève le cœur.

Elle considéra le numéro un instant encore.

— Je vais réfléchir, dit-elle.

Le lendemain matin, Liz ayant dû se rendre à l'épicerie plus tôt que d'habitude, ce fut Ian qui conduisit Mica et Christopher à l'école.

— Merci, dit Christopher en descendant le premier de voiture.

— Oui, merci, renchérit Mica en l'embrassant rapidement sur la joue avant de suivre son frère.

— De rien, les enfants.

— C'est toi qui viens nous chercher ? demanda Christopher en espérant que leur oncle les emmènerait, comme à l'accoutumée, manger une glace.

— Désolé, bonhomme, mais je suis pris à la coopérative jusqu'au dîner.

— Je croyais que tu n'allais plus travailler là-bas, s'étonna Mica.

— C'est mon dernier jour.

— Peut-être que maman nous achètera un goûter, dit Christopher à sa sœur.

— Ça m'étonnerait. Elle trouve qu'on mange trop de sucre, répliqua Mica en claquant la portière.

Ian s'apprêtait à démarrer quand il fut attiré par une scène inattendue : Angela et Isabella, debout sous le gros chêne qui se dressait près de l'entrée de l'école, semblaient attendre Mica ou, en tout cas, l'observaient avec intérêt.

Quand Ian vit Mica se retourner vers lui alors qu'elle s'approchait de ses deux demi-sœurs, il eut la nette impression qu'elle vérifiait qu'il ne la regardait pas. Aussitôt, il se pencha comme pour allumer sa radio et, quand il se redressa quelques instants plus tard, Mica et Angela marchaient côte à côte en bavardant gaiement, tandis qu'Isabella suivait dans leur sillage.

Il se rangea le long du trottoir pour ne pas gêner la circulation, baissa sa vitre et appela Isabella en lui faisant signe de venir le voir.

Dès qu'elle le reconnut, son visage s'éclaira et elle arriva vers lui en sautillant, laissant sa sœur et Mica à leur complicité.

— Bonjour, dit-elle, en se hissant sur la pointe des pieds pour apercevoir Ian par la fenêtre.

Il ouvrit la portière et elle grimpa sur le siège du passager.

— C'est toi qui as accompagné Mica et Christopher aujourd'hui ?

— Oui.

— Et leur maman, elle est où ?

— Elle travaille à l'épicerie. Tu sais ce que font Angela et Mica ? demanda-t-il après avoir en vain cherché des yeux les deux fillettes dans la cour de l'école.

— Je ne sais pas, répondit-elle avec un haussement d'épaules. Elles sont probablement dans la cage aux écureuils. Elles y sont toujours fourrées.

— Tous les matins ?

— Et à chaque récréation aussi.

Pourtant, songea Ian, Mica ne mentionnait jamais les filles de Charlene et encore moins le fait qu'elles jouaient ensemble à l'école.

— Et ta maman, elle va bien ?

— Oui, je crois, mais elle est un peu triste à cause de Bailey. Le vétérinaire va l'endormir aujourd'hui et il ne se réveillera pas.

— Tu lui as dit au revoir ?

Elle fit signe que oui, tandis que ses yeux bleus, si semblables à ceux de Charlene, s'emplissaient de grosses larmes.

— Il va me manquer.

— A ta mère aussi, ma puce, dit-il en serrant sa menotte. C'est dur, mais parfois on est obligé de se séparer des animaux et même des gens qu'on aime. Cela fait partie de la vie.

— Je sais. On va l'enterrer dans le jardin à côté de la remise, ce soir. Comme ça il continuera à être près de nous.

— Bonne idée.

Quand la cloche sonna, elle s'essuya les yeux tant bien que mal et le regarda avec un sourire encore humide.

— Il faut que j'y aille, dit-elle.

— Au revoir, mignonne.

Sur le chemin de la coopérative, il s'arrêta dans une cabine pour téléphoner à Earl, puis mit le cap vers Boise.


Charlene, qui s'était fait accompagner par sa mère et sa demi-sœur chez le vétérinaire, se gara dans l'allée devant chez elle.

— Tu veux que j'aille chercher la pelle ? demanda Lucie de la banquette arrière.

— Non. Keith pourra le faire.

— Quand est-ce qu'il arrive ?

— D'ici à quelques minutes.

Charlene avait dit à son ex-mari qu'elle ne serait pas rentrée avant 4 h 30, pour avoir le temps de se reprendre et offrir un visage serein à ses filles.

— Il sera avec les petites ? demanda Céleste.

— Oui. Il est allé les chercher à l'école pour me permettre de… faire ce qu'il y avait à faire.

— Je suis contente qu'il vienne, dit Céleste. C'est lui qui t'a donné ce chien. Il adorait Bailey lui aussi.

Charlene opina de la tête et ouvrit sa portière.

— On peut déjà l'apporter à l'arrière de la maison, proposa-t-elle.

Lucie l'aida à sortir et à transporter la caisse contenant le corps de Bailey.

— Décidément, cette année n'aura pas été rose pour toi, commenta Céleste. Je disais justement hier soir à ton père comme j'étais fière de la façon dont tu réagissais à…

Le tintement d'une clochette l'interrompit.

— Qu'est-ce que c'est ? demanda Lucie.

— Je n'en sais rien, répondit Charlene.

Quand elles atteignirent le portillon de derrière, elles découvrirent… un chiot, avec un ruban autour du cou, en train de tirer sur la corde qui le retenait à un pieu planté dans le sol. Lorsqu'il vit qu'il avait de la compagnie, il se mit à se tortiller dans tous les sens en aboyant et en gémissant pour qu'on s'occupe de lui.

— D'où vient donc ce petit toutou ? s'étonna Céleste en traversant la pelouse avec précaution à cause de ses talons hauts qui s'enfonçaient dans le sol.

Charlene était restée quelques instants bouche bée en reconnaissant le chien de la SPA de Boise que Ian avait dû aller chercher. Mais, à aucun prix, elle ne voulait que sa mère ou Lucie l'apprennent. Comment aurait-elle expliqué ce cadeau de la part du frère de Liz, alors que tout le monde, y compris sa famille, croyait qu'ils se parlaient à peine ?

— Je… J'ai pensé que ce serait une bonne chose pour les filles d'avoir un autre chien, que ça les aiderait à surmonter la mort de Bailey.

— Pourquoi ne nous as-tu rien dit ? demanda Céleste en se baissant pour caresser l'animal.

— Je croyais que tu voulais attendre quelques semaines, renchérit Lucie. Mais je comprends pourquoi tu as changé d'avis. Qu'est-ce qu'il est mignon !

— Donne-moi un coup de main pour porter Bailey jusque là-bas, dit Charlene en guise de réponse.

Quand Charlene se retourna, après avoir posé le cercueil à l'endroit choisi, elle fut surprise de l'expression perplexe de sa mère.

— Il y a une carte avec ton nom accrochée au collier.

Zut ! Elle n'avait pas dû la remarquer à cause du ruban.

— Laisse ! Je vais la prendre.

Trop tard !

— « Pense à moi de temps en temps. Promis ? Ian », lut Céleste à haute voix.

— Ian… Russell ? s'écria Lucie.

Charlene serra les mâchoires. Pourquoi Lucie hurlait-elle ainsi ?

— Je… Je ne crois pas, non.

— On ne connaît qu'un Ian, ici, objecta sa demi-sœur, les yeux écarquillés de stupeur. Je ne vois pas qui, en dehors de lui, a pu amener ce chien.

Que pouvait-elle inventer ? Qu'elle avait rencontré un Ian par l'Internet et qu'il lui avait expédié un chiot ? Personne ne mordrait à l'hameçon.

— Eh bien… Ian et moi, nous sommes devenus amis.

— Amis…, répéta Lucie d'un ton sceptique.

Comment pouvait-elle espérer faire croire que ses rapports avec Ian étaient aussi anodins qu'elle le laissait entendre alors qu'un instant plus tôt elle avait menti sur l'existence même d'une relation avec lui ? Elle tenta néanmoins sa chance.

— Oui, amis.

— C'est vraiment très gentil de t'avoir acheté cette bête, dit Céleste. Et cette carte…

— Il a écrit ce qui lui passait par la tête, au petit bonheur. Ne tirez pas de conclusions hâtives. Il n'y a rien entre nous. Rien du tout. Nous avons juste dansé un soir, ajouta-t-elle devant les regards insistants de ses deux compagnes.

— Et ? demanda Lucie.

— Après, il m'a raccompagnée à la maison. Point final.

Lucie esquissa alors un sourire.

— Ça suffit ! s'emporta Charlene. Supposons que Ian m'ait donné un chien. Et alors ?

En voyant le visage de Charlene se décomposer d'un coup, Lucie devina que Keith venait d'arriver.

— Maman, s'écria Isabella en courant vers elle avec ses sœurs, c'est vrai que Ian nous a acheté un bébé chien ?

Keith, lui, resta planté à côté du portillon, la mine sombre, le regard mauvais.

Charlene retira promptement la carte du collier du chiot et la fourra dans sa poche.

— Je vais chercher la pelle dans la remise, dit-elle.

Quand elle revint, les filles, ravies, avaient détaché le chien qui courait de l'une à l'autre en sautant pour leur lécher le visage. Keith, lui, la mine toujours renfrognée, avait rejoint Céleste et Lucie qui, visiblement, n'en menaient pas large.

— C'est fou ce que la mort de Bailey t'a touchée, commenta-t-il d'un ton extrêmement caustique quand elle lui tendit la pelle.

— J'aimais Old Bailey. Il va me manquer terriblement.

— Comme je te manque, c'est ça ?

Après avoir échangé un bref regard consterné avec Céleste, Lucie s'éclaircit la voix.

— Ecoute, Keith, tâchons de ne pas rendre les choses plus

pénibles qu'elles ne le sont, dit-elle tout bas. Creuse la tombe, s'il te plaît. Ensuite les filles feront leurs adieux à Bailey.

— C'est ça ! Moi, je suis bon à creuser la tombe, alors que Ian est le héros du jour parce qu'il a acheté un chiot.

— Je ne lui ai rien demandé, intervint Charlene.

— Personne ne t'oblige à l'accepter, rétorqua Keith, sans ironie cette fois.

Charlene lui rappela, d'un geste en direction des petites, qu'ils n'étaient pas seuls. Jennifer, à la différence de ses deux sœurs qui n'avaient d'yeux que pour leur nouveau compagnon, avait perçu qu'une dispute couvait et les observait attentivement.

— Il l'a trouvé à la SPA. Je ne peux pas le rapporter et, de toute façon, je n'en ai aucune envie.

— Dis-lui de venir le reprendre, insista-t-il. Je vais t'acheter un basset ce soir même.

— Je ne veux pas d'un autre basset, murmura-t-elle, des sanglots dans la voix, tandis que s'imposait de nouveau à son esprit le vide que laissait Bailey.

— Alors, je prendrai la race que tu veux. Il faut simplement que tu…

— Keith, arrête, coupa Lucie. Charlene a suffisamment de peine comme ça.

Céleste passa tendrement son bras autour des épaules de sa fille.

— Je sais comme tu aimais Bailey, ma chérie.

Brusquement, après tous ces mois où elle avait eu l'impression d'être plus vieille que son âge, Charlene se sentit redevenir petite fille. Elle aurait voulu enfouir sa tête dans le cou de sa mère et pleurer sans retenue, comme une enfant. Pleurer pour tout. En pensant à Liz, Mica et Christopher. A Bailey. A sa vie à la ferme qui ne correspondait pas au rêve qu'elle s'était forgé lorsqu'elle avait envisagé de l'acheter avec Keith.

— Ma pauvre chérie, s'apitoya Céleste.

A cet instant, une voix se fit entendre de l'allée devant la maison.

— Coucou ! Il y a quelqu'un ?

C'était Ian.

226

# 19.

A peine Ian eut-il lancé son appel qu'il se trouva nez à nez avec Charlene et ses filles et, à sa grande surprise, avec Céleste, Lucie et Keith.

Trop tard pour tourner les talons. Et puis, il s'était inquiété toute la journée pour Charlene et était résolu à s'assurer que la mort de Bailey ne l'avait pas trop affectée. Tant pis s'il tombait mal.

— Ça ne va pas ? demanda-t-il en remarquant les larmes de Charlene.

Elle lui fit signe que si tout en se dégageant des bras de sa mère… comme pour courir vers lui se blottir dans ses bras. Mais peut-être se laissait-il abuser par son propre désir. Quoi qu'il en soit, ni lui ni elle ne pouvaient se permettre ces effusions en présence de témoins.

— Je suis content que tu sois là, déclara Keith en brisant le silence gêné qui s'était installé. Tu vas pouvoir remporter ton chien.

Jennifer se glissa contre sa mère tandis qu'Isabella s'arrêtait de jouer.

— Emporter le petit chien ? Non, papa. Il est à nous.

— Je vous en achèterai un autre. Un plus beau.

— C'est un cadeau, dit Ian. Il n'est pas question que je le reprenne, sauf si Charlene n'en veut pas.

— Tu crois que tu peux donner un chien à ma famille sans me

consulter ? lança hargneusement Keith. J'ai encore mon mot à dire, figure-toi. Si tu remets les pieds ici, je…

— Tu quoi, Keith ? Il est peut-être temps qu'on aille régler nos comptes dans un coin à l'écart, tu ne crois pas ?

En raison de la présence des trois petites, il s'était adressé à Keith avec un sourire et un ton de voix parfaitement aimables, dont les adultes ne furent bien sûr pas dupes. L'heure d'une confrontation directe entre les deux beaux-frères avait sonné depuis longtemps…

— Non. Vous ne résoudrez rien de cette manière, s'interposa Céleste en retenant Keith par le bras.

— Keith, tu ne crois pas que la situation est suffisamment pénible sans que tu la compliques avec ta jalousie ? fit remarquer Lucie.

Keith se retourna rageusement vers elle.

— Qui tu es pour te mêler de ça, Lucie ? attaqua-t-il méchamment. Tu n'es pas la sœur de Charlene. Tu ignorais même son existence avant que…

— Keith ! tenta de l'arrêter Charlene.

Mais il était lancé.

— Ce n'est pas juste. Garth est votre mari, dit-il à Céleste, et votre père, ajouta-t-il à l'intention de Charlene et Lucie. Or vous l'aimez toutes les trois. Vous êtes fières d'avoir un lien avec lui. Pourtant, lui aussi s'est écarté du droit chemin, il y a vingt et quelques années. Comme moi, il s'est envoyé une autre femme.

Charlene eut beau lui rappeler du regard la présence des enfants, il poursuivit.

— Et alors ? D'accord, ce n'est pas bien. Mais personne ne l'a mis au pilori pour autant. Vous ne l'avez pas abandonné, même après avoir appris sa faute !

« Il s'est envoyé une autre femme »… Ian vit rouge.

— Fais attention à ce que tu dis, Keith, prévint-il, prêt à se battre. C'est de ma sœur que tu parles.

— Ian, non, s'interposa Charlene en s'approchant de lui. Pas devant les filles.

— C'est sa faute à elle, reprit Keith. Elle s'est cramponnée à moi. Elle est tombée enceinte et alors…

— Quoi ? Tu l'accuses, elle ? tempêta Ian en s'efforçant de dominer sa colère. Alors qu'elle ne savait même pas que tu étais…

Sentant la main de Charlene sur son bras et le regard des petites braqué sur lui, il ravala la fin de sa déclaration.

— Tu ne manques vraiment pas d'aplomb, conclut-il entre ses dents.

Keith bomba le torse dans une attitude belliqueuse, en défiant tour à tour du regard Céleste, Lucie et Charlene. Quand, enfin, il arriva à Ian… il baissa la tête.

— Non, elle n'est pas responsable, reconnut-il à mi-voix. C'est peut-être ça le pire.

Sur cet aveu, il jeta la pelle par terre et traversa le jardin en direction du portillon, suivi des yeux par Charlene dont le visage de marbre ne laissait pas deviner les états d'âme.

— Tu pars, papa ? s'écria Isabella en courant après lui.

Ian crut un instant que Keith allait continuer son chemin sans prêter attention à la petite. Mais, au moment de sortir de la propriété, il s'arrêta, prit sa fille dans ses bras et enfouit la tête dans son cou. Il mesurait vraiment ce qu'il avait perdu, songea Ian dont la fureur se dissipa sur-le-champ.

Puis Keith posa Isabella et disparut à l'angle de la maison.

— Il sait que c'est terminé, commenta tristement Céleste, confirmant l'impression de Ian.

Tous restèrent silencieux jusqu'à ce que le ronronnement du moteur de la jeep se soit éteint dans le lointain.

— Est-ce que tu veux que je reprenne le chiot ? demanda alors Ian.

— Non, répondit Charlene en s'accroupissant à côté de l'animal qui se mit aussitôt à lui lécher le visage. Et d'une, je suis contente de l'avoir. Et de deux, je suis encore plus contente que tu sois là.

Lucie, d'abord ébahie par la franchise de Charlene, se ressaisit bien vite.

— Moi aussi, dit-elle avec entrain. Maintenant que Keith est parti, nous avons besoin d'aide.

Le lendemain, en sortant du salon de thé, Elizabeth et ses enfants croisèrent Charlene et ses filles qui y entraient. Par réflexe, Liz détourna aussitôt les yeux : bien que leur relation eût légèrement évolué depuis le spectacle de l'école, elles feignaient depuis si longtemps de ne pas se voir ! Quelle ne fut donc pas la surprise de Liz de sentir la main de Charlene lui toucher le bras…

— Bonjour, Liz, dit-elle en esquissant un sourire.

Liz hésita. Les cernes de Charlene semblaient indiquer qu'elle n'allait pas aussi bien que pouvait le laisser croire sa silhouette énergique, dans son jean sombre, son pull couleur corail et ses bottes à la mode. Se rappelant qu'elle venait de perdre son chien, elle pensa lui offrir quelques mots de sympathie, mais se contenta finalement d'un salut poli.

Bien que très limité, cet échange suscita chez les cinq enfants des regards aussi ébahis que s'ils assistaient à un feu d'artifice.

— Pourquoi as-tu l'air si contente de toi, Mica ? demanda Liz après que la porte du salon de thé se fut fermée.

— Je ne sais pas où tu vois que j'ai l'air contente de moi.

Sans rien ajouter, ils grimpèrent dans le 4x4 et quand Liz, au cours de sa manœuvre pour sortir en marche arrière de sa place de parking, se retourna, elle surprit sa fille en train de faire un petit signe amical à Angela, qui lui répondit de derrière la vitrine du salon de thé.

— Est-ce que vous êtes devenues amies, toi et Angela ?

Au lieu de répondre, Mica continua à regarder par sa vitre en jouant avec une mèche de cheveux, signe chez elle d'une intense réflexion.

— Mica ? insista Liz.

Elle finit par jeter un bref coup d'œil à sa mère avant de détourner de nouveau le regard.

— Si c'était vrai, est-ce que tu serais triste ?

Si elle serait triste ? s'interrogea Liz. D'un côté, Charlene était sa rivale mais, d'un autre, Liz cherchait à faire une croix sur le passé et recommencer à vivre en s'intégrant à la communauté de cette ville où elle habitait désormais.

— Je ne crois pas.

— Mais tu n'es pas sûre.

— Pas tout à fait, avoua-t-elle.

— Elles ont été obligées de faire piquer leur chien.

— Attends ! Tu essaies de toucher ma corde sensible, là.

— Je les plains, tu sais.

— Vous êtes bien amies avec Angela, alors, commenta Liz en réglant son rétroviseur pour surveiller la réaction de sa fille.

— Ian aussi l'aime bien, se défendit Mica. Et il aime bien aussi Isabella et Jennifer. Et même Charlene.

— A quoi tu le vois ?

— A rien, répondit-elle après une hésitation.

— Allons, Mica, insista sa mère.

Mica soupira de façon théâtrale avant de céder.

— J'ai vu un message sur l'ordinateur de Ian.

Bien que Liz ne se sentît pas le droit de fouiner dans la vie privée de son frère, elle ne put s'empêcher de demander :

— De Charlene ?

— D'après l'adresse, oui.

— Qu'est-ce qu'elle disait ?

— « Merci pour le chiot. »

A son grand étonnement, Liz n'éprouva aucune colère en apprenant que Ian avait rompu leur accord et était même allé jusqu'à offrir un chien à Charlene. La seule chose qui la préoccupait était de savoir si, du coup, elle pouvait s'autoriser à appeler Dave…

— Il paraît que tu as donné un chien à Charlene ? lança Liz en préparant le café.

Attablé devant un bol de céréales, Ian leva les yeux du journal qu'il était en train de lire. En dehors de sa visite éclair chez Charlene le jour de l'enterrement de Bailey, il avait réussi à se remettre dans les rails et rester éloigné de celle que Liz considérait comme « l'autre femme » dans sa vie. Malgré tout, il avait des scrupules car, pendant tout le week-end il s'était repassé en boucle le film de son baiser avec Charlene en brûlant du désir de recommencer. La nuit, au lieu de dormir, il s'était demandé comment elle réagirait s'il venait à renouveler sa tentative. Finalement, le samedi, il s'était rendu au Honky Tonk, puis avait fait la tournée de tous les restaurants, bars et autres salons de thé de Dundee dans l'espoir de la croiser. Liz n'aurait pu lui reprocher une rencontre accidentelle…

Heureusement pour sa conscience, son plan avait échoué. Lundi était arrivé, et il avait tout juste répondu à son courriel de remerciement pour le chien. Il avait eu raison d'être sage puisque, de toute façon, il allait la voir : c'était aujourd'hui qu'il débutait au lycée.

— Qui t'a parlé du chien ? demanda-t-il. Keith ?

— Pourquoi ? Il est au courant ?

— Oui, il était là. Céleste et Lucie aussi. Je suppose qu'à eux trois, ils ont prévenu la moitié de la ville.

— Comment se fait-il que tu te sois mêlé de ça ?

Il tourna bruyamment la page de son journal pour signifier à sa sœur qu'il souhaitait clore la discussion.

— Tu veux que j'aille réveiller les enfants ? proposa-t-il.

— Non. Je vais m'en occuper, le remercia-t-elle en s'approchant de lui pour abaisser son journal. Nous parlions de Charlene. Sache que je considère ton cadeau comme une sérieuse entorse à notre contrat.

— Elle a été obligée de faire piquer son chien, Liz.

— N'essaye pas de m'apitoyer. J'estime avoir désormais le droit d'appeler Dave.

— Pas question !

— Pourquoi ? Tu as bien acheté un animal à Charlene ! Et tu le lui as donné devant trois témoins.

Que pouvait-il objecter à cet argument ?

— Bon, d'accord. Un coup de téléphone, alors. Pas plus. Après, nous sommes quittes et on reprend de zéro.

Le soulagement qu'il lut alors sur le visage de sa sœur l'inquiéta au plus haut point. Il devait l'empêcher de se lancer dans une aventure d'où elle sortirait de nouveau meurtrie.

— Liz, il est trop jeune pour toi.

— Par contre, Charlene est faite pour toi, n'est-ce pas ? Qu'envisages-tu ? De lui écrire d'Afrique ou de Chicago et de passer la nuit avec elle quand tu viendras me voir ?

Il prit une profonde inspiration, termina son jus d'orange et se leva.

— C'est bien que nous puissions avoir ces petites conversations de temps en temps, commenta-t-il, provoquant le rire de Liz.

En voyant les yeux pétillants de sa sœur, Ian s'aperçut que c'était la première fois depuis des mois qu'elle manifestait pareille gaieté et il fut rassuré de savoir qu'elle récupérait et se débrouillerait sans lui. A bien y réfléchir, il s'agissait là d'une bonne et d'une mauvaise nouvelle car, une fois que sa bourse lui aurait été accordée, il ne disposerait plus d'excuse pour rester...

Le lundi matin, lors de l'assemblée du personnel du lycée, Charlene, au lieu de s'asseoir à sa place habituelle à côté de Beth, se réfugia à l'arrière de la salle, aussi loin que possible de Ian. Après une semaine passée à attendre avec impatience la rentrée, elle n'était plus aussi sûre d'avoir envie de travailler avec lui. Il n'avait répondu à aucun des deux courriels qu'elle lui avait adressés.

Que se passait-il ? Pourquoi se montrer si attentionné en lui offrant le chien pour disparaître aussitôt après ? A quoi s'amusait-il ? D'ailleurs, il lui avait joué le même tour après le Honky Tonk : il avait fait machine arrière au dernier moment alors qu'il venait de lui signifier clairement qu'il n'était pas insensible à ses attraits.

C'était vraisemblablement mieux ainsi, se raisonna Charlene. Bien sûr, elle souffrait de solitude à la ferme et elle était incontestablement tombée sous le charme de Ian. Mais il n'abandonnerait ses chères recherches pour personne. Au mieux, elle pouvait espérer quelques mois de conversations passionnantes, d'ébats amoureux enfiévrés…

Ce qui ne serait pas si mal, se dit-elle tout à coup.

— A mon avis, on devrait profiter de la présence de Ian parmi nous pour projeter ses diapositives aux élèves et leur donner un aperçu de ce qu'est la recherche sur le terrain, déclarait Guy. L'occasion ne se présentera peut-être jamais plus…

Cela faisait dix bonnes minutes que le principal couvrait Ian d'éloges, et Charlene commençait à être sérieusement agacée.

— Nous avons vraiment de la chance que Ian, ou plus exactement le Dr Russell, estime notre petit établissement digne de son aide, poursuivit le principal.

Charlene n'y tint plus.

— Par pitié ! Il vaut mieux travailler ici que de trimballer des gros sacs à la coopérative ! s'écria-t-elle.

Tout le monde tourna vers elle des yeux effarés. Deborah la rappela à l'ordre à voix basse.

— Quoi ? On peut passer à un autre point de l'ordre du jour ? J'ai ma salle à préparer.

Son ton, sinon ses paroles, aurait dû froisser Ian. Mais, lorsqu'il tourna la tête et que leurs regards se croisèrent, elle vit un sourire se former lentement sur ses lèvres.

— Ne t'occupe pas de Charlene, lui conseilla Deborah qui était assise juste derrière lui. Dès le départ, elle était opposée à ce que tu prennes ce poste.

— Cela ne m'étonne pas vraiment, commenta-t-il.

Il y eut quelques rires étouffés. Charlene sentit le rouge lui monter aux joues, mais elle ne baissa pas les yeux devant cet homme dont elle était à deux doigts de tomber amoureuse et qui occupait toutes ses pensées…

— Peut-être parviendrai-je à la convaincre que je ne suis pas pestiféré, ajouta-t-il d'un ton léger.

— Ne te rends pas malade pour ça ! dit Deborah. Il n'y a pas plus têtu que Charlene.

Charlene plissa les yeux de colère devant les manœuvres aguicheuses de sa collègue.

— Tu devrais te mêler de tes affaires, Deborah.

— Mais ce sont mes affaires. Moi aussi je travaille ici et figuretoi que je me réjouis d'avoir le Dr Russell comme collègue, dit-elle avec un sourire gracieux à l'adresse de Ian.

— Bien, mes amis, reprit Guy. Si vous voulez bien… euh… si vous voulez bien…

Déstabilisé par l'incident, il cherchait désespérément dans ses papiers la suite de son discours.

— Partir ? suggéra Charlene. Ça va sonner d'une minute à l'autre.

— Oui, tu as raison. Il est l'heure de prendre les élèves. Deborah, tu peux conduire Ian à sa salle ?

— Avec plaisir, répondit-elle, rayonnante.

Les deux mois qui les séparaient des grandes vacances s'annonçaient bien longs, songea Charlene en étouffant un soupir de dépit.

Ian entendait Charlene expliquer la méthode à suivre pour mener à bien une démonstration de géométrie. Comme il disposait de deux heures libres dans son emploi du temps, il s'était installé dans la pièce située entre leurs deux salles, là où ils entreposaient leur matériel, qui donnait sur chacune de leurs classes. Il avait ouvert les portes pour pouvoir écouter Charlene : il se régalait de la passion qu'elle mettait à convaincre ses élèves de la nécessité de travailler sérieusement pour préparer l'examen d'entrée à l'université. C'était de toute évidence un bon professeur.

S'arrachant à la fascination qu'exerçait la voix de Charlene, il pivota dans son fauteuil et se connecta à Internet. Avant d'entrer sur le site du lycée le programme de ses cours, il ouvrit sa boîte aux lettres et vit le message de remerciement de Charlene auquel il n'avait toujours pas répondu. Voilà pourquoi elle était si remontée contre lui, se dit-il. Elle se sentait vraisemblablement aussi frustrée que lui de ne pouvoir céder à leur attirance mutuelle.

Il ne savait comment résoudre le problème. Et pas seulement à cause de Liz. La cérémonie autour de la tombe de Bailey, à laquelle il avait assisté en compagnie de Charlene, ses filles, sa mère et sa demi-sœur, l'avait profondément marqué car il avait eu alors l'impression d'être investi d'un devoir de protection envers cette famille. Il était allé jusqu'à s'imaginer en train de vivre dans la ferme, peindre la grange, se promener à cheval avec les petites, participer au repas de Thanksgiving chez les Holbrook… C'était la première fois qu'il envisageait d'établir une relation durable avec une femme et cette pensée le terrorisait. D'autant plus que l'idée l'avait même effleuré de raccrocher sa tenue de baroudeur pour attaquer l'écriture du livre qu'il avait jusque-là programmée pour sa retraite.

Aussi préféra-t-il s'attarder sur le baiser échangé avec Charlene. Le simple désir physique ne l'effrayait pas et n'avait jamais entravé son travail ou dévié le cours de sa vie. Mais ce besoin étrange de se rapprocher de Charlene, même quand elle avait le nez qui coulait ou les yeux bouffis, le déconcertait. S'il n'y prenait pas garde, lui, le célibataire convaincu, allait se retrouver en un rien de temps beau-père de trois enfants. Et alors, adieu l'Afrique ! Il lui faudrait aussi entretenir des liens beaucoup plus étroits avec Keith, qui avait la garde partagée des filles. En outre, la situation serait délicate pour Liz. Pour tout le monde, en fait.

De n'importe quel point de vue qu'il se place, la conclusion restait la même : engager avec Charlene une relation, quelle qu'elle soit, était pure folie.

Pourquoi alors ne parvenait-il pas à la chasser de son esprit ? soupira-t-il en se prenant la tête dans les mains. Il aurait dû rester à la coopérative. Jamais il n'aurait imaginé que Charlene se montrerait assez réceptive à ses avances pour devenir une tentation irrésistible.

La sonnerie retentit et un brouhaha de fin de cours envahit la salle voisine. Quand le calme fut revenu, Ian alla se poster dans l'encadrement de la porte.

Visiblement, Charlene, occupée à entrer des notes dans son ordinateur, avait deviné sa présence mais refusait de se retourner.

— Tu n'as plus de cours ?

— Non. C'est mon heure de permanence.

— C'est pour ça que tu peux aller chercher tes filles tous les soirs ?

Il n'obtint pas de réponse. Ce qui était normal après tout : sa question n'en appelait pas vraiment.

— Quand dois-tu partir ?

— Dans un quart d'heure, dit-elle sans interrompre son travail. Qu'est-ce que tu veux, à la fin ? demanda-t-elle d'un ton sec quand, toujours à son poste, il croisa les bras en la contemplant.

— Tu souhaites que je sois franc ?

Elle s'écarta de son bureau et fit volte-face.

— Arrête ça ! Arrête… tes petits jeux.

— Quels petits jeux ?

— Un coup je te veux, un coup je te veux plus. Je finis par ne plus savoir où j'en suis. Je ne comprends pas ce que tu cherches, mais si c'est à venger ta sœur…

— Une vengeance ? s'écria-t-il avec une moue de dégoût. Allons, Charlene. Tu n'y crois pas toi-même.

Elle s'approcha d'un pas résolu, si près qu'il aurait pu la toucher, et se planta devant lui, mains sur les hanches.

— Qu'est-ce que c'est, alors ? Pourquoi tu as acheté ce chiot ?

— Tu le sais.

— Explique-le-moi.

— Je voulais te consoler, dit-il avec un haussement d'épaules. Ce n'est pas plus compliqué que ça.

— Tu t'es comporté en ami, c'est ça ? Parce qu'on est des amis ?

— Plus ou moins, répondit-il en se frottant la mâchoire.

— Ce qui me gêne dans notre relation, c'est qu'elle n'entre dans aucune catégorie bien définie. Une chose est sûre en tout cas : on est tout sauf des amis.

Quand elle avança encore d'un pas, il sentit son corps se tendre de désir. Effectivement, aucun de ses amis ne lui avait fait pareil effet !

— Qu'est-ce qu'on est, alors ? demanda-t-il, les yeux braqués sur ses lèvres.

— Des électrons libres, murmura-t-elle d'une voix enrouée. J'ai l'impression de tomber en chute libre. Je n'arrive plus à respirer quand je te regarde et pourtant je ne vois que toi quand je ferme les yeux.

— Charlene ! s'écria-t-il d'une voix rauque lui aussi.

Ses mains, qui ne lui répondaient plus, entourèrent la taille de Charlene et l'attirèrent contre lui. Il savait que, pour une multitude de raisons, il aurait dû regagner sa propre salle, mais il en fut incapable. Il avait trop soif d'elle.

— Ose dire que tu n'éprouves pas la même chose, susurra-t-elle en posant sa main sur son cœur affolé.

Fermant les yeux, il l'embrassa sur le front, s'enivrant de son parfum, de son contact…

— J'essaye de m'imaginer ce qui se passera dans un mois ou deux, expliqua-t-il en s'efforçant de garder les idées claires.

— Comment y parviens-tu ? souffla-t-elle en promenant les lèvres sur son cou. L'avenir est imprévisible.

— Je ne vais pas rester à Dundee.

— Je sais.

— Et cela t'est égal ?

— A chaque jour suffit sa peine, déclara-t-elle en plantant les yeux dans les siens. Et puis, tu avais l'air plus décidé il y a une semaine quand tu m'as dit que j'avais intérêt à savoir ce que je cherchais si je t'invitais de nouveau.

— Ça, c'était dans le feu de l'action…

— En d'autres termes, des paroles en l'air ?

Quand elle le vit hésiter, elle se serra de nouveau contre lui et il sentit sa langue chaude et humide glisser sur la peau de son cou. Un désir fulgurant s'empara alors de tout son corps.

— Je t'assure que non, déclara-t-il en l'entraînant dans la réserve.

Il allait avoir du fil à retordre pour se justifier auprès de Liz…

# 20.

Silence et obscurité régnaient dans ce local dépourvu de fenêtre dont Ian avait fermé les deux portes. Charlene, sans le voir, l'entendait respirer et sentait son corps contre le sien, sa bouche chaude et humide sur ses lèvres, ses mains qui la caressaient là où seul Keith l'avait caressée.

— N'oublie pas qu'on est au lycée, Ian, murmura-t-elle.

— On va être sages, promit-il. De toute façon, j'ai verrouillé les portes. On ne peut pas risquer de se faire encore voler des éprouvettes.

Tous deux pouffèrent comme des gamins et Ian profita de cette complicité pour dégrafer le soutien-gorge de Charlene. Quand elle voulut s'y opposer, il s'empara tendrement de ses lèvres tandis que sa main libre glissait vers sa poitrine et lui enveloppait un sein, déclenchant en elle une onde fulgurante de plaisir.

— On court à la catastrophe, murmura-t-elle.

— Pas du tout, au contraire.

— Mais j'ai envie de faire l'amour. Là. Maintenant.

— C'est bien ce que je disais : on court au bonheur.

— Non, Ian, pas ici, protesta-t-elle tandis qu'il promenait sa bouche sur son cou, puis sur sa gorge… avant de prendre le bout de son sein entre ses lèvres.

Fermant les yeux, elle s'abandonna alors à la mâle étreinte de ses bras…

— Ian ! Ian, tu es là ?

Il s'immobilisa. Retenir la pleine expression de son désir avait requis tellement d'efforts, que la sueur perlait à son torse et collait sa chemise à sa peau.

— A ton avis, que veut Deborah ? demanda Charlene d'une voix à peine audible en s'écartant de lui.

— Aucune idée. Je peux lui dire de repasser un peu plus tard quand j'aurai terminé ce que j'ai à faire ?

Elle le gratifia d'une tape sur le bras en même temps qu'elle s'efforçait de remettre de l'ordre dans sa tenue. Quoi de plus frustrant que de la sentir se lover sensuellement contre lui pour devoir la laisser s'arracher à lui une seconde plus tard ?

— Ian ? appela Deborah en s'acharnant sur la poignée de la porte. Qu'est-ce que tu fabriques là-dedans ?

« J'attends que mon désir ne soit plus visible », aurait-il pu répondre si la décence ne le lui avait interdit.

— Je fais du rangement.

— Tu sais où est Charlene ?

Au lieu de répondre tout de suite, il se pencha pour taquiner de sa langue le lobe de l'oreille de Charlene pendant qu'elle boutonnait son corsage.

— Non, je ne l'ai pas vue.

— Tu vas finir par nous faire prendre, souffla Charlene.

— Pourtant sa voiture est encore sur le parking.

— Quelle casse-pieds ! siffla-t-il entre ses dents en insinuant de nouveau la main sous la jupe de Charlene.

Charlene repoussa Ian, ajusta sa jupe et entrouvrit l'autre porte. La salle était vide, constata-t-elle, soulagée. Au moment où elle s'apprêtait à s'y faufiler, Ian la retint.

— Tu ne me dis pas au revoir ?

— Tu es fou, déclara-t-elle en peignant ses longs cheveux avec ses doigts. Va plutôt voir ce que veut Deborah.

— Nous n'en avons pas terminé tous les deux. Loin de là.

241

— Je sais, dit-elle en le regardant droit dans les yeux.

— Ian ?

Décidément, Deborah ne lâchait pas prise.

— Va lui parler.

Au moment où il se tournait pour lui obéir, Charlene l'agrippa par sa chemise.

— Je ne veux pas que les enfants apprennent quoi que ce soit. Il ne faut pas qu'elles s'attachent à toi, tu comprends ?

Oui, bien sûr il comprenait. Curieusement, cependant, son euphorie retomba.

— Et les autres ?

— Ce sera notre secret. Tu vas quitter Dundee, tu te rappelles ?

— Oui, je me rappelle.

— Bien… Dans ce cas, mieux vaut ne rien ébruiter.

— D'accord.

Il commença à s'éloigner, puis revint bientôt sur ses pas.

— Ce qui veut dire que nous allons devoir nous cacher, que nous ne pourrons aller nulle part ensemble ? Cette perspective ne me plaît pas du tout.

— Ah ! Te voilà enfin ! s'écria Deborah en faisant irruption dans la salle de Charlene. Je croyais que tu ignorais où elle se trouvait ? ajouta-t-elle d'un ton accusateur à l'adresse de Ian.

Il tenta de discipliner ses cheveux, que sa brève mais fougueuse rencontre avec Charlene avait ébouriffés.

— C'est vrai. Je viens juste de l'entendre entrer et…

— Où était-elle ?

— Tu as besoin de quelque chose ? intervint Charlene.

A la curiosité avec laquelle Deborah regarda tour à tour ses deux collègues se mêla une pointe de suspicion.

— Guy te cherche. Il veut savoir si cela te soulagerait que Ian prenne le cours d'informatique pour lequel tu remplaces Janet Wolfe.

— Tu es au courant ? demanda Charlene à Ian.

— Bien sûr qu'il est au courant. C'est lui qui s'est proposé. Je voulais confirmer avec lui mais je n'ai pas réussi à le faire sortir de ce fichu local.

— C'est une de ces pagailles, là-dedans ! commenta Ian.

Il vit que, comme lui, Charlene éprouvait toutes les peines du monde à ne pas éclater de rire. Son parfum, le goût de ses lèvres, la douceur de sa peau le hantaient encore… Et il n'en était pas repu. Tant s'en faut.

En revenant du lycée, Ian trouva Mica et Christopher en train de faire du vélo dans le jardin tandis que Liz préparait le dîner.

— Alors comment s'est passée ta première journée ? lui demanda-t-elle quand il entra dans la cuisine.

Il avait envie de siffloter en pensant à Charlene et à leur étreinte.

— Pas mal. Pas mal du tout, même.

— Tu crois que tu vas te plaire dans ce lycée ?

— Sans aucun doute, répondit-il en prenant une canette de bière.

— Qu'est-ce qui te rend si guilleret ?

— Je suis content de recommencer à enseigner.

— Tu as vu Charlene ?

Charlene… Le satin de ses seins…

— Oui. Je l'ai croisée. Sa salle est à côté de la mienne.

Liz enfourna la terrine qu'elle avait confectionnée tout en observant son frère du coin de l'œil.

— C'est moche, ça.

— Pourquoi ?

— Parce que je te soupçonne d'avoir rompu notre contrat. Une fois de plus, ajouta-t-elle en le scrutant des yeux.

Il se massa le cou d'un geste embarrassé.

— J'aimerais bien qu'on reparle de ce contrat.

— Si tu veux.

— Tu as appelé Dave, récemment ?

— Juste une fois, depuis qu'on s'est mis d'accord.

— Dommage, dit-il avec un regret sincère.

— Comment ça « dommage » ? Je croyais que tu ne voulais pas que je lui téléphone ?

— C'est exact. Mais je préférerais ne pas être le seul en tort, soupira-t-il, surpris de l'entendre rire.

— Dois-je en déduire que le marché que nous avions conclu ne tient plus ?

— Je le crains, confirma-t-il en prenant une goulée de bière pour se donner du courage.

— Tu es sérieux ? Tu capitules aussi facilement ?

— Je sais reconnaître une défaite.

Liz se laissa tomber dans un fauteuil.

— Une défaite ? Voilà qui n'augure rien de bon.

— Tu n'as pas à t'inquiéter, Liz. Je m'en vais bientôt. De plus, nous avons décidé de cacher notre relation.

— Votre relation ? s'étrangla Liz.

— Eh bien, oui.

— A qui vous allez la cacher exactement ?

— Tu seras la seule à être au courant, mais…

— Mais quoi ?

— Je te dois peut-être réparation.

— Peut-être ? Quel montant puis-je espérer ?

— A toi de le fixer.

Il rendait vraiment les armes !

— Dis donc, ton histoire avec elle est plus sérieuse que je ne croyais.

— Sérieuse ne veut pas dire permanente.

— Mais sérieuse quand même.

— Je te demande pardon, murmura-t-il en s'approchant d'elle

244

pour lui serrer gentiment l'épaule. Je sais que cela te contrarie mais, je t'en supplie, laisse-moi me racheter.

De toute façon, rien ni personne ne l'empêcherait de voir Charlene ce soir, pensa-t-il.

— Tu as parlé de réparation ?

— Oui. Tout ce que tu veux.

Tandis qu'elle pianotait pensivement sur la table, Ian remarqua que ses doigts étaient complètement cicatrisés et qu'elle avait même recommencé à se vernir les ongles.

— Je n'ai pas pu régler la totalité de la facture téléphonique, avoua-t-elle.

— Combien te faut-il ?

— Presque cinq cents dollars.

— Cinq cents dollars ?

— Ça passe vite, une minute, tu sais, se défendit-elle avec un sourire mutin.

— Tu as dû appeler Dave tous les soirs !

— Je ne pouvais pas prendre le risque qu'il téléphone et que tu décroches.

— Tu vas continuer avec lui, Liz ? demanda-t-il d'un air préoccupé.

— Non, dit-elle sans réelle conviction, comme si elle bataillait avec elle-même. Je suis une grande fille, maintenant, et j'ai parfaitement conscience qu'il collectionne les conquêtes. Mais je sais ce que je fais.

— Voilà qui est encourageant.

— Et puis, moi, j'ai les enfants qui me retiennent. Pas toi.

— D'accord, dit-il alors sur le ton de la capitulation, je paierai la facture.

Puis il partit, le cœur léger.

*
**

Il était 11 heures, ce même soir, quand Charlene reçut un appel téléphonique de Ian. Elle se traita de folle de ne pas renoncer à pousser plus loin l'aventure avec lui, mais elle n'avait cessé de penser avec délice à ce qui s'était passé entre eux dans la réserve… Il était trop tard pour l'éconduire. Elle avait déjà perdu pied. Tout ce qui lui restait à faire maintenant était de se laisser emporter par le courant en espérant qu'il ne l'enverrait pas par le fond.

— Allô ? dit-elle tout bas.

— Les filles dorment ?

— Oui.

— Je peux venir ?

Sa voix trahissait son impatience de la retrouver, un sentiment qu'elle ne partageait que trop. Se mordant les lèvres, elle fit les cent pas dans sa chambre. « Dis non. Dis non et va te coucher », lui soufflait sa raison.

— Je vais mettre la clé sous le pot de géranium dans la véranda, déclara-t-elle, faisant la sourde oreille à la voix de la sagesse. Ma chambre est la dernière pièce sur la gauche dans le couloir. Fais attention à te garer suffisamment loin pour que personne ne voie ta voiture.


Quand Ian s'introduisit chez Charlene, la maison était silencieuse et toutes les lumières éteintes. La seule clarté venait des rayons de lune, le seul bruit, de la pendule accrochée au mur.

D'un pas alerte mais prudent, il longea le couloir jusqu'à la chambre, où il trouva Charlene debout devant la fenêtre, le regard perdu sur le jardin.

En entendant la porte grincer, elle se retourna.

Elle portait un pantalon de pyjama de coupe masculine avec un minuscule débardeur en guise de veste. De soutien-gorge, point. Son épaisse chevelure lui tombait souplement dans le dos et le clair de lune rehaussait encore l'éclat de ses yeux.

— Où est le chien ?

— Spike ? Je l'ai enfermé dans la buanderie pour qu'il ne fasse pas de bruit.

— Qu'est-ce qui ne va pas ? demanda-t-il, surpris de la sentir crispée.

— J'ai un peu peur, avoua-t-elle avec un petit rire.

— De quoi ?

— Je ne suis pas certaine de vouloir… perdre le contrôle des événements comme ça.

— Cela ne présente pas que des mauvais côtés, de ne pas tout contrôler.

— C'est bien ce qui m'ennuie. Mais il y a autre chose aussi. Je n'ai pas l'habitude d'agir en cachette.

Afin de lui permettre d'exprimer ses craintes, il refréna son envie brûlante de la prendre dans ses bras.

— Le côté secret de la chose, c'est toi qui l'as voulu.

— Oui, je sais. Je ne vois pas l'intérêt de provoquer des angoisses ou des espoirs alors que… alors que tu vas partir.

En effet, pourquoi étaler leur liaison sur la place publique si cela devait ensuite compliquer la vie de Charlene ?

— Si j'avais été assez fort pour garder mes distances, je l'aurais fait, Charlene.

Elle se passa nerveusement la langue sur les lèvres.

— Je n'utilise pas de moyen de contraception, prévint-elle.

— J'ai ce qu'il faut, dit-il en s'autorisant à suivre la bretelle de son débardeur de son doigt. Mais si tu préfères, je pars.

Frissonnant sous cette caresse, elle ferma les yeux et attira sa main sur la peau nue de sa poitrine en guise de réponse. Quand il sentit la rondeur soyeuse de son sein lui emplir la paume, il sut que tous deux avaient dépassé le point de non-retour. Alors, dans un soupir, il plaqua les lèvres contre les siennes.

Se grisant du parfum de Ian, Charlene s'abandonna à son baiser exquisément farouche et à la chaleur de son corps. Quand elle effleura des lèvres la veine palpitante de son cou, il lui retira doucement son débardeur, puis fit glisser son pantalon de pyjama et l'entraîna dans le rond de lumière, près de la fenêtre.

— Tu es la femme la plus belle que j'aie jamais vue, murmura-t-il, rendant ainsi à Charlene le sentiment d'être désirable et vivante. C'est incomparablement mieux ici qu'au lycée. Je peux prendre mon temps maintenant, susurra-t-il en lui mordillant le cou et les épaules tandis que ses mains admiratives la caressaient, l'exploraient…

— Ne t'arrête pas, murmura-t-elle, prise de vertige.

— Je ne pourrais pas m'arrêter pour tout l'or du monde ! souffla-t-il en riant. Jamais, je n'ai autant désiré une femme.

En souriant, elle lui enleva sa chemise et contempla avec volupté ses larges épaules, la fine toison qui couvrait son torse musclé, la fièvre de son expression. Elle le vit tressaillir au contact de ses mains vagabondes et l'entendit avec plaisir retenir sa respiration lorsqu'elle referma les doigts sur sa virilité. Il se raidit alors de tout son corps et une lueur avide éclaira son regard tandis qu'il la serrait contre lui et l'embrassait passionnément.

— Cela ne me suffit pas, chuchota-t-elle en s'agrippant à son cou. Je n'en peux plus d'attendre.

Il la souleva alors de terre et la porta jusqu'au lit… Là, posément, sans hâte, il la parcourut tout entière de ses lèvres, lui procurant des sensations exquises. Elle eut l'impression de se dissoudre, d'exploser. Et, quand elle crut que ses sens ne pourraient en supporter davantage, il entra en elle.


Il était 5 heures du matin quand Ian se réveilla. Il résista à la tentation du corps nu de Charlene qui dormait encore, allongée en travers de sa poitrine : elle avait besoin de sommeil et ils ne disposaient plus de beaucoup de temps.

Plus tard, se dit-il. Ce soir. Pour le moment, il devait partir : les filles allaient bientôt se lever et il avait des cours à assurer. Comme Charlene, d'ailleurs.

Il se glissa vers le bord du lit et se passa la main sur ses joues mal rasées en essayant de secouer sa torpeur.

— Ian ? appela-t-elle doucement tandis qu'il ramassait ses habits.

— Mmm ? dit-il en se retournant.

— J'ai raté quelque chose pendant toutes ces années, déclara-t-elle avec un sourire enjôleur.

— Qu'est-ce que tu veux dire ?

— Je ne me souviens pas d'avoir été aussi bien aimée.

— Arrête, dit-il en riant, ou je ne serai pas parti avant le réveil des filles.

— Quelle heure est-il ?

— Bientôt 5 h 30.

— Déjà ? gémit-elle en s'allongeant sur le dos.

Il s'amusa de la déception que trahissait sa voix. Ils avaient fait l'amour plusieurs fois depuis la veille. La journée allait être dure. Mais qu'importe ? La nuit qu'ils avaient passée valait largement quelques petits désagréments.

— Moi aussi il faut que je me lève, déclara-t-elle.

— Pourquoi ?

— Je dois nourrir les animaux et traire Jersey, répondit-elle en s'asseyant.

Il la poussa gentiment en arrière.

— Je m'en charge.

— Pour de bon ? Mais tu sais comment faire ?

— J'ai appris pas mal de choses à la coopérative, expliqua-t-il en dégageant avec tendresse quelques mèches du visage de Charlene.

— D'accord. On se voit au lycée ?

— Tu déjeunes avec moi ?

— On ne peut pas. Quelqu'un pourrait nous voir.

— Dans ce cas, rejoins-moi dans la réserve.

— J'apporterai de quoi grignoter, proposa-t-elle dans un bâillement, avant de sombrer dans le sommeil.

— Tout ce que tu voudras, ma chérie.

Après l'avoir embrassée sur la tempe, il sortit s'occuper des animaux.

Quand Charlene arriva dans sa salle de classe, un vase de roses décorait son bureau.

— Qui vous les a données, madame O'Connell ? lui demanda avec émerveillement Sheila, une des élèves qui s'étaient rassemblées autour des fleurs.

Il n'y avait pas de carte mais, en guise de signature, un petit éléphant d'ivoire qu'elle glissa aussitôt dans son tiroir.

— Un admirateur sûrement, répondit-elle d'un air énigmatique.

— Qui c'est ? murmurèrent en chœur les jeunes filles.

— Je l'ignore. Elles étaient là quand je suis arrivée. Bien ! Maintenant, tout le monde à sa place et au travail.

Tandis que les élèves gagnaient leur pupitre, Charlene écrivit au tableau le plan de la leçon du jour.

— Est-ce qu'il y a des questions sur les devoirs pour aujourd'hui ? demanda-t-elle.

Alors que plusieurs mains se levaient, elle vit quelque chose bouger à la périphérie de son champ de vision : Ian l'observait de la réserve ! Ses yeux la caressaient, la déshabillaient à distance…

Elle hésita un instant et plusieurs élèves remarquèrent alors la présence de Ian.

— Monsieur Russell, vous avez vu les fleurs de Mme O'Connell ? demanda Sheila.

Bien que lui-même eût cours, il s'avança dans la salle de Charlene, croisa les bras et, adossé au mur, feignit d'admirer les roses.

— Elles sont jolies. Qui les a apportées ? demanda-t-il d'un air innocent.

— En fait, c'est mon père qui me les a envoyées, répondit Charlene au milieu d'un murmure général de déception.

— Votre père doit être un sacré chic type ! lança Ian avec un sourire taquin.

— Monsieur Russell ? On a fini ! appela une voix dans l'autre pièce.

— Je suis content que l'énigme ait été résolue. Il faut que je retourne dans ma salle.

Charlene le suivit du regard, encore sidérée qu'il ait pris le risque inconsidéré de lui apporter ce bouquet. Heureusement, elle avait réussi à se sortir d'affaire. Pour cette fois…

# 21.

Liz fixait son téléphone avec nervosité. Sa décision était prise, cependant.

Cela faisait un mois que Charlene et Ian se fréquentaient assidûment. Quand Charlene avait la garde de ses enfants, Ian s'éclipsait de la maison tard le soir pour revenir au petit matin. Les week-ends où les trois filles étaient chez leur père, Liz ne voyait pas son frère du vendredi soir au dimanche matin. Ils profitaient de chaque seconde qu'ils pouvaient passer ensemble, dans la plus grande discrétion, heureusement. Ian garait rarement son 4x4 au même endroit — en tout cas jamais devant la ferme de Charlene — et, lorsqu'ils se croisaient par hasard en ville, ils restaient sur leur quant-à-soi.

Evidemment, un observateur un peu curieux aurait remarqué comme ils se dévoraient des yeux ou comme leur respiration s'arrêtait quand ils se rencontraient. Bizarrement, ces signes semblaient échapper à tout le monde, ce dont Liz se réjouissait d'autant plus que l'aventure allait bientôt se terminer : Reginald Woolston venait d'annoncer à Ian que sa bourse lui parviendrait en juin, d'ici à trois semaines tout au plus. Mieux valait donc que tous ceux qui pourraient souffrir de cette liaison demeurent dans l'ignorance.

Ian partirait vivre sa vie de son côté et Liz, quant à elle, avait décidé de poursuivre la sienne à Dundee. Certes, en raison de l'hypothèque, la vente de sa maison de Californie ne lui avait pas rapporté des sommes faramineuses, mais Keith, pour compenser le faible montant de la pension qu'il lui versait, lui avait cédé sa part. Elle aurait donc de quoi voir venir après le départ de Ian. En outre, elle ne doutait pas que son ex-mari, vu ses compétences, finirait par trouver un emploi plus rémunérateur, même s'il diminuait ses chances de travailler dans son domaine en refusant de quitter la région. De cet entêtement, elle avait conclu qu'il s'accrochait encore à l'espoir de reprendre sa vie commune avec Charlene.

La pensée des efforts colossaux qu'il avait déployés pour sauver son premier mariage alors qu'il s'était désintéressé du leur affectait toujours Liz douloureusement. Mais elle mettait tout en œuvre pour dépasser sa rancœur et envisager la situation du point de vue de Charlene. Si Ian était si épris de Charlene, c'est que cette femme devait avoir quelque chose de particulier. Et si les sentiments qu'éprouvait Charlene pour Ian étaient aussi profonds qu'ils le paraissaient, la séparation allait lui déchirer le cœur. Lui avait-il d'ailleurs parlé du courriel de Reginald ? Rien n'était moins sûr… Etant la seule à connaître la nouvelle épreuve qu'allait endurer Charlene, elle était aussi la seule à pouvoir lui tendre la main.

Après une profonde inspiration, elle composa le numéro de Charlene.

— Tu ne peux pas imaginer comme tu me manques. A quelle heure seras-tu là ?

Liz resta un instant sans voix.

— Heu… Ce n'est pas Ian, dit-elle enfin. C'est Liz.

Silence de mort.

— Vous êtes toujours là ? demanda Liz qui esquissa un sourire en imaginant l'expression de Charlene.

— Oui. Je suis…

— Interloquée ?

— J'allais dire désolée. Je croyais que…

— Je sais.

La conversation s'interrompit de nouveau.

— Si vous cherchez... votre frère, commença Charlene en baissant la voix sur ce dernier mot, eh bien, il n'est pas ici.

— Je sais. Il est en train de tondre la pelouse. Ce n'est pas à lui que je veux parler. Je me demandais, se lança-t-elle en se tordant les mains, si vous accepteriez de déjeuner avec moi un de ces jours.

— Vous voulez qu'on se voie ? articula avec peine Charlene.

— J'y songe..., répondit Liz qui prenait un peu d'assurance, maintenant qu'elle avait passé le délicat moment où elle avait dû s'annoncer. Je suis certaine que nous avons beaucoup de choses en commun.

— Est-ce que c'est Ian qui vous a poussée à me téléphoner ?

— Il m'a donné votre numéro il y a plusieurs semaines.

— Pourquoi ?

— Parce que votre chien allait mourir et qu'il pensait que vous pourriez avoir besoin de soutien.

— Vous avez attendu longtemps avant d'appeler.

— Oui, soupira Liz. Ce n'est pas très facile d'aborder la femme que mon mari aimait plus que moi.

— Ce que Keith a fait est impardonnable. Pour nous deux.

— Oui, acquiesça Liz dans un souffle.

— Bon... Où veux-tu manger ? On peut se tutoyer peut-être. Tu n'y vois pas d'inconvénient ?

— Non, aucun.

Liz sentit les battements de son cœur s'accélérer. Etait-il réellement possible qu'elles dépassent ce qui leur était arrivé ? Qu'elles établissent même une relation amicale ?

— Le dimanche, on peut prendre un brunch au restaurant du Running Y, dit Liz.

— Bonne idée. Tu veux qu'on y aille ce week-end ?

— Oui. A midi, ça va ?

A ce moment, Ian entra dans le salon.

— On ne voit plus rien dehors, se plaignit-il en enlevant ses gants de jardinage. Je finirai les bords demain.

254

Liz lui fit signe de se taire.

— Oui, midi, c'est parfait, dit Charlene. Tu veux que je vienne avec les filles ? Keith va les ramener dans la matinée.

— Pourquoi pas ? Mes enfants seront aussi de la partie dans ce cas.

— Parfait ! A dimanche, alors ! dit Charlene.

Et elle raccrocha.

— Qui était-ce ? s'informa Ian qui se dirigeait vers la cuisine.

— Charlene.

Il s'arrêta net et fit volte-face.

— Je lui ai proposé de déjeuner avec elle et on a rendez-vous dimanche pour un brunch, poursuivit-elle avec un sourire.

— Je peux venir ?

— Je croyais que tu ne voulais pas être vu avec elle.

— Ce n'est pas pareil, puisque tu seras là et les cinq enfants aussi. J'aime bien ses filles, mais elle ne me laisse pas les approcher de peur qu'elles ne s'attachent à moi.

— Alors, elle risque de ne pas apprécier ta venue.

— Je ne crois pas que cela la dérangera dans ces conditions-là.

— Entendu, opina-t-elle après avoir réfléchi que la présence de Ian faciliterait sûrement sa rencontre avec Charlene.


— Comment ça, tu ne peux pas venir ?

Charlene, trop occupée à lire les messages instantanés de Ian, ne prêtait qu'une oreille distraite à sa mère qui s'emportait à l'autre bout du fil.

— Tu es libre ce soir ?

Il lui avait rendu visite la nuit dernière. La précédente aussi. Et celle d'avant encore. Ils allaient finir par être démasqués.

Cela faisait des années qu'elle ne s'était sentie aussi heureuse, et avait même cru pareil bonheur inaccessible. Malgré tout, entre ses journées d'enseignement et ses nuits d'amour, la fatigue commençait à laisser des traces. Elle étouffa un bâillement.

— Charlene, tu m'écoutes ?

— Excuse-moi, maman. Tu disais ?

— Pourquoi ne peux-tu pas venir dîner samedi soir ? Ton père aimerait bien te voir avant de repartir pour Boise.

Elle aussi avait envie de voir son père. Mais comme les filles passaient le week-end avec leur père, Ian et elle allaient pouvoir se consacrer entièrement l'un à l'autre... C'étaient là des moments trop précieux pour y renoncer.

— Je suis débordée, maman.

Elle avait déjà utilisé l'excuse de la ferme et des cours une bonne demi-douzaine de fois depuis un mois pour esquiver des réunions familiales. Mais que pouvait-elle dire d'autre ? Qu'elle serait au lit avec le frère de Liz et qu'elle ne voulait pas annuler ce rendez-vous ?

Spike arriva de sa chambre en trottinant, un chausson dans la gueule.

— Viens ici, lui dit-elle en claquant des doigts.

— Qu'est-ce qui se passe, ma chérie ? demanda Céleste.

— Spike est en train de m'esquinter mes mules.

— Je ne te parle pas de ça. Tu es très... distraite en ce moment. Même Gabe me l'a fait remarquer l'autre jour.

— Arrête de t'inquiéter pour moi. Je vais bien, assura-t-elle à sa mère en coinçant le téléphone contre son épaule pour pouvoir répondre à Ian.

— Tu n'as pas besoin de dormir un peu ? écrivit-elle.

— Je peux dormir avec toi.

— Je ne sais pas pourquoi, mais on ne ferme jamais longtemps les yeux quand on est ensemble.

— Ce n'est pas ma faute. Non pas que je m'en plaigne.

C'était vrai. Avec Ian à ses côtés, elle ne parvenait pas à dormir tant elle voulait savourer chacune des secondes dont ils disposaient.

Elle adorait se blottir contre son corps vigoureux, se délectait de ses baisers, de ses caresses, de ses récits sur l'Afrique, de son rire…

— Lucie aussi se plaint de la rareté de tes appels, continuait sa mère.

— Les journées ne sont pas assez longues.

Ian se chargeait désormais de traire la vache et de nourrir les animaux avant de partir le matin, et pourtant Charlene n'avait toujours pas une minute à elle.

— Ça ira mieux quand mes cours seront terminés, je te promets.

— D'après Keith, tu vois Ian. Ce n'est pas vrai, n'est-ce pas ?

Charlene se redressa si brusquement que Spike détala.

— Qu'est-ce qui lui fait croire ça ?

— L'histoire du chien, je suppose.

— Ah ! dit-elle en soufflant de soulagement.

— Tu ne le vois pas, n'est-ce pas ? insista Céleste.

— Tout dépend ce qu'on appelle voir, répondit-elle pour se dérober à la question de sa mère. Pourquoi ?

— Quand j'ai demandé à Keith s'il avait l'intention de chercher un emploi plus intéressant, il m'a répondu qu'il allait rester encore un peu dans les parages. Il prétend que tu t'es entichée de Ian, mais espère que d'ici quelques semaines, quand Ian ne sera plus là, tu reprendras tes esprits.

Charlene se pétrifia.

— D'ici à quelques semaines ? se récria-t-elle.

— Tu n'es pas au courant ? Ian a reçu sa bourse. Il va bientôt partir en Afrique. Dans trois semaines.

Charlene eut l'impression de se liquéfier.

— Tu es sûre ?

— Presque sûre. C'est Mica qui l'a annoncé à Keith.

Son cœur se mit à cogner si fort dans sa poitrine que ses battements semblaient envahir la pièce. Ian ne lui avait rien dit. Pas un seul mot.

— Charlene ?

Elle ne parvenait pas à reprendre sa respiration. Elle s'était laissé emporter dans un monde de rêves d'où elle avait oublié qu'il lui faudrait se réveiller. Elle avait délibérément vécu au jour le jour, reculant le moment où ils devraient se dire au revoir. Plus tard. Toujours plus tard. Mais trois semaines… Le départ de Ian devenait une réalité incontournable.

— Tu peux assurer à Keith que je ne changerai pas d'avis à son sujet, réussit-elle à dire.

— J'ai essayé. Dans son propre intérêt, déjà, pour qu'il rebondisse. Mais impossible de lui faire entendre raison.

— Il faut que j'y aille, maman. Je t'appellerai demain.

— Ça va, ma chérie ?

— Oui. Je suis fatiguée, c'est tout.

Après avoir raccroché, Charlene serra sa tête entre ses genoux pour contrôler son vertige. Comme d'habitude, elle s'était montrée trop impulsive. Elle s'était donnée en entier et était maintenant éperdument amoureuse d'un homme qui allait la quitter dans moins de trois semaines.

Quand elle releva la tête, plusieurs messages s'étaient inscrits sur son écran.

— Les filles sont-elles couchées ?

— Tu veux que je t'apporte un dessert ?…

— J'ai la cassette du film que tu voulais voir…

— Tu es là ? Où es-tu passée ? J'ai envie d'embrasser ton cou, de te sentir contre moi, de te faire gémir… J'adore t'entendre gémir.

Comme il allait lui manquer… Une larme roula sur sa joue à cette pensée et elle décida de ne pas lui imposer sa compagnie ce soir.

— Je te vois demain, d'accord ? tapa-t-elle.

Rien ne se passa à l'écran pendant un long moment. Et enfin, Ian écrivit :

— Qu'est-ce qui t'arrive ?

— Je suis fatiguée.

— On peut dormir sans…

— Pas ce soir.

— Tu es sûre ?

Elle s'adjura de répondre oui et de se déconnecter, d'en rester là pour le moment, mais ne put s'y résoudre.

— Quand comptais-tu m'annoncer que tu avais obtenu ta bourse ?

Au bout de plusieurs secondes, elle lut la réponse :

— Je t'ai prévenue depuis le début qu'elle arriverait un jour ou l'autre, Charlene.

— Oui, c'est vrai. Bonne nuit.


Ian n'aurait dû éprouver aucune difficulté à s'endormir. Au cours des cinq dernières semaines, exalté par son aventure avec Charlene, il n'avait guère fermé l'œil. Mais son lit ne lui convenait plus. Il avait besoin de sentir la tête de Charlene sur son épaule pendant qu'ils bavardaient et plaisantaient, de pouvoir rouler sur elle quand l'envie de faire l'amour le prenait, de se réveiller avec son bras passé autour de sa poitrine…

Le temps leur était compté. Pourquoi ne profitait-elle pas à fond du peu qui leur était donné ?

Son réveil indiquait 3 h 43. Il allait être épuisé mais, heureusement, il ne restait qu'un jour de travail. Ensuite, une fois que Keith serait passé prendre les petites, Charlene et lui disposeraient de tout le week-end, rien que pour eux. Si elle acceptait de le voir…

Il craignit tout à coup que ces trois semaines, qu'il avait imaginées comme trois semaines idylliques, ne tournent pour lui au cauchemar. Trop agité pour dormir, il se leva et s'habilla.

Les arbres bruissaient dans la brise quand il se glissa hors de chez lui pour gagner son 4x4. Comme d'habitude, aucune lumière n'était allumée dans les maisons alentour et les rues étaient désertes.

Il traversa la ville, se gara à sa place préférée et parcourut le reste du chemin à pied.

Soulagé de constater que Charlene avait laissé la clé qu'elle lui réservait à son endroit habituel, sous le pot de géranium, il s'introduisit dans la maison le plus silencieusement qu'il put et entrouvrit la porte de la chambre de Charlene : elle dormait à poings fermés. Spike, qui était allongé à ses pieds, sauta à terre en reconnaissant Ian et l'accompagna dans ses tâches matinales.

La jument salua Ian avec un hennissement quand il lui flatta l'encolure et les poulets suivirent chacun de ses pas en grattant le sol jusqu'à ce qu'il leur jette leur ration de graines. Lorsqu'il pénétra dans l'étable, Jersey tourna la tête vers l'arrière en donnant un coup de queue avant de se remettre à ruminer paisiblement pendant qu'il la trayait.

Lorsqu'il pénétra dans la cuisine avec son panier d'œufs, un bruit dans le couloir lui fit lever les yeux et, à sa grande surprise, il découvrit... Isabella.

— Qu'est-ce que tu fais ici ? demanda-t-elle.

Malgré toutes les nuits qu'ils avaient passées ensemble depuis un mois, ils n'avaient jamais failli être pris sur le fait. Aussi lui parut-il ironique qu'Isabella le trouve chez elle la seule nuit où il n'avait pas partagé le lit de sa mère.

— J'ai donné à manger aux bêtes et j'ai trait Jersey. Et toi, pourquoi es-tu debout si tôt ?

— J'ai été réveillée par un cauchemar.

— Viens me voir, dit-il, inquiet, craignant que les joues rouges de la fillette ne soient un symptôme de fièvre.

Elle s'approcha, ses grands yeux si semblables à ceux de sa mère levés vers lui tandis qu'il lui tâtait le front. Oui, il était effectivement chaud.

— Tu n'as pas mal au ventre ?

— Non, mais il gargouille.

— Tu crois que c'est parce que tu as faim ?

Elle secoua la tête.

— Tu as envie de vomir ?

— Non, répondit-elle avec une moue de dégoût. Tu veux bien venir t'allonger avec moi ? demanda-t-elle.

Son visage s'était tout à coup illuminé et Ian hésita. Il aurait bien aimé aller la rendormir s'il n'avait pas été certain de se heurter à la désapprobation de Charlene, elle qui avait veillé avec beaucoup de rigueur — trop au gré de Ian — à éviter tout contact entre lui et ses filles.

— Mon papa il s'allonge avec moi, parfois, quand je ne me sens pas bien, insista-t-elle pour le convaincre.

Mais il n'était pas son père. Il s'apprêta à lui conseiller d'aller trouver sa mère, mais l'idée de tirer Charlene de son sommeil réparateur lui répugnait.

— Va chercher ta couverture. On va s'installer dans le rocking-chair.


A 6 h 30, d'un pas mal assuré, Charlene traversa le salon en direction de la cuisine. Il fallait qu'elle s'occupe des animaux, qu'elle se douche et qu'elle prépare le petit déjeuner avant le départ de ses filles pour l'école à 8 h 30. Mais elle avait de la peine à se réveiller. Pas uniquement d'ailleurs parce qu'elle manquait de sommeil. Inconsciemment, elle cherchait à retarder son retour à la réalité, pour ne pas penser à Ian.

— La vie continue, se dit-elle tout bas, furieuse de ne pas avoir tiré les leçons de son expérience avec Keith et de se montrer toujours aussi vulnérable.

C'est alors qu'elle remarqua le panier d'œufs sur la paillasse en même temps qu'elle entendit quelqu'un bouger près de la télévision.

Le cœur battant d'appréhension à l'idée qu'un inconnu se soit introduit chez elle, elle se retourna brusquement... et trouva Ian assis dans le fauteuil à bascule près de la cheminée, avec Isabella blottie sous une couverture sur ses genoux. Il avait les yeux ouverts.

Quand leurs regards se croisèrent, une série d'émotions contradictoires envahit Charlene.

— Qu'est-ce que tu fabriques là ? murmura-t-elle, une main posée sur son cœur comme pour en freiner les battements.

— Je n'arrivais pas à dormir.

— Alors tu es venu ramasser les œufs ?

— J'ai pensé que tu n'y verrais pas d'inconvénient, confirma-t-il avec un sourire.

Non, elle n'en voyait pas. Elle avait apprécié l'aide qu'il lui avait apportée au cours des semaines passées.

— Qu'est-ce qui arrive à mon poussin ? demanda-t-elle avec un geste du menton en direction d'Isabella.

— Elle est sortie de sa chambre au moment où je déposais les œufs. Elle ne se sentait pas bien et voulait que j'aille m'allonger à côté d'elle. J'ai trouvé que le rocking-chair était préférable.

— Pourquoi ne m'as-tu pas appelée ?

— Ce n'était pas la peine puisque j'étais debout.

Elle fut tout d'abord tentée de s'emporter contre lui. Elle lui avait pourtant clairement stipulé qu'elle ne voulait pas qu'il entre dans la vie de ses filles. Mais, dorénavant, cette règle n'avait plus vraiment de raison d'être, s'avoua-t-elle.

— Tu as bien fait, après tout. Vu la situation, il n'y a plus guère de danger.

— Quelle situation ?

— Dans trois semaines, tu seras parti. Les enfants n'auront pas le temps de s'attacher à toi.

Avait-il fallu si longtemps pour qu'elle-même se laisse séduire par le charme de cet homme ? s'interrogea-t-elle.

— Alors, tu arrêtes tout, Charlene ? demanda-t-il à voix basse. Déjà ?

Au lieu de répondre, Charlene s'approcha pour toucher la joue d'Isabella, qui commençait à s'agiter.

— C'est vrai qu'elle est chaude. Je vais devoir me faire remplacer au lycée aujourd'hui.

— Il faut que je me lève, maman ? murmura Isabella dans un bâillement qui étira son adorable petite bouche rose.

— Non, ma chérie. Je vais te garder à la maison jusqu'à ce que tu ailles mieux. Ian va te porter dans ton lit, d'accord ?

— Je ne veux pas aller me coucher, protesta-t-elle.

— Tu as faim ?

— Non. J'ai envie de rester ici, dit-elle en se pelotonnant, les yeux fermés, contre la poitrine de Ian.

Charlene ne pouvait lui reprocher cette décision, elle qui aurait bien voulu prendre sa place entre les bras de Ian. Elle se serait volontiers jetée à genoux devant lui pour l'implorer de ne pas la quitter, mais elle savait que céder à cette impulsion serait parfaitement déraisonnable. Si Ian ne se rendait pas compte de ce qu'ils vivaient ensemble, s'il n'attachait pas d'importance à leur relation, alors rien de ce qu'elle pourrait dire ne le ferait changer d'avis.

— Tu n'as pas répondu à ma question, Charlene.

— C'était quoi la question ? demanda-t-elle en continuant à caresser la joue de sa fille.

— Est-ce que tu arrêtes tout ?

— Je n'ai pas encore décidé.

La sonnette évita à Charlene de s'expliquer plus avant.

— Qui cela peut-il être ? demanda Ian.

— A une heure aussi matinale, ce doit être Keith, répondit-elle en parcourant la maison des yeux à la recherche d'une cachette pour Ian.

— Je vais mettre Isabella au lit et me sauver par la porte de derrière, déclara-t-il en joignant le geste à la parole sans, heureusement, qu'Isabella ne proteste.

Contrairement à son attente, ce ne fut pas Keith qu'elle trouva sur son perron, mais Elzina Brown, une de ses voisines.

— Bonjour, Elzina. Qu'est-ce qui t'amène de si bon matin ?

Elzina paraissait beaucoup plus jeune que ses soixante ans passés avec son jean et ses bottes, ses bijoux indiens et ses longs cheveux gris qu'elle ramassait en un élégant chignon.

— Excuse-moi de te déranger, Charlene, mais est-ce que tu pourrais demander à Ian de déplacer sa voiture ?

— Pardon ? s'étrangla Charlene.

— Il s'est garé près de chez moi et comme Jon Small et son frère doivent venir élaguer des arbres, je ne voudrais pas qu'ils abîment son 4x4.

— Qu'est-ce qui te fait penser qu'il est chez moi ?

Avec un clin d'œil, Elzina enfila ses gants de jardinage avant de se diriger vers sa camionnette.

— Où d'autre veux-tu qu'il soit ? Il vient presque toutes les nuits, non ?

Charlene opta pour la franchise.

— Je préférerais que personne d'autre ne l'apprenne.

— Tu peux compter sur moi pour garder le secret, assura-t-elle avec gentillesse. Dis à Ian de se dépêcher avant qu'ils n'arrivent.

— D'accord.

Mais Ian était déjà parti et elle n'avait aucun moyen de le joindre.

Elle rangea les œufs dans le réfrigérateur en priant qu'il ait filé à temps. Hélas, son téléphone sonna quelques instants plus tard. C'était Elzina qui lui annonçait que Ian avait regagné son 4x4 cinq minutes après l'arrivée de Jon...

# 22.

Charlene passa la semaine suivante à esquiver les questions et ignorer les sourires entendus de presque toutes les personnes qu'elle rencontra : ses collègues du lycée, son propre frère qui secoua la tête d'un air incrédule quand il la croisa sur le chemin du stade de football, Earl qui lui adressa un clin d'œil lorsqu'elle vint faire des courses à la coopérative, Judy, la serveuse du restaurant, qui lui demanda comment les choses se passaient entre elle et Ian. Jusqu'à Jennifer qui voulut savoir si Ian était son petit ami !

Quant à Keith, contre toute attente, il ne la harcela ni au téléphone ni par ses visites. Quand il passa prendre les filles pour le week-end, il afficha l'air supérieur de celui qui avait tout deviné depuis le départ et qui attendait son heure. Il envisageait de renouer avec elle une fois que Ian serait parti, devina Charlene qui se garda bien de le décourager. Chaque chose en son temps. Sa vie était suffisamment compliquée pour le moment. C'est d'ailleurs pour cette raison qu'elle repoussa son déjeuner avec Liz à la semaine suivante et décida de se concentrer sur ses enfants et son travail en attendant que les commérages cessent.

Pour endiguer la curiosité dont elle était l'objet, elle mit un terme aux visites de Ian. Furieuse de s'être laissé piéger dans une situation dont elle savait depuis le début qu'elle était sans issue, elle était résolue à empêcher que le départ imminent de Ian ne dérange ses habitudes ou ne l'anéantisse.

Mais quand arriva le dimanche suivant, elle ne se sentait toujours pas la force d'affronter le rendez-vous avec Liz. Comment décommander de nouveau, pourtant, quand elle pensait au courage qu'il avait fallu à Liz pour lancer cette invitation ? Aussi, s'ordonnant de faire preuve de cran à son tour, elle se prépara avec soin puis fit monter les filles dans son mini van, avant de prendre la route du Running Y.

D'ordinaire, Charlene se faisait une fête de venir dans ce splendide hôtel dont elle appréciait le décor et la cuisine. Aujourd'hui, cependant, elle y entra à reculons.

— Ils sont déjà là ! s'écria Angela en se précipitant à l'intérieur du restaurant.

Avec réserve, elle s'approcha de Liz, qu'elle salua avec un sourire hésitant, puis prit place en face d'elle. Les enfants, eux, se groupèrent à l'autre bout de la table et se mirent à bavarder joyeusement comme s'ils avaient l'habitude de se retrouver ici toutes les semaines.

— Ian voulait venir, mais je l'en ai dissuadé, commença Liz timidement.

— Merci. C'est gentil.

— Tu ne veux vraiment pas le voir ?

« Oh si ! Plus que jamais ! » aurait voulu avouer Charlene. Mais à quoi bon ? Dans une semaine, il prendrait son avion à Boise et elle n'avait aucune envie de revivre ce qu'elle avait connu avec Keith.

Elle chercha désespérément comment répondre sans afficher son chagrin. C'était difficile, compte tenu de la façon dont Liz l'observait. On aurait dit qu'elle réussissait à lire dans son âme, et les larmes lui montèrent aux yeux.

Il fallait absolument qu'elle se ressaisisse. Elle n'allait pas s'effondrer, quand même ! Pas devant Liz ! Peut-être valait-il mieux s'éclipser le temps de se calmer — aller aux toilettes, par exemple. Hélas, au moment où elle voulut se lever, elle sentit la main de Liz serrer la sienne avec compassion.

— Je l'aime, murmura-t-elle dans un souffle, incapable de retenir plus longtemps cet aveu, de dissimuler plus longtemps sa souffrance.

L'émotion gagna Liz dont les yeux s'embuèrent aussi.

— Je sais. Si cela peut t'aider, reprit-elle après un silence, je crois qu'il t'aime aussi. Il est comme un fou, depuis que tu ne réponds plus à ses appels ni à ses courriels. Il s'est même mis en colère contre moi quand j'ai refusé qu'il se joigne à nous, aujourd'hui.

— Pourquoi le lui as-tu interdit ?

— Parce que je ne voulais pas réduire à néant tes efforts pour te protéger contre ce qui t'arrive.

La protéger ? Charlene n'en revenait pas. Elle avait en face d'elle « l'autre femme » de son ex-mari et, pourtant, elles parlaient de sujets personnels avec le plus grand naturel, comme si elles étaient des amies très proches, intimes. Peut-être parce qu'elles avaient traversé des épreuves similaires ? Ou parce qu'elles avaient toutes deux été amoureuses de Keith et aimaient Ian, même si c'était, bien sûr, d'un amour différent ?

— Il va partir, n'est-ce pas ? s'enquit Charlene du ton de celle qui connaît déjà la réponse.

Liz lui tenait toujours la main.

— Tu tiens à ce que je dise la vérité ?

Charlene fit signe que oui.

— Alors, je crois que tu as raison : il ne renoncera pas à ses expéditions. Et pourtant, tu es la première femme qu'il a vraiment dans la peau, ajouta-t-elle avec un sourire attendri.

Charlene ferma les yeux et s'obligea à respirer profondément.

— Je savais dans quoi je m'engageais.

— Ne sois pas trop sévère avec toi-même. On ne peut pas toujours éviter les obstacles qui se dressent sur le chemin, même quand on les voit.

— C'est ce qui s'est passé pour toi, avec Keith ?

— Je tenais tellement à ce que tout aille bien qu'il m'arrivait de me voiler la face.

— Et maintenant ? demanda-t-elle, submergée par l'amertume.

— J'ai honte d'avoir été aussi facilement abusée. Mais j'ai fait des progrès, dit Liz avec un sourire. De gros progrès.

Envisager la situation du point de vue de Liz ouvrait à Charlene une perspective différente sur les événements qui avaient bouleversé sa vie. Emménager à Dundee n'avait pas dû aller de soi, pour la sœur de Ian…

— Pourquoi es-tu venue habiter ici ? lui demanda-t-elle, prête à comprendre. Tu devais te douter que ce ne serait pas facile.

Liz désigna les enfants qui riaient de bon cœur à une pitrerie de Jennifer.

— Pour eux, expliqua-t-elle. Et pour moi aussi. C'était le seul moyen de me convaincre que tout était vraiment terminé. Je n'arrivais pas à croire que Keith nous abandonne.

Ce fut au tour de Charlene de serrer la main de Liz dans un élan de compassion.

— Ces premiers mois ont été un véritable calvaire.

Liz soupira.

— Heureusement, dit-elle, c'est du passé, maintenant. Pas vrai ?

— A peu près, oui.

— Tu oublieras Ian. C'est juste une question de temps.

Vraiment ? Charlene hocha la tête. Elle espérait de tout son cœur que Liz avait raison.

Ian arpentait le parking du Running Y. Il était venu là avec l'intention de rejoindre Charlene, que cela plaise à Liz ou non. Comme Charlene lui adressait à peine la parole au lycée, qu'elle ne répondait ni à ses coups de téléphone ni à ses messages électroniques, il avait fiévreusement attendu cette occasion de la rencontrer. Or, Liz était revenue sur son invitation !

Mais, à présent, quelle marche suivre pour parvenir à ses fins sans se montrer plus mufle qu'il ne l'avait été avec sa sœur quelques heures plus tôt ?

Pourquoi Charlene ne pouvait-elle pas sourire, rire, profiter du peu de temps qu'ils avaient à passer ensemble ? Pourquoi fallait-il que les choses tournent ainsi ? Bien sûr, elle voulait laisser les commérages se calmer, mais les cours se terminaient cette semaine et Reg lui avait demandé de rentrer à Chicago le plus rapidement possible, c'est-à-dire samedi. Nom d'un chien ! Samedi ! Il n'avait pourtant jamais caché à Charlene qu'il devait partir. Alors, qu'avait-elle espéré ?

— Bonjour, Ian.

Il se retourna… C'était Deborah Wheeler et son père, Melvin Blaine, qui sortaient de l'hôtel.

— Bonjour, répondit-il avec une certaine froideur.

— Tu es sur le départ, à ce qu'on dit ?

Il opina.

— Pauvre Charlene, dit-elle avec un soupir qui cachait mal sa jubilation. Elle a encore misé sur le mauvais cheval. Elle est à l'intérieur, tu sais. Avec ta sœur. Amusant, non ? On dirait deux vieilles copines.

— Et alors, ça te pose un problème ? demanda-t-il en affichant le plus grand calme.

— Non, bien sûr que non. C'est simplement… cocasse, lança-t-elle en glissant son bras sous celui de son père.

Ian se passa nerveusement la main dans les cheveux en les regardant s'éloigner. Charlene n'avait pas « misé » sur lui : ils avaient une liaison. Il n'y avait rien de dramatique à cela. En tout cas, c'est ce qu'il avait cru. Jusqu'à ce qu'elle refuse de le voir…

Une voix le sortit soudain de ses ruminations. C'était Isabella qui se précipitait dans ses bras.

— Ian ! Ian !

Alors, avant même de l'avoir vue faire, il sut que Charlene avait poussé la porte de l'hôtel. Il sentit son regard posé sur lui, se rappela la moindre de leurs conversations, la moindre de leurs caresses.

— Bonjour, lança-t-il, plein d'espoir, tandis qu'il la suppliait intérieurement.

« Souris-moi. Rien qu'un sourire. S'il te plaît. »

Mais le sourire poli et vide dont elle accompagna son salut n'était pas ce qu'il avait espéré… Et son dépit augmenta encore quand, après avoir embrassé Liz et les enfants, elle appela ses filles et passa devant lui sans rien ajouter.

— C'est tout ? murmura-t-il.

Elle ne répondit pas davantage, mais il sentit la main de Liz se poser doucement sur son bras.

— Si tu n'as pas totalement renoncé à te marier un jour, Ian, c'est le moment ou jamais de te jeter à l'eau.

Il regarda Charlene monter dans son mini van.

— Tu plaisantes ? Tu ne voulais même pas que je la voie.

— J'avais tort. Je ne connais pas de femme plus digne de toi.

Sûrement… Sauf qu'il ne pouvait pas l'épouser. Elle, c'était à Dundee qu'elle était chez elle ; lui, c'était dans la jungle, à des milliers de kilomètres.

— Je veux juste lui dire au revoir.

Non, c'était beaucoup plus compliqué que de simples adieux. Il avait envie de remercier Charlene pour les merveilleux moments partagés, lui dire combien elle allait lui manquer, peut-être lui faire l'amour une dernière fois…

— Pourquoi faut-il que ce soit tout ou rien ? demanda-t-il.

— Parce qu'elle a trois gosses et qu'elle t'aime, Ian. Si tu ne veux pas faire d'elle ta femme, alors fiche-lui la paix.

\*
\* \*

270

Après sa conversation avec Liz, sur le parking du Running Y, Ian s'était promis de ne plus essayer d'entrer en contact avec Charlene. Il ne lui avait pas envoyé un seul courriel de toute la semaine et n'avait plus cherché à la voir seul à seule au lycée. En fait, il avait espéré qu'elle succomberait à la tentation et qu'elle l'appellerait. Comment pouvait-elle l'ignorer, faire comme si rien n'avait jamais eu lieu, rien de magique ? Ses mains brûlaient de la toucher. Il ne pouvait pas partir sans appeler une dernière fois. Dans une heure, il aurait quitté Dundee, alors c'était tout de suite.

Il composa le numéro de Charlene. Elle décrocha.

— Allô ?

Ian crut que son cœur s'arrêtait de battre.

— Charlene ?

— Oui, dit-elle après une légère hésitation.

— Comment ça va ?

— Bien, répondit-elle sobrement.

Il aurait parié qu'elle se sentait aussi mal que lui. Ils avaient vécu ensemble un mois d'ivresse, pour lequel il payait depuis trois semaines. Cher, très cher.

— Et toi ? demanda-t-elle.

— Tu me manques. Horriblement.

A la place du « toi aussi » qu'il aurait tant voulu entendre, elle demanda :

— Pourquoi m'appelles-tu, Ian ?

— Je pensais que tu pourrais me conduire à l'aéroport, dit-il en fermant les yeux pour une prière silencieuse.

— Liz t'emmènera.

— Elle travaille.

C'était un mensonge, en désespoir de cause. Il y eut un très long silence.

— Ian…, reprit Charlene.

Mais il la prit de court.

— Tu vas vraiment me laisser partir sans me dire au revoir ?

Silence. Sa question sembla tomber dans le néant... Jusqu'à ce que Charlene demande dans un soupir :

— Quand veux-tu que je passe te prendre ?

— Dans une heure, répondit-il, entre joie et peine.

— D'accord.

Sur ces mots, elle raccrocha, coupant court à toute tentative qu'il aurait faite de prolonger inutilement la conversation.

Charlene confia le volant à Ian. Jennifer, Angela et Isabella se mirent aussitôt à bavarder avec animation et ne s'arrêtèrent plus de tout le trajet. Charlene et Ian, quant à eux, ne se montrèrent guère bavards mais, dès qu'il eut démarré, il lui prit la main et elle ne se déroba pas.

Lorsqu'ils furent à une quinzaine de minutes de l'aéroport, il tourna la tête vers elle, comme pour déchirer l'étrange silence qui les séparait.

— Qu'est-ce qu'il y a ? demanda-t-elle tout bas.

— Je vais revenir. Tu le sais, n'est-ce pas ?

— Quand ?

— Exactement, je ne sais pas. Mais dès que je pourrai.

— Tu passeras me rendre visite, c'est ça ?...

— C'est mieux que rien, non ?

Charlene fut tentée d'accepter. Après tout, quelques heures de bonheur fugitif, « c'était mieux que rien », comme disait Ian, et elle l'avait fait, longtemps, dans sa vie. Puis elle se ravisa : aujourd'hui, elle avait besoin d'un lien solide, de constance, et d'un homme qui serait heureux de rester près d'elle et de la retrouver chaque soir, à Dundee.

— Désolée, Ian, ça ne marchera pas.

Il fronça les sourcils, visiblement nerveux.

— Alors dis-moi en face que tu ne veux plus me voir !

— Non, je ne le dirai pas, répondit-elle sans hésiter.

— Dans ce cas, pourquoi ne pas continuer ensemble ?

— Parce que je n'ai pas envie de souffrir de tes absences, de t'attendre en permanence, de me demander combien de temps tu resteras…

— S'il te plaît, Charlene, je n'ai jamais rencontré personne comme toi. Ne m'oblige pas à te perdre.

— Tu trouveras quelqu'un d'autre, assura-t-elle dans un souffle. Peut-être dans quelques années, quand tu seras prêt.

Le panneau indiquant l'aéroport apparut. Quelques instants plus tard, Ian garait le mini van à la dépose minute, descendait pour ouvrir la portière de Charlene et la prenait dans ses bras. Elle s'agrippa à lui, espérant follement, encore, qu'il allait changer d'avis.

— Je t'aime, chuchota-t-il dans ses cheveux.

Mais il ne remonta pas en voiture. Après avoir dit au revoir aux filles, il posa un baiser sur les lèvres de Charlene, saisit ses bagages et s'éloigna aussi vite que possible de tout ce qu'il laissait derrière lui.


Ian s'assit près du guichet d'embarquement, dans un aéroport étonnamment calme. Il était vidé, comme étranger à lui-même. Il pensa un instant ouvrir son ordinateur portable pour répondre à son courrier, régler quelques formalités, parcourir une dernière fois ce qu'il avait réussi à rédiger à Dundee sur ses recherches. S'il parvenait à reprendre sa routine habituelle, peut-être se sentirait-il mieux…

Il se frotta les mains, prêt à attaquer son travail, mais en vain. Savoir Charlene, seule avec ses filles dans un restaurant à proximité, l'empêchait de faire quoi que ce soit. Alors, abandonnant l'écran de son ordinateur, il laissa son regard errer à travers les larges baies vitrées. Dehors, le soleil brillait. Ian se leva et resta plusieurs minutes à observer les avions décoller. Sa décision de reprendre son ancienne vie était la bonne. Oui. Sans aucun doute… Cela faisait si longtemps qu'il attendait de retourner en Afrique pour y poursuivre ses recherches et le combat qui lui tenait à cœur contre la destruction de la forêt tropicale.

Et pourtant, la tristesse qui lui étreignait le cœur lui soufflait qu'il allait commettre une terrible erreur.

Il pensa au vol qui l'amènerait dans l'hémisphère Sud, aux habitants, à leurs traditions et à leurs langues qui le passionnaient tant. Pour lui, chaque moment passé dans ce pays unique représentait un moment d'extase. Mais ce voyage lui paraissait moins attrayant, à présent.

Probablement parce qu'il s'était trop longtemps tenu à l'écart du circuit, se dit-il. Il avait pris l'habitude de vivre de façon plus calme, de se préoccuper davantage de Charlene que de ses travaux.

Charlene... Il en revenait toujours à elle.

Il se força à la chasser de son esprit et gagna la cabine la plus proche pour laisser un message à Reggie et lui proposer un rendez-vous le lundi matin à la première heure. A sa grande surprise, son patron lui répondit en personne.

— Qu'est-ce que tu fais au bureau un samedi matin ?

— J'essaye de rattraper le retard que j'ai accumulé.

Au cours des nombreuses années de leur collaboration, jamais Ian n'avait entendu Reg parler de sa vie de famille, leur relation s'étant toujours limitée au cadre strictement professionnel.

— Tu travailles trop, fit remarquer Ian.

— Je crains que ce ne soit inévitable dans mes fonctions, répliqua-t-il d'un ton brusque, comme s'il était trop pressé par le temps pour consacrer quelques instants à une conversation téléphonique.

Ses « fonctions » revêtaient de toute évidence une importance capitale pour Reg. Mais, le comblaient-elles au point qu'il y consacre toute sa vie ?

— Quel âge as-tu ? demanda Ian, conscient du caractère saugrenu de sa question.

— Cinquante-sept, répondit Reg, interloqué. Pourquoi ?

Cinquante-sept ans. Et sa seule perspective, le week-end, était de continuer ce qu'il faisait le reste de la semaine… Le plus absurde était encore que Reg se sente trop occupé pour remarquer qu'il passait à côté de quelque chose.

A cet instant, un bébé se mit à pleurer et, en se retournant, Ian aperçut un jeune couple avec un nourrisson, à quelques sièges de lui.

— Ian ? Tu n'as pas un peu perdu la tête dans ton pays de cow-boys ?

Perdu la tête ? Tout à coup, Ian se projeta trente ans en avant et se vit en vrai bourreau de travail, comme Reggie, dont il suivait irrévocablement les traces… C'était cela, perdre la tête.

Il regarda le père installer le bébé dans le creux de son bras pour lui donner le biberon. Les cris se turent et les parents contemplèrent avec attendrissement leur enfant.

— Ian ? répéta Reg.

— … Je réfléchis, c'est tout.

— A quoi ?

« A Charlene. Pour savoir si je peux vivre sans le rire de Charlene, sans les filles, sans Spike, sans la ferme… »

Alors, il se déroba à sa conversation avec Reggie.

— Il faut que j'y aille, l'hôtesse annonce l'embarquement.

— Appelle-moi en arrivant. J'irai te chercher si je peux m'échapper d'ici. Il faut qu'on discute de certains points concernant ton expédition.

— Entendu.

La petite famille qu'il avait observée quelques instants plus tôt l'intéressait désormais bien davantage que son voyage. Et quand l'hôtesse lança le dernier appel, il se découvrit incapable de se rendre au comptoir. Il était fait pour la recherche sur le terrain, pas pour enseigner dans un lycée, bon sang, alors pourquoi ne bougeait-il pas ?

Quelques minutes plus tard, il était toujours à la même place et regardait son avion décoller…

Charlene tendit l'oreille : un bruit près de la porte d'entrée avait attiré son attention. Elle se leva pour aller voir qui lui rendait visite et s'arrêta, sur le qui-vive, en entendant le déclic de la serrure.

— Qui est là ? appela-t-elle.

Elle n'avait pu se résoudre à ôter la clé de Ian de dessous le pot de géranium, comme pour exorciser le fait qu'il ne reviendrait plus. Si, à cause de cette faiblesse, il devait arriver malheur à ses enfants, elle ne se le pardonnerait jamais…

— Charlene ?

Ian ? Etait-ce bien sa voix qu'elle entendait ?

— Ian ! s'écria Isabella en bousculant sa mère dans sa hâte de se jeter dans les bras de Ian.

— Bonjour, l'affreuse ! dit-il en la faisant tournoyer.

— Pourquoi tu es là ? demanda-t-elle.

— Parce que j'habite ici, maintenant, répondit-il avec un clin d'œil espiègle.

A ces mots, le cœur de Charlene s'arrêta de battre.

— Qu'est-ce que tu dis ? articula-t-elle avec peine.

Il posa Isabella, ébouriffa les cheveux d'Angela tout en souriant à Jennifer et s'approcha d'elle. Puis il l'enlaça et murmura contre ses lèvres :

— Salut, chérie. Je suis rentré à la maison.

— Pour de bon ?

— Pour de bon, affirma-t-il.

Charlene se laissa emporter dans un tourbillon de bonheur endiablé. L'étreinte de Ian était si vigoureuse, si chaude, si… merveilleuse ! Même le contact de sa barbe rugueuse lui parut doux et réconfortant !

Pourtant, elle redoutait tellement de se réveiller et de se heurter

276

à la dure réalité de leur rupture, qu'elle continuait de se demander s'il était absolument, totalement sérieux. Allait-elle vraiment ouvrir les yeux tous les matins et le trouver à ses côtés ? Jusqu'à la fin de ses jours ? Ne regretterait-il jamais son choix, sa décision ?

— Il aime maman, chuchota Isabella à ses sœurs ébahies.

— Vous allez vous marier ? demanda Jennifer.

— Oui, répondit Ian sans quitter Charlene des yeux.

— Génial ! s'exclama Angela en applaudissant. Est-ce que Mica est au courant ?

— Personne ne le sait pour le moment, répondit Ian. En fait, j'attends encore la réponse de votre mère.

— Et l'Afrique, alors ? s'enquit enfin Charlene en lui prenant le visage entre les mains.

— J'aurais été trop malheureux sans toi, Charlene. Depuis que je t'ai rencontrée, tout a changé.

— Mais…

Il l'embrassa pour la faire taire.

— Ne t'inquiète plus. Je vais écrire un livre qui dressera l'état actuel de mes travaux et, quand les filles seront plus grandes, nous irons là-bas ensemble. Toute la famille.

— La famille…, répéta une des petites avec un soupir d'extase comme si la scène qui se déroulait sous ses yeux était tout droit sortie d'un conte de fées.

— Accepte, maman, supplia Jennifer.

— Dis-lui que tu l'aimes, ajouta Isabella avec ferveur tandis qu'Angela riait d'excitation.

— Veux-tu devenir ma femme, Charlene ? Peut-être serai-je contraint de me livrer à quelques acrobaties pour mener de front l'écriture d'un livre et l'enseignement. Peut-être ne roulerons-nous pas sur l'or. Mais je te promets de te rester toujours fidèle, de toujours t'aimer et d'être un super papa pour tes petites monstresses.

Charlene sentit les larmes lui monter aux yeux. Elle ne se rappelait pas avoir été un jour aussi heureuse.

— Quelle plus grande richesse pourrions-nous souhaiter ? demanda-t-elle.

— Ça veut dire « oui », annonça-t-il aux trois petites filles.

— Oui, confirma Charlene.

Puis elle ouvrit les bras à ses filles qui vinrent se joindre à leur étreinte.

NOUVEAUTÉ OCTOBRE

# éMOTIONS

L'émotion au cœur de la vie

### SI L'AMOUR EST PLUS FORT, de Linda Style • N°985

Enfin, la petite Hollie se réveille du coma dans lequel elle était plongée ! Mais un autre drame survient : la fillette ne reconnaît pas Dana, sa propre mère, qui l'élève seule. Les médecins sont alors formels : pour rentrer chez elle, il faut à Hollie un repère affectif — son père. Seulement, celui-ci vit à l'étranger...

### UNE SI LONGUE ABSENCE, de Peggy Nicholson • N°986

Divorcée d'un époux qui n'a pas voulu de leur enfant, Kaley tente de se réfugier sur les terres familiales. Mais quand elle arrive, elle apprend que Tripp McGraw est sur le point de mettre la main sur le domaine. McGraw, l'homme qui lui a brisé le cœur neuf ans plus tôt.

### SEPT ANS DE SECRET, de Roz Denny Fox • N°987

Pour sauver sa fille qui a besoin d'un donneur de rein compatible, Mallory Forrest est prête à tout — même à retrouver Connor, le père de la fillette, et à affronter sa colère. Elle se lance à sa recherche...

### SOUDAIN, CETTE ANNÉE-LÀ..., de Jean Brashear • N°988

La culpabilité ronge la vie de Victoria. Seul son petit garçon la rattache encore à la vie mais elle ne se sent pas digne d'être mère, et encore moins d'être aimée d'un homme. Sur son chemin, elle va pourtant rencontrer Sandor, qui la réconciliera avec l'amour et la vie.

*Les Best-Sellers Harlequin, c'est la promesse d'une lecture intense : romans policiers, thrillers médicaux, drames psychologiques, sagas, ce programme est riche d'émotions.*

## Ne manquez pas, ce mois-ci :

### Le cercle secret, de Suzanne Forster • N°264

*En 1982, dans une école privée de Californie, quatre adolescentes humiliées et martyrisées par leur directrice ont formé un club secret en jurant de toujours se soutenir. Jusqu'au jour où l'une d'elles se suicide, et où la directrice de l'établissement est retrouvée assassinée...*

Vingt ans plus tard, Mattie, Jane et Breeze ont gardé le silence sur ce qui s'est réellement passé. Mais, parvenues au sommet de l'échelle sociale, elles sont aujourd'hui menacées de tout perdre lorsqu'un journaliste entreprend de faire la lumière sur le drame...

### Noirs desseins, de Carla Neggers • N°265

Une balle sur le siège de la voiture. Une vitre brisée dans le salon. Des appels anonymes. Trois ans après la mort de son mari, un ancien agent du FBI, Lucy Blacker Swift sent un danger mortel planer sur elle et ses enfants. Pour ne pas alarmer les siens, elle décide de faire appel en secret à Sebastian Redwing, le meilleur ami de son mari. Sans savoir qu'elle va l'entraîner dans une spirale incontrôlable, où se mêlent chantage, vengeance et trahison...

### La piste du tueur, de Christiane Heggan • N°266

Lorsqu'elle découvre un soir le corps sans vie d'une jeune femme, dans une ruelle de New York, Zoe Forster s'empresse de prévenir la police. Mais à l'arrivée des secours, c'est la stupéfaction : le cadavre a disparu. Persuadée que quelqu'un a voulu supprimer toute trace du meurtre, Zoe réalise un portrait de la victime et lance un appel à témoin dans le journal où elle travaille. Au risque de devenir ainsi la prochaine cible de l'assassin…

## Le silence des anges , de Dinah McCall • N°267

Dans une maison en travaux, au nord du Texas, un couple découvre une valise contenant le squelette d'un bébé. La découverte sème un vent d'effroi et d'horreur parmi la population : vingt-cinq ans plus tôt, l'endroit avait en effet servi de cachette aux ravisseurs d'une enfant de deux ans, Olivia Sealy. Celle-ci ayant été libérée après le versement d'une énorme rançon, une question se pose alors avec insistance : qui est l'enfant retrouvé mort ?

## La fortune des Carstairs, de Fiona Hood-Stewart • N°268

Avocate à Savannah, Meredith Hunter est chargée à la mort de l'excentrique Rowena Carstairs de retrouver celui que la vieille dame a désigné comme son unique héritier : Grant Gallagher, son petit-fils illégitime, dont personne ne soupçonnait l'existence. Contrainte de faire face à la colère de la famille Carstairs, Meredith découvre que Grant lui-même ne lui facilitera pas la tâche : amer d'avoir été abandonné à la naissance, il ne veut pas entendre parler de cet héritage, et refuse même de recevoir la jeune femme…

## Les portes du destin, de Catherine Lanigan • N°126 *(Réédition)*

Participer à une exploration de la forêt équatorienne : pour la géologue M.J. Callahan, il s'agit avant tout d'un voyage strictement professionnel. Mais avec ses deux coéquipiers, un aventurier entreprenant et un industriel plus réservé, la jeune femme découvre une jungle au charme envoûtant… et aux dangers mortels. Car une expédition a autrefois suivi le même chemin qu'elle à la recherche d'un trésor fabuleux. Et personne n'en est jamais revenu…

✂ **Oui**, je désire profiter de votre offre exceptionnelle. J'ai bien noté que je recevrai d'abord gratuitement un colis de 2 livres * ainsi que 2 cadeaux. Ensuite, je recevrai un colis payant de romans inédits régulièrement.

## Je choisis la collection que je souhaite recevoir :

(☑ cochez la case de votre choix)

| | | |
|---|---|---|
| ❑ | **AZUR** : ......................................................... | Z6ZF56 |
| ❑ | **EMOTIONS** ..................................................... | A6ZF53 |
| ❑ | **BLANCHE** : .................................................... | B6ZF53 |
| ❑ | **LES HISTORIQUES** : ...................................... | H6ZF53 |
| ❑ | **PASSION** : ..................................................... | R6ZF56 |
| ❑ | **DÉSIRS** : ....................................................... | D6ZF52 |
| ❑ | **DÉSIRS/AUDACE** : .......................................... | D6ZF54 |
| ❑ | **HORIZON** : ................................................... | O6ZF54 |
| ❑ | **AMBRE** : ...................................................... | P6ZF52 |
| ❑ | **BEST-SELLERS** : ............................................ | E6ZF53 |
| ❑ | **BEST-SELLERS/INTRIGUE** : .............................. | E6ZF54 |
| ❑ | **MIRA** : ........................................................ | M6ZF52 |
| ❑ | **JADE** : ......................................................... | J6ZF52 |

*sauf pour les collections Désirs, Jade et Mira = 1 livre gratuit.

### Renvoyez ce bon à : Service Lectrices Harlequin
### BP 20008 - 59718 Lille Cedex 9.

N° d'abonnée Harlequin (si vous en avez un) ⎵⎵|⎵|⎵|⎵|⎵|⎵|⎵|⎵|⎵|⎵|

M^me ❑    M^lle ❑    NOM _____

Prénom _____

Adresse _____

Code Postal |⎵|⎵|⎵|⎵|⎵|    Ville _____

### Le Service Lectrices est à votre écoute au 01.45.82.44.26
du lundi au jeudi de 9h à 17h et le vendredi de 9h à 15h.

Conformément à la loi Informatique et Libertés du 6 janvier 1978, vous disposez d'un droit d'accès et de rectification aux données personnelles vous concernant. Vos réponses sont indispensables pour mieux vous servir. Par notre intermédiaire, vous pouvez être amené à recevoir des propositions d'autres entreprises. Si vous ne le souhaitez pas, il vous suffit de nous écrire en nous indiquant vos nom, prénom, adresse et si possible votre référence client. Vous recevrez votre commande environ 20 jours après réception de ce bon. Date limite : 31 décembre 2006.

Offre réservée à la France métropolitaine, soumise à acceptation et limitée à 2 collections par foyer.

**L'ASTROLOGIE EN DIRECT
TOUT AU LONG
DE L'ANNÉE.**

(France métropolitaine uniquement)

**Par téléphone 08.92.68.41.01**

0,34 € la minute (Serveur JET MULTIMÉDIA).

Composé et édité par les
*éditions* Harlequin
Achevé d'imprimer en août 2006

**BUSSIÈRE**

GROUPE CPI

à Saint-Amand-Montrond (Cher)
Dépôt légal : septembre 2006
N° d'imprimeur : 61493 — N° d'éditeur : 12312

*Imprimé en France*

**ABONNEMENT...ABONNEMENT...ABONNEMENT...**

## ABONNEZ-VOUS VITE À LA SAGA ✂

# Le Clan des Fortune

**Oui**, je souhaite recevoir directement chez moi la saga LE CLAN DES FORTUNE. J'ai bien noté que je recevrai le nombre de volume(s) que j'ai choisi au prix indiqué ci-dessous * :

N° 1 - volume double de 480 pages - 6.18 €
N° 2 - volume triple de 576 pages - 6.18 €
N° 3 - volume triple de 384 pages - 5.32 €
N° 4 - volume double de 384 pages - 5.32 €

Je suis libre d'interrompre les envois à tout moment, par simple courrier ou appel téléphonique au Service Lectrices. Je ne paie rien aujourd'hui, la facture sera jointe à mon colis.

\* + 2,40 € de frais de port <u>par colis</u>.

L6JF01

❑ **Je m'abonne à partir du numéro 1 :**
Je recevrai un premier colis composé des n°1 et 2 fin septembre puis un deuxième colis composé des n°3 et 4 fin novembre

❑ **Je m'abonne à partir du numéro 3 :**
Je recevrai un seul colis composé des n°3 et 4, fin novembre

❑ **Je souhaite recevoir uniquement les numéros suivants :**
(j'entoure les numéros choisis)   1   2   3   4

**Renvoyez ce bon à :** Service Lectrices HARLEQUIN
BP 20008 - 59718 Lille CEDEX 9.

**N° abonnée** (si vous en avez un)  ⊔⊔  ⊔⊔⊔⊔⊔⊔⊔⊔

M^me ❑   M^lle ❑   NOM _____

Prénom _____

Adresse _____

Code Postal  ⊔⊔⊔⊔⊔  Ville _____

Tél. :  ⊔⊔⊔⊔⊔⊔⊔⊔⊔⊔

Date d'anniversaire  ⊔⊔⊔⊔⊔⊔⊔⊔

Le **Service Lectrices** est à votre écoute au **01.45.82.44.26**
du lundi au jeudi de 9h à 17h et le vendredi de 9h à 15h.